Laurell K. Hamilton est née en 1963 dans une petite ville de l'Arkansas. Après des études d'anglais et de biologie, elle se tourne vers l'écriture. C'est en 1993 qu'elle crée le personnage d'Anita Blake, auquel elle consacrera un roman chaque année, parallèlement à des novélisations pour séries (*Star Trek*). Portées par le bouche-à-oreille, les aventures de sa tueuse de vampire sont devenues aujourd'hui d'énormes best-sellers.

Du même auteur chez Milady :

Anita Blake :
1. *Plaisirs coupables*
2. *Le Cadavre rieur*
3. *Le Cirque des damnés*

www.milady.fr

Laurell K. Hamilton

Plaisirs coupables

Anita Blake – 1

Traduit de l'anglais (États-Unis) par Isabelle Troin

Milady

Milady est un label des éditions Bragelonne

Titre original : *Guilty Pleasures*
Copyright © Laurell K. Hamilton, 1993.

© Bragelonne 2009 pour la présente traduction

Illustration de couverture :
Photographie : Claire Arnaud – Montage : Anne-Claire Payet

ISBN : 978-2-8112-0092-3

Bragelonne – Milady
35, rue de la Bienfaisance – 75008 Paris

E-mail : info@milady.fr
Site Internet : http://www.milady.fr

À Gary Hamilton, mon mari, qui n'aime pas les histoires qui font peur, mais qui a quand même lu celle-là.

CHAPITRE PREMIER

Déjà longtemps avant sa mort, Willie McCoy était un abruti. Qu'il ait rendu l'âme ne changeait rien à l'affaire. Il était affublé d'une veste écossaise voyante et d'un pantalon vert criard, et ses cheveux noirs coupés court et lissés en arrière mettaient en valeur son visage osseux triangulaire.

Il m'a toujours fait penser aux seconds rôles des vieux films de gangster. Le genre de type qui vend des renseignements à la police, qui fait les courses pour tout le monde et dont on n'hésite pas à se débarrasser le moment venu.

Maintenant que Willie était un vampire, plus question de l'éliminer. Mais il continuait son boulot d'indic, rendant de petits services à l'occasion. Bref, la mort n'avait pas réussi à le transformer. Mais je préférais éviter de le regarder dans les yeux, au cas où…

C'est la procédure habituelle quand on traite avec un vampire. Willie McCoy était jadis un individu douteux. À présent, c'était un individu douteux *et* un mort-vivant. Une catégorie encore inconnue pour moi.

Nous étions installés dans mon bureau, où le climatiseur ronronnait tranquillement. Les murs bleu pastel, une couleur que mon patron, Bert, juge apaisante, conféraient à la pièce une certaine froideur polaire.

—La fumée te dérange ? demanda Willie McCoy.

—Oui.

—Bon Dieu, tu n'as pas l'intention de me faciliter la tâche, pas vrai?

Je le fixai un instant. Ses yeux étaient toujours du même marron qu'avant. Quand il s'aperçut que je le regardais, je baissai la tête.

Willie s'esclaffa. Un son curieux proche de l'éternuement. Sa façon de rire n'avait pas changé non plus.

—Ça, ça me plaît. Tu as peur de moi.

—Je n'ai pas peur, je suis prudente, c'est tout.

—Rien ne t'oblige à l'admettre, mais je sens sur toi l'odeur de la peur, comme si elle me chatouillait les narines. Et tu as peur de moi parce que je suis un vampire.

Je haussai les épaules. Qu'ajouter à ça? Comment mentir à quelqu'un qui est capable de renifler la trouille?

—Pourquoi es-tu venu me voir, Willie?

—Bon Dieu, j'aimerais vachement m'allumer une clope.

À la commissure de ses lèvres, un repli de peau tressauta.

—J'ignorais que les vampires avaient des tics nerveux.

Il passa une main sur le coin de sa bouche et sourit.

—Certaines choses ne changent jamais, fit-il en dévoilant ses canines.

J'eus envie de lui demander de préciser quelles choses changent. Quel effet ça fait d'être crevé?

Je connaissais d'autres vampires, mais Willie était le premier type que je revoyais après sa mort. Une impression très particulière…

—Qu'est-ce que tu veux?

—Je suis venu t'offrir de l'argent. Pour devenir ton client.

Évitant de croiser son regard, je levai les yeux vers lui. La lumière du plafonnier se reflétait sur son épingle de cravate. De l'or massif! Avant, Willie n'aurait jamais possédé un bijou pareil. Pour un cadavre ambulant, il se débrouillait plutôt bien.

—Je gagne ma vie en relevant les morts. Pourquoi un vampire aurait-il besoin de ranimer un zombie ?

Il secoua la tête.

—Rien à voir avec ces machins vaudous ! Je veux t'embaucher pour que tu retrouves des assassins.

—Je ne suis pas détective privé.

—Mais tu bosses souvent avec la police, non ?

—Exact, mais tu pourrais louer directement les services de Mlle Sims. Inutile de me demander de jouer les intermédiaires.

Encore un bref mouvement de la tête.

—Elle ne connaît pas les vampires aussi bien que toi.

Je soupirai et jetai un coup d'œil à la pendule murale.

—Willie, on pourrait peut-être s'en tenir là, il faut que je parte dans un quart d'heure. Je déteste que mes clients poireautent seuls dans un cimetière. Ils finissent par perdre patience.

Il éclata de rire. Malgré les canines, je trouvais son rire narquois rassurant. Mais les vampires ne devraient-ils pas avoir un rire riche et mélodieux ?

—Ça ne m'étonne pas. Ça ne m'étonne pas du tout !

Comme si une main invisible avait effacé sa gaieté, Willie redevint sérieux.

La peur me noua l'estomac. Les vampires passent en un éclair d'une expression à l'autre, comme s'il leur suffisait d'appuyer sur un bouton. S'il pouvait faire ça, de quoi d'autre était-il capable ?

—Tu dois avoir entendu parler des vampires qui se font massacrer dans le District ?

Il m'avait posé une question ; je lui répondis.

9

—Je suis au courant.

Quatre vampires avaient été égorgés dans le quartier des nouveaux clubs réservés à leurs semblables. On leur avait arraché le cœur et coupé la tête.

—Tu travailles toujours pour les flics ?

—On m'a nommée auprès du nouveau groupe d'intervention.

Il éclata de nouveau de rire.

—Ah ouais, la fameuse Brigade du Surnaturel… Celle qui manque d'argent et d'hommes ?

—Tu viens de décrire la situation de la plupart des forces de police de cette ville.

—C'est possible, mais les flics pensent comme toi, Anita. Un vampire mort de plus ou de moins, qu'est-ce que ça représente ? Aucune loi, même nouvelle, ne changera ça.

Deux ans s'étaient écoulés depuis l'affaire Addison-Clark. Le procès avait accouché d'une définition révisée de ce qu'était la vie… et de ce que la mort n'était pas. Dans nos bons vieux États-Unis d'Amérique, le vampirisme était désormais légal.

Un des rares pays à le reconnaître… Contraints de refouler les vampires étrangers qui voulaient s'installer chez nous par troupeaux entiers, les employés des services de l'immigration s'arrachaient les cheveux.

Dans les tribunaux, on débattait d'une multitude de questions. Les héritiers étaient-ils tenus de rendre les biens qu'ils avaient récupérés ? Si une femme mariée bénéficiait du statut de morte-vivante, fallait-il considérer que son mari était veuf ? Tuer des vampires était-il un meurtre ? Un mouvement populaire prétendait même leur donner le droit de vote. Comme l'a si bien dit Bob Dylan, « les temps changent » !

Fixant le mort-vivant assis en face de moi, je haussai les épaules. Si j'estimais qu'un vampire mort de plus ou de moins n'avait aucune importance ? Peut-être, oui…

— Si tu crois que c'est ce que je pense, pourquoi t'adresser à moi ?

— Parce que tu es la meilleure dans ta catégorie. Et nous avons besoin de ce qui se fait de mieux en la matière.

La première fois qu'il utilisait le « *nous* »…

— Pour qui travailles-tu, McCoy ?

Un sourire finaud apparut sur le visage de Willie, comme s'il savait quelque chose que j'aurais dû savoir aussi.

— Ça ne te regarde pas. Il y a beaucoup de fric en jeu. Pour enquêter sur ces meurtres, nous cherchons un oiseau de nuit.

— J'ai vu les cadavres, Willie. Et j'ai donné mon avis à la police.

— Ton analyse ?

Les mains posées à plat sur mon bureau, il se pencha en avant. Ses ongles étaient blancs, presque exsangues.

— J'ai fait un rapport complet, que j'ai remis aux flics.

Je levai les yeux vers lui, toujours sans le regarder en face.

— Et ces quelques renseignements, tu ne me les donneras pas ?

— Je ne suis pas autorisée à parler avec toi de ce qui concerne les forces de police.

— Je leur avais dit que tu refuserais leur offre.

— Quelle offre ? Tu ne m'as encore rien expliqué…

— Nous voulons que tu enquêtes sur l'assassinat de ces vampires, pour découvrir qui, ou quoi, en est responsable. Nous sommes prêts à te payer le triple de tes honoraires habituels.

Ça expliquait pourquoi Bert, le mercenaire type, avait arrangé cette rencontre. Il connaissait mon aversion pour les vampires, mais mon contrat m'obligeait à recevoir tous les clients qui lui avaient versé des honoraires. Pour de l'argent, mon patron accepterait tout et n'importe quoi. Le problème, c'est qu'il pense que je devrais en faire autant.

Nous n'allions pas tarder à avoir une petite explication…

Je me levai.

— La police est sur l'affaire et je lui fournis toute l'aide dont je suis capable. En un sens, je suis déjà en train de bosser sur cette enquête. Ne gaspille pas ton argent.

Les yeux rivés sur moi, Willie me regardait sans bouger. Pas la raideur caractéristique des cadavres déjà anciens, mais ça y faisait penser.

Un frisson remonta le long de ma colonne vertébrale, et je luttai contre l'envie de sortir le crucifix caché sous ma chemise, histoire de chasser Willie de mon bureau. Hélas, expulser un client en me servant d'un article consacré semblait fort peu professionnel. Je conservai mon calme, attendant que le client en question se décide à bouger.

— Pourquoi refuses-tu ?

— Willie, on m'attend. Navrée de ne pas pouvoir t'aider, crois-le bien.

— Dis plutôt que tu ne *veux* pas nous aider.

— Comme il te plaira.

Faisant le tour de mon bureau, je le raccompagnai à la porte.

Willie bougeait avec une rapidité et une fluidité dont il n'avait jamais fait preuve auparavant, mais j'anticipai son mouvement et reculai d'un pas pour éviter sa main tendue vers moi.

— Je ne suis pas une de ces jolies idiotes qu'on couillonne avec quelques tours de magie à trois ronds !

— Tu m'as vu bouger.

—Non, je t'ai *entendu*. Tu es un tout jeune mort, Willie. Vampire ou non, il te reste beaucoup à apprendre.

Le bras à moitié déplié dans ma direction, il fronça les sourcils.

—Possible, mais aucun humain n'aurait pu réagir comme tu viens de le faire.

Il se rapprocha d'un pas, sa veste écossaise me frôlant. Tout près l'un de l'autre, il était facile de constater que nous faisions la même taille. Petits tous les deux!

Ses yeux étaient exactement à la hauteur des miens. Prudente, j'entrepris de contempler son épaule.

Au prix d'un effort démesuré, je réussis à ne pas m'écarter. Mort-vivant ou pas, c'était toujours Willie McCoy, et je n'avais pas envie de lui faire ce plaisir.

—Tu n'es pas plus humaine que moi, lâcha-t-il.

Je me décidai à ouvrir la porte.

Je ne m'étais pas écartée, j'étais allée ouvrir, nuance! Enfin, je tentai d'ignorer la sueur que je sentais ruisseler dans mon dos. Mais la boule, dans mon estomac, prouvait que je ne trompais personne.

—Il faut vraiment que j'y aille. Merci de t'être adressé à Réanimateurs Inc.

Je lui fis mon plus beau sourire professionnel, parfaitement hypocrite mais éblouissant.

Il s'immobilisa sur le seuil de la porte.

—Pourquoi ne pas travailler avec nous? Faut que je donne une explication en rentrant.

Je n'en aurais pas mis ma main à couper, mais il y avait comme de la peur dans sa voix. Aurait-il des problèmes à cause de mon refus? J'étais désolée pour lui… et consciente que c'était idiot. Il s'agissait d'un mort-vivant, bonté divine!

Planté dans l'encadrement de la porte, il me dévisageait : c'était toujours Willie, avec ses vestes ringardes et ses petites mains nerveuses.

—Peu importe le nom de tes employeurs. Dis-leur que je ne travaille pas pour les vampires.

—Une règle à laquelle tu ne déroges jamais ?

—Une règle incontournable, oui…

—En béton !

Une ombre passa sur son visage et j'eus l'impression fugitive de revoir le bon vieux Willie. Je lui faisais presque pitié.

—J'aurais préféré que tu acceptes, Anita. Ces gens n'aiment pas qu'on leur dise non.

—Là, tu dépasses les limites de mon hospitalité ! J'ai horreur qu'on me menace…

—C'est pas une menace, Anita. Juste la vérité.

Il rajusta sa cravate, caressa du bout des doigts l'épingle en or toute neuve, se redressa de toute sa taille et sortit.

Je refermai la porte et m'adossai au battant. Mes genoux menaçaient de se dérober, mais je n'avais pas le temps de m'asseoir ou de trembler. Mme Grundick était probablement au cimetière, attendant avec son petit sac noir et ses grands fils que je relève son mari. Pour résoudre le problème que posaient deux testaments très différents, il fallait subir des années de procédures juridiques coûteuses ou ramener Albert Grundick à la vie et lui demander son avis.

Tout le matos était dans ma voiture, y compris les poulets. Je sortis le crucifix caché sous ma chemise et le mis bien en évidence. J'avais plusieurs armes et je savais m'en servir. Un tiroir de mon bureau contenait un Browning Hi-Power 9 mm qui pesait un peu plus d'un kilo, plus les balles en argent. L'argent ne suffit pas à tuer un vampire, mais ça le décourage, puisqu'il est ralenti par la cicatrisation de ses blessures, devenue aussi lente que chez les humains.

Essuyant mes paumes moites sur ma jupe, je sortis de mon bureau.

Craig, le secrétaire de nuit, pianotait frénétiquement sur le clavier de l'ordinateur. Il écarquilla les yeux en me voyant marcher d'un pas mal assuré sur l'épaisse moquette. Peut-être à cause de la croix qui se balançait au bout de sa longue chaîne. Ou du holster que je portais à l'épaule, exposant à la vue mon Browning 9 mm.

Il se garda de faire le moindre commentaire. Un homme intelligent.

Je passai un joli petit blouson en velours. Le vêtement ne dissimulait pas la bosse, sous mon aisselle, mais ce n'était pas grave.

Je doutais que les Grundick et leurs avocats soient en mesure de remarquer quoi que ce soit.

CHAPITRE 2

En rentrant chez moi ce matin-là, je vis le soleil se lever. Je hais l'aurore. Ça signifie que j'ai dépassé l'horaire et bossé toute la nuit…

Les rues de Saint Louis sont bordées de plus d'arbres que celles des autres villes que je connais. J'aurais presque pu dire que le spectacle de ces végétaux éclairés par les premières lueurs de l'aube était charmant. Mais il ne faut pas pousser!

Dans la lumière matinale, mon appartement paraît toujours abominablement clair et agréable. Les murs sont de cette couleur glace à la vanille que j'ai toujours vue dans les piaules où je suis passée. La moquette est d'une jolie nuance de gris ; je préfère ça au marron plus fréquemment utilisé.

L'appartement est un grand deux-pièces. On prétend qu'il jouit d'une belle vue sur le parc, juste à côté, mais ne comptez pas sur moi pour le confirmer. Et si j'avais le choix, je supprimerais les fenêtres! Faute de quoi, je me débrouille avec des rideaux qui transforment la journée la plus ensoleillée en pénombre fraîche et accueillante.

Pour couvrir les petits bruits de mes voisins, j'allumai la radio. Les doux accords de la musique de Chopin accompagnèrent ma plongée dans le sommeil.

Jusqu'à ce que retentisse la sonnerie du téléphone.

Je restais allongée, me maudissant d'avoir oublié de brancher le répondeur. Et si je ne décrochais pas, tout simplement ? Cinq sonneries plus tard, je craquai.

—Allô.

—Oh, excusez-moi... Je vous réveille ?

La voix d'une femme que je ne connaissais pas. Si elle essayait de me vendre quelque chose, j'allais devenir violente.

—Qui est à l'appareil ?

Clignant des yeux, je regardai le réveil, sur la table de nuit. Huit heures. J'avais eu deux heures de sommeil. Youpi !

—Monica Vespucci.

Elle avait prononcé son nom comme s'il devait m'expliquer la raison de son appel.

C'était loin d'être le cas.

—Oui.

J'aurais voulu l'encourager à continuer, mais je parvins juste à émettre une sorte de grognement.

—Oh, euh... Je suis la Monica qui travaille avec Catherine Maison.

Cramponnée au combiné, je m'efforçai de réfléchir. Mais deux heures de sommeil ne suffisent pas à m'éclaircir les idées. Catherine était une amie. Elle m'avait sans doute parlé de cette femme, mais je n'arrivais pas à m'en souvenir.

—Oui, bien sûr, Monica... Qu'est-ce que vous voulez ?

La formule manquait de courtoisie, même à mes propres oreilles.

—Désolée d'être aussi impolie... Mais j'ai fini de travailler à 6 heures, ce matin.

—Mon Dieu, vous n'avez eu que deux heures de sommeil ? Vous devez avoir envie de me trucider, non ?

Je me suis gardée de lui répondre. L'impolitesse a des limites.

17

—Vous voulez me demander quelque chose, Monica?

—Eh bien, oui… Je donne une petite fête pour enterrer la vie de jeune fille de Catherine. Vous savez qu'elle se marie le mois prochain.

Je hochai la tête, puis me souvins qu'elle ne pouvait pas me voir et bredouillai :

—Je suis invitée à la cérémonie.

—Oui, oui, je suis au courant. Les robes des demoiselles d'honneur sont ravissantes, vous ne trouvez pas?

Je déteste dépenser cent vingt dollars pour une robe longue en satin rose avec des manches bouffantes, mais c'était le mariage de Catherine.

—Vous disiez, à propos de cette petite fête?

—Oh, oui, bien sûr, excusez mon bavardage… Surtout que vous devez tomber de sommeil…

Je me suis demandé si hurler à la mort me débarrasserait plus vite de l'intruse. Sûrement pas : elle se serait plutôt mise à pleurnicher.

—Monica, dites-moi ce que vous voulez.

—Eh bien, je sais que c'est un peu tard, mais j'ai perdu le contrôle de mon emploi du temps… En fait, j'avais l'intention de vous téléphoner la semaine dernière. Mais il n'y a pas eu moyen…

Ces femmes modernes débordées!

—Allez-y!

—Ce soir, on enterre la vie de jeune fille de Catherine. Comme elle m'a dit que vous ne buviez pas d'alcool, j'ai supposé que vous accepteriez de reconduire les invitées chez elles, après la fête.

Une minute, je suis restée muette, me demandant si ça valait vraiment la peine de me foutre en rogne. Mieux réveillée, j'aurais peut-être ravalé ma réplique suivante.

— Si vous voulez que je fasse le chauffeur, vous ne trouvez pas que vous me prévenez affreusement tard ?

— Je sais. Vraiment, je suis navrée. Bon, je me suis un peu dispersée, ces temps-ci. Catherine m'a dit que vous ne travaillez pas le vendredi soir. Vous êtes libre, n'est-ce pas ?

Elle avait raison, mais je n'avais aucune envie de sacrifier mon unique soirée libre de la semaine pour faire plaisir à une fichue étourdie.

— En effet, je ne travaille pas…

— Génial ! Je vais vous donner toutes les indications nécessaires… Vous pourrez nous prendre à la fermeture des bureaux. C'est d'accord ?

Je n'étais pas du tout d'accord, mais comment protester ?

— Parfait.

— Vous avez du papier et un stylo sous la main ?

— Vous venez de me dire que vous travaillez avec Catherine ?

Je commençais à me souvenir de la tête de Monica.

— Oui, pourquoi ?

— Je sais où elle bosse. Inutile de me donner l'adresse.

— Oh, oui, bien sûr, c'est idiot ! On se voit à 17 heures. Mettez quelque chose de joli, mais surtout pas de talons : nous irons peut-être danser.

J'ai horreur de danser.

— D'accord, à ce soir.

— À ce soir.

Elle raccrocha. Après avoir activé le répondeur, je me pelotonnai sous les draps. Si Monica travaillait avec Catherine, ça faisait d'elle une avocate. Une idée effrayante. Peut-être s'agissait-il d'une de ces personnes néanmoins organisées dans le seul cadre de leurs obligations professionnelles…

Soudain, je m'avisai que j'aurais pu décliner l'invitation, tout simplement. Et merde! J'avais l'esprit vif, aujourd'hui…

Bon, ça ne pouvait pas me faire de mal.

Des inconnues qui se prennent une bonne cuite… Avec un peu de chance, une des filles aurait peut-être la riche idée de gerber dans ma voiture.

Une fois rendormie, je fis un étrange rêve où se succédèrent Monica Vespucci, que je ne connaissais pas, une tarte à la noix de coco et les funérailles de Willie McCoy…

CHAPITRE 3

Monica Vespucci portait un badge qui proclamait : « Les vampires sont des gens comme les autres. » La soirée s'annonçait mal. Le col relevé de son chemisier de soie blanche mettait en valeur son teint mat, bronzé sous les lampes d'un club de gym. Ses cheveux courts étaient joliment coupés, et son maquillage me parut parfait.

Le badge aurait dû me renseigner sur le genre de fête qu'elle avait organisé pour célébrer la fin du célibat de Catherine. Mais il y a des jours où je suis particulièrement lente à la détente.

Je portais une paire de jeans noirs, des bottes qui m'arrivaient au-dessous du genou et une chemise légère d'un rouge éclatant. Coiffés en conséquence, mes cheveux noirs retombaient souplement juste au-dessus de mes épaules. Le marron très foncé de mes yeux, assorti à mes cheveux, contraste avec mon teint trop pâle – une peau germanique et une noirceur toute latine. Un ex-fiancé m'a qualifiée, il y a longtemps, de petite poupée de porcelaine. Dans sa bouche, c'était un compliment, mais je ne l'avais pas entendu comme ça. Ce n'est pas pour rien que j'évite de sortir avec n'importe qui.

Le chemisier avait des manches longues destinées à dissimuler l'étui du poignard attaché à mon poignet droit… et les cicatrices de mon bras gauche. Le Browning était dans le coffre de ma voiture. À ma décharge, je n'avais pas prévu que la petite fête entre filles dégénérerait à ce point…

—Désolée d'avoir autant tardé à organiser cette soirée, Catherine, dit Monica. C'est pour ça que nous sommes seulement toutes les trois. Les autres avaient quelque chose de prévu.

—Les gens sont pris le vendredi soir! fis-je. Quel scoop!

Monica me lança un regard inquiet, incapable de décider si je plaisantais ou pas.

Catherine me foudroya du regard. Je leur adressai à toutes les deux mon sourire le plus angélique. Monica me sourit aussi, mais Catherine n'était pas dupe.

Monica commença à danser sur le trottoir, beurrée comme un petit Lu. Elle n'avait bu que deux verres pendant le dîner. De mauvais augure pour la suite.

—Sois sympa, me souffla Catherine.

—Qu'est-ce que j'ai dit?

—Anita!

Le ton de sa voix me rappela mon père quand je rentrais trop tard à la maison.

Je soupirai.

—Tu n'es pas drôle du tout, ce soir.

—Pourtant, j'ai l'intention de m'amuser…

Catherine s'étira, les bras levés vers le ciel. Elle portait le tailleur froissé qu'elle gardait pour le bureau et le vent jouait dans ses longs cheveux cuivrés. Je n'ai jamais pu décider si elle serait plus jolie en se les faisant couper, pour qu'on puisse remarquer d'abord son visage, ou si c'est sa chevelure rousse qui la rend aussi séduisante.

—Dans la mesure où je suis contrainte de sacrifier une de mes rares soirées de liberté, dit-elle, j'ai bien l'intention d'en profiter pour m'éclater à fond.

Il y avait dans ce dernier mot une audace certaine. Je la regardai fixement.

— Tu n'as pas l'intention de boire jusqu'à rouler par terre ?

— Peut-être !

Catherine sait que je désapprouve, ou plutôt que je ne comprends pas, les gens qui s'adonnent à la boisson. Je n'ai jamais aimé perdre mes inhibitions. Même quand j'ai envie de me lâcher, je tiens à conserver plus ou moins le contrôle de mes actes.

Nous avions laissé ma voiture dans un parking, à deux rues de là. Une lourde grille métallique le protégeait des intrus.

Il n'y a pas beaucoup de parkings à proximité du fleuve. Les chaussées pavées et les antiques trottoirs ont été conçus pour accueillir des chevaux, pas des automobiles.

Pendant que nous dînions, un orage estival avait nettoyé les rues. Au-dessus de nos têtes, les premières étoiles scintillaient, tels des diamants piqués sur du velours.

— Dépêchez-vous un peu, au lieu de lambiner ! brailla Monica.

Catherine me regarda en souriant. Avant que j'aie compris ce qui se passait, elle courut vers Monica.

— Pour l'amour du ciel…, grommelai-je.

Si j'avais bu, je me serais peut-être aussi mise à courir. Mais j'en doutais.

— Ne reste pas plantée là comme un piquet ! cria Catherine.

Comme un piquet ? Sans presser le pas, je les rattrapai. Monica gloussait à tout-va, ce qui ne me surprenait pas vraiment. Appuyées l'une sur l'autre, Catherine et elle étaient hilares. Je les soupçonnai de se moquer de moi.

Monica se calma assez pour imiter un ridicule chuchotement de théâtre.

—Vous savez ce qu'il y a au coin de la rue?

Justement, je le savais. Les derniers meurtres de vampires avaient eu lieu quatre rues plus loin. Nous étions dans ce que les vampires appelaient le «District». Les humains, eux, disaient le «quartier noir» ou la «place rouge», selon leur degré d'intolérance.

—Le *Plaisirs coupables*, dis-je.

—Oh, tu as gâché la surprise! gémit Monica.

—C'est quoi, ces plaisirs coupables? demanda Catherine.

—Ouais, super! triompha Monica. La surprise reste entière, après tout!

Elle passa un bras autour des épaules de Catherine.

—Tu vas adorer!

Que Catherine apprécie n'était pas impossible. Mais je savais que je n'aimerais pas.

Pourtant, j'emboîtai le pas aux deux filles. L'enseigne était un magnifique néon tout en courbes et d'un rouge sang éclatant dont la symbolique ne m'échappa nullement.

Nous gravîmes les trois marches qui menaient à la porte du club, où un vampire montait la garde. Il avait des cheveux noirs coupés en brosse et de tout petits yeux délavés. Ses énormes épaules menaçaient de faire craquer les coutures du tee-shirt qui le moulait avantageusement… Mais quand on est mort, la musculation ne devient-elle pas une activité quelque peu redondante?

Même de l'extérieur, sur le seuil de la porte d'entrée, j'entendais la rumeur confuse des voix, des éclats de rire et de la musique. Les sons typiques produits par une foule rassemblée dans un espace restreint et décidée à prendre du bon temps.

Le vampire avait encore une sorte de mobilité. Disons plutôt, faute d'un meilleur terme, une certaine vitalité. En fait, il était mort depuis une vingtaine d'années au plus. Dans la pénombre, il avait l'air presque humain, même à mes yeux. Ce soir-là, il s'était déjà alimenté : son teint légèrement congestionné trahissait une santé à toute épreuve. Pour un peu, il aurait eu les joues rouges des enfants bien nourris. Et voilà le résultat d'un bon régime à base de sang frais !

Monica lui tâta le bras.

— Hou, touchez-moi ces muscles, les filles !

Découvrant deux superbes canines, il lui sourit. Catherine ne put cacher son étonnement.

Le sourire du portier s'élargit.

— Buzz est un vieil ami à moi, pas vrai, Buzz ?

Buzz le vampire ? Sûrement pas…

Mais il acquiesça.

— Tu peux entrer, Monica. Ta table habituelle vous attend.

Ta table habituelle ? Quel poids avait donc Monica ici ? Le *Plaisirs coupables* était un des clubs les plus branchés du District et la direction n'acceptait pas les réservations.

Un grand panneau était fixé sur la porte.

« Il est interdit d'introduire dans l'établissement des croix, des crucifix ou tout autre objet consacré. »

Je lus l'avertissement sans y prêter attention. Pas question de laisser ma croix au vestiaire.

Une voix vibrante flotta autour de nous.

— Comme c'est aimable à toi de nous rendre visite, Anita !

La voix était celle de Jean-Claude, propriétaire du club et maître vampire notoire. Il avait l'apparence classique d'un vampire : des cheveux bouclés retombant sur la dentelle raffinée du jabot d'une chemise à l'ancienne, un flot de cette même dentelle cachant à moitié des mains fines et de longs doigts blancs. Sa chemise ouverte laissait apparaître un torse discrètement musclé. La plupart des hommes auraient été ridicules dans cet accoutrement. Lui n'en paraissait que plus viril.

—Vous vous connaissez, tous les deux ?

Monica paraissait sincèrement surprise.

—Bien sûr… Mlle Blake et moi nous sommes déjà rencontrés.

—J'ai collaboré avec la police sur l'affaire des meurtres des quais.

—C'est l'experte en vampirisme de la police, dit Jean-Claude d'une voix douce et presque tendre.

Dans sa bouche, les mots avaient une connotation vaguement obscène.

Monica gloussa. Les yeux écarquillés, Catherine dévisageait Jean-Claude d'un air béat. Quand je posai la main sur son bras, elle sursauta, comme tirée d'une rêverie douteuse. Sachant qu'il m'entendrait même si je parlais à voix basse, je ne pris pas la peine de chuchoter :

—Un tuyau important pour ta sécurité : il ne faut jamais regarder un vampire dans les yeux.

Elle hocha la tête. Pour la première fois, son visage exprima un peu d'angoisse.

—Je ne ferai pas le moindre mal à une aussi jolie femme.

Prenant la main de Catherine, Jean-Claude la porta à ses lèvres. Sa bouche la frôla, et mon amie s'empourpra aussitôt.

Il baisa la main de Monica avant de se tourner vers moi.

—Ne t'inquiète pas, petite réanimatrice. Je n'ai pas l'intention de te toucher. Ce serait tricher.

Il se déplaça de façon à se rapprocher de moi. J'avais les yeux rivés sur son torse. Sous la dentelle, je venais d'apercevoir la trace d'une brûlure. La cicatrice avait la forme d'une croix. Depuis combien d'années quelqu'un avait-il pressé une croix contre sa chair ?

—Et conserver un crucifix sur toi, un avantage déloyal…

Que répondre à ça ? D'une certaine façon, il avait raison.

Dommage que ce ne soit pas seulement la forme géométrique d'une croix qui peut infliger de graves blessures à un vampire. Sinon, Jean-Claude aurait été dans la merde. Mais il faut que le crucifix soit béni et qu'un croyant le brandisse. Un athée qui fourrerait un crucifix sous le nez d'un vampire offrirait un spectacle franchement pitoyable.

Soufflant son haleine chaude dans mon cou, il susurra mon nom :

—Anita, à quoi penses-tu ?

Sa voix était d'une telle douceur que j'aurais aimé lever les yeux vers lui pour voir son expression… Jean-Claude avait été intrigué par l'indulgence dont je faisais preuve à son égard. Et par la trace de brûlure en forme de croix, sur mon bras. Cette cicatrice l'amusait. Chaque fois que nous nous rencontrions, il faisait de son mieux pour m'ensorceler, et je m'efforçais de l'ignorer.

Jusqu'à maintenant, j'ai réussi à conserver l'avantage.

—Vous n'aviez jamais vu d'objections à ce que je porte une croix.

—C'est que tu étais mandatée par la police. À présent, tu ne l'es plus.

Fixant son torse, je me demandai si la dentelle était aussi douce qu'elle le paraissait. Sans doute pas…

—Tu as aussi peu confiance dans tes propres pouvoirs, petite ? Tu crois que c'est grâce à cette ridicule chose en argent, autour de ton cou, que tu pourras me résister ?

Ce n'était pas tout à fait ça, mais je savais que la «ridicule chose» y contribuait beaucoup. Jean-Claude était âgé de deux cent cinq ans. En deux siècles, un vampire accumule du pouvoir. Il suggérait que j'avais la trouille, mais il avait tort.

Je fis mine de retirer la chaîne que je portais autour du cou. S'écartant, il me tourna le dos. La croix en argent brillait au creux de ma main. Une humaine blonde apparut à côté de moi. Elle me tendit un ticket de vestiaire et prit le crucifix. Super, une préposée aux objets consacrés!

Débarrassée de ma croix, je me sentais presque nue. J'avais l'habitude de dormir et de me doucher avec ce talisman.

Jean-Claude s'approcha de nouveau de moi.

— Tu adoreras le spectacle de ce soir, Anita. Quelqu'un t'emballera…

— Non, répliquai-je, agacée par le double sens de sa phrase.

Il n'est pas facile de paraître intraitable quand on a les yeux rivés sur la poitrine de son interlocuteur. Pour être dur, il faut défier du regard. Mais ça, c'était hors de question.

Il éclata de rire. Ce son parut me caresser la peau à la façon d'un pinceau en zibeline. Chaud et évoquant si peu la perspective de la mort…

Monica me prit le bras.

— Catherine et toi allez adorer ça, je vous le promets.

— Oui. Jamais vous n'oublierez cette soirée, renchérit Jean-Claude.

— C'est une menace?

Il rit de nouveau. Cet affreux rire chaleureux…

— Nous sommes dans un lieu réservé aux plaisirs, Anita, pas à la violence.

Monica me tira par le bras.

— Dépêchons-nous, le divertissement est sur le point de commencer!

— Quel divertissement? demanda Catherine.

Je fus forcée de sourire.

— Bienvenue dans l'unique club de vampires entièrement réservé au strip-tease, Catherine.

— Tu plaisantes…

— Parole de scout!

Je jetai un coup d'œil vers l'entrée. Jean-Claude était parfaitement immobile, sans exprimer d'émotion, comme absent. Puis son bras bougea et sa main si pâle se porta à ses lèvres.

Il m'envoya un baiser.

Les réjouissances commençaient!

Chapitre 4

Notre table touchait presque le bord de la scène.

Dans les vapeurs d'alcool et les rires, quelques clients feignirent de mourir de peur à l'approche des vampires qui faisaient office de serveurs. Une angoisse étrangement factice pesait sur l'assistance. La terreur qu'on ressent sur un grand 8 ou devant un film d'horreur. Une peur sans risques.

Les lumières s'éteignirent. Des hurlements retentirent dans le club. Un instant, il y régna une terreur bien réelle.

La voix de Jean-Claude déchira alors l'obscurité.

— Bienvenue au *Plaisirs coupables*. Nous sommes ici pour vous servir. Pour exaucer chacun de vos souhaits, même les plus diaboliques.

Douce comme de la soie, sa voix envoûtait le public.

Il était rudement bon.

— Vous êtes-vous demandé l'effet que ferait mon souffle chaud sur votre peau ? Mes lèvres remontant le long de votre nuque… Le contact froid de mes dents. La douleur tendre et cruelle de mes crocs. Votre cœur battant la chamade contre mon torse. Votre sang coulant dans mes veines. Offrir enfin votre corps en partage. Me donner la vie. Savoir que je suis réellement incapable de vivre sans vous. Sans vous tous…

Sans doute à cause de l'intimité générée par la pénombre, j'avais l'impression qu'il me parlait, ne s'adressant qu'à moi. J'étais l'élue, celle qu'il avait choisie.

C'était idiot, parce que toutes les femmes présentes ressentaient exactement la même chose. Nous étions toutes ses élues. Tout simplement !

— Ce soir, notre premier gentleman partage avec vous ce désir. Il a voulu savoir quel effet produisait le plus doux des baisers, et il vous a précédées, afin de montrer que c'est merveilleux…

Le silence qui suivit cette harangue fut si lourd que les battements de mon propre cœur me semblèrent assourdissants.

— Ce soir, Phillip est parmi nous.

— Phillip…, murmura Monica.

Un frisson courut dans l'assistance.

— Phillip, Phillip…, psalmodièrent toutes les femmes.

Comme à la fin d'un film, les lumières se rallumaient l'une après l'autre. Quelqu'un se tenait au centre de la scène, moulé dans un tee-shirt blanc immaculé. L'homme n'était pas Monsieur Muscle, mais il était quand même bien bâti. Pas un gramme de graisse. Une veste de cuir noir, un jean moulant et des bottes constituaient sa tenue de scène. Ses épais cheveux noirs étaient juste assez longs pour effleurer ses épaules.

La musique déchira le silence crépusculaire de la salle. L'homme bougea imperceptiblement les hanches, puis entreprit de retirer sa veste de cuir, en accomplissant chaque geste au ralenti. Le rythme de la musique, jusque-là assez lent, s'accéléra. Le danseur accompagna le tempo, ondulant de plus belle. La veste tomba sur la scène. Le jeune homme fixa le public une longue minute, se laissant admirer à loisir. La pliure de ses bras portait la marque de nombreuses cicatrices, ces tissus blanchâtres formant autant de scarifications en relief.

Je me forçai à déglutir. Sans savoir ce qui allait suivre, j'aurais parié que ça ne me plairait pas.

À deux mains, le type ramena en arrière sa longue chevelure, dégagea son visage et ondula tout au long de la scène. Arrivé à proximité de notre table, il baissa les yeux vers nous. Son cou ressemblait au bras d'un junkie.

Je fus obligée de détourner le regard. Toutes ces minuscules traces de morsures, bien propres. Toutes ces jolies petites cicatrices… Regardant Catherine, je m'aperçus qu'elle contemplait ses genoux. Monica était penchée en avant, les lèvres entrouvertes.

Les mains du jeune homme saisirent son tee-shirt et tirèrent. Le tissu se déchira, dévoilant sa poitrine musclée.

Le public hurlait. Certains spectateurs crièrent le nom de l'artiste. Il leur fit un sourire éblouissant et sexy du genre qui fond dans la bouche.

Le torse du danseur était également constellé de cicatrices : certaines blanches, d'autres plus roses. Collée à mon siège, je regardais, bouche bée.

Catherine murmura :

— Mon Dieu !

— Il est merveilleux, n'est-ce pas ? s'exclama Monica.

Je lui jetai un coup d'œil. Le col de son chemisier était rabattu, exposant aux regards les traces d'une morsure très nette, déjà ancienne – presque une cicatrice. Doux Jésus !

La musique explosa avec une violence inouïe. Le jeune homme dansait et ondulait, investissant dans chaque geste toute l'énergie de son corps. Au-dessus de sa clavicule gauche, on distinguait un amas blanchâtre de vieilles cicatrices qui trahissaient des morsures particulièrement vicieuses. Mon estomac se serra. Un vampire lui avait déchiré la clavicule, s'acharnant sur lui comme un chien affamé sur un morceau de bidoche. J'étais bien placée pour le savoir, puisque j'avais une cicatrice similaire. Et beaucoup d'autres, du même genre…

Tels des champignons après l'orage, les dollars fleurirent au bout des bras des spectateurs. Monica brandissait son argent comme un drapeau. Je n'avais pas envie que Phillip s'approche de notre table. À cause du vacarme, je dus me pencher vers Monica pour me faire entendre.

— Je t'en prie, ne lui demande pas de venir ici.

Au moment où elle se tournait vers moi, je sus qu'il était trop tard. Phillip et ses innombrables cicatrices se tenait au bord de la scène, le regard rivé sur nous. Je levai mes yeux vers les siens, terriblement humains.

Les artères du cou de Monica battaient follement. Les pupilles dilatées, elle se passa la langue sur les lèvres avant de fourrer un billet dans le pantalon du danseur.

Comme deux papillons affolés, ses mains suivirent le dessin des cicatrices du jeune homme. Approchant son visage de l'estomac de Phillip, elle embrassa chaque marque, y laissant l'empreinte de son rouge à lèvres. Pendant qu'elle l'embrassait, il s'agenouilla, forçant la bouche de Monica à remonter de plus en plus haut vers sa poitrine.

Lorsque le danseur fut à genoux, elle plaqua ses lèvres contre son visage. Comme s'il savait ce qu'elle désirait, il écarta les cheveux qui cachaient son cou. De sa petite langue rose, elle entreprit de lécher la trace de morsure la plus récente. Je l'entendis soupirer d'extase. Pressant sa bouche contre la cicatrice, elle mordit. À cause de la douleur, ou peut-être de la surprise, le jeune homme sursauta. Les mâchoires de Monica se serrèrent et les muscles de son cou se tendirent. Elle suçait la morsure.

Je regardai Catherine. Livide, l'air ébahi, incapable de détacher son regard de l'étrange couple.

Le public était devenu fou : les gens hurlaient et brandissaient des billets. Repoussant Monica, Phillip se dirigea vers une autre table.

Monica s'effondra sur elle-même, la tête inclinée en avant, les bras ballants.

Avait-elle perdu connaissance ? Tendant un bras, je voulus lui toucher l'épaule avant de m'aviser que je n'avais pas du tout envie d'un contact physique avec elle. Gentiment, je posai la main sur son bras. Elle réagit aussitôt et tourna la tête vers moi. Ses yeux brillaient de l'éclat que le sexe donne habituellement aux femmes comblées. Sans le rouge, ses lèvres semblaient exsangues. Non, elle n'avait pas perdu connaissance. Elle savourait la jouissance que lui avait procurée le baiser donné à Phillip.

Je me redressai et frottai ma main contre mon jean. Mes paumes ruisselaient de sueur.

Phillip était de retour sur la scène. Il ne dansait plus, immobile et serein. La bouche de Monica avait laissé sur son cou un petit cercle rouge.

Je captai alors les premiers frémissements annonciateurs d'une vieille âme, dont la sinistre présence commençait à flotter au-dessus de l'assistance.

— Que se passe-t-il ? demanda Catherine.

— Tout va bien, la rassura Monica.

Les yeux entrouverts, elle s'était redressée. Se passant la langue sur les lèvres, elle s'étira, les bras levés au-dessus de la tête.

Catherine se tourna vers moi.

— Anita, c'est quoi ?

— Un vampire, dis-je.

De la peur passa fugitivement sur son visage, mais elle se ressaisit et je la vis changer d'expression sous l'influence de l'esprit du mort-vivant. Elle se tourna lentement vers la scène, où Phillip attendait. Catherine ne courait aucun danger. Cette hypnose collective ne durerait pas.

Le vampire n'était pas aussi vieux que Jean-Claude, et il était loin d'être aussi fort. Je restai assise, sentant les tentacules d'un pouvoir vieux de plus de cent ans, mais néanmoins insuffisant. Il se déplaçait parmi les tables et s'était donné beaucoup de mal pour s'assurer que les pauvres humains ne s'apercevraient pas de sa venue.

Il allait apparaître au beau milieu du public, comme par magie.

On peut rarement surprendre un vampire…

Je me tournai vers lui pour le regarder avancer. Tous les spectateurs avaient le regard rivé sur la scène, attendant que quelque chose se passe.

Le vampire était grand, avec des pommettes très marquées qui lui donnaient l'allure d'un top model. Trop viril pour être beau et trop parfait pour être réel.

Il déambulait entre les tables, vêtu de l'uniforme légendaire des vampires – smoking noir et gants blancs. Il s'immobilisa à côté de la mienne, histoire de jouir du spectacle que lui offrait l'assistance. Il tenait les spectateurs impuissants dans le creux de sa main et ils attendaient. Mais j'étais là, les yeux braqués sur lui, évitant soigneusement de croiser son regard.

Surpris, il se raidit. Déstabiliser un vampire vieux d'un siècle est radical pour remonter le moral d'une femme.

Puis je regardai Jean-Claude, debout derrière lui. Il me dévisageait, et je levai mon verre à sa santé. Inclinant gracieusement la tête, il m'en remercia.

Le grand vampire était maintenant à côté de Phillip, dont le regard était aussi vide que ceux des autres humains. Le sortilège, ou l'hypnose collective, comme on voudra, se dissipa. Une pensée suffit au vampire pour réveiller le public. Un hoquet de soulagement s'échappa de la poitrine de tous les spectateurs.

De la magie, rien de plus…

La voix de Jean-Claude brisa le silence :

— Voici Robert. Je vous demande de l'accueillir chaleureusement.

La foule se déchaîna, hurlant et applaudissant à tout rompre. Comme tout le monde, Catherine battit des mains. À l'évidence, elle était impressionnée par le spectacle.

La musique changea de nouveau, saturant l'atmosphère de vibrations trop sonores et presque douloureuses. Le vampire nommé Robert commença à danser avec une sorte de violence prudente calquée sur le rythme de la musique. Il lança ses gants blancs au public. L'un d'eux atterrit sur le sol à mes pieds. Je l'y laissai.

— Ramasse-le ! dit Monica.

Je secouai la tête.

Assise à la table d'à côté, une femme se pencha vers moi. Son haleine empestait le whisky.

— Vous n'en voulez pas ?

Je secouai de nouveau la tête.

Elle se leva, décidée à s'emparer du gant, mais Monica la prit de vitesse. Déçue, la femme se rassit.

Le vampire avait enlevé son tee-shirt, révélant un torse lisse. Il s'allongea sur la scène et fit une série de pompes exécutées sur le bout des doigts. Le public se déchaîna. Moi, il ne m'impressionnait pas. S'il en avait envie, il pouvait compresser une carcasse de voiture. Alors, quelques pompes, comparées à ça…

Il dansa autour de Phillip, qui lui fit face, bras tendus et jambes fléchies, comme s'il se préparait à l'attaquer. Puis ils se tournèrent autour. La musique baissa jusqu'à n'être plus qu'un fond sonore.

Le vampire se rapprocha de Phillip, qui fit alors mine de s'enfuir. Mais Robert lui bloqua le passage.

Je ne l'avais pas vu bouger. Il s'était simplement contenté d'apparaître devant l'homme. Un frisson glacé courut le long de mon échine, me coupant le souffle. Je n'avais rien perçu de la manipulation mentale, mais quelque chose venait bel et bien de se produire.

Jean-Claude était à deux tables de là. En guise de salut, il leva vers moi une main blafarde. L'enfoiré avait pris possession de mon esprit sans que je m'en aperçoive !

Le public poussant un petit cri étonné, je reportai mon attention sur la scène.

Ils étaient tous les deux à genoux. Le vampire avait rabattu un bras de Phillip dans son dos. De l'autre main, il tirait sur ses longs cheveux, son cou formant à présent avec ses épaules un angle bizarre et sûrement très douloureux.

Les yeux de Phillip exprimaient une terreur absolue. Le vampire ne l'avait pas hypnotisé ! Il était conscient et il flippait. Doux Jésus ! Il manquait d'air et sa cage thoracique se gonflait et se dégonflait au rythme de son souffle affolé.

Le vampire regarda le public et siffla, ses canines étincelant sous la lumière des projecteurs. Le sifflement transformait son beau visage en un masque bestial. Sa faim se propagea dans toute l'assemblée. Son appétit était si vorace que j'en avais des crampes à l'estomac.

Non ! Pas question d'éprouver la même chose que lui. Plantant mes ongles dans la paume de ma main, je me concentrai. La sensation disparut. La douleur que je venais de m'infliger y avait contribué. Je dépliai mes doigts tremblants, pour découvrir, imprimées dans ma chair, quatre demi-lunes où le sang affluait lentement. Tout autour de moi, la faim contaminait la foule, mais pas moi. Non, pas moi!

Serrant un mouchoir au creux de ma main, je m'efforçai de paraître tout à fait à l'aise.

Le vampire inclina la tête.

—Non…, murmurai-je.

Le mort-vivant porta son attaque. Il planta ses crocs dans la chair de Phillip, qui poussa un cri dont l'écho se répercuta dans tout le club. La musique cessa. Personne ne bougeait. On aurait pu entendre une mouche voler.

Des bruits de succion humides et presque tendres déchirèrent le silence. Phillip émit une série de gémissements pitoyables.

Je regardai les spectateurs. Tous communiaient avec le vampire, ressentant sa faim et éprouvant le même besoin de se nourrir. Certains partageaient peut-être la terreur de Phillip, mais je n'aurais pas pu l'affirmer.

Je ne faisais pas vraiment partie de cette assemblée et je m'en félicitais.

Le vampire se redressa, laissant tomber Phillip sur la scène. D'instinct, je me levai également. Le dos couvert de cicatrices du danseur se contracta violemment, comme pour s'arracher à l'étreinte de la mort.

Une image proche de la réalité…

Il était vivant. Je me rassis, car mes jambes ne me portaient plus. Mes paumes ruisselaient de sueur, ravivant la brûlure de mes blessures.

Phillip était vivant et plutôt content de l'être. Si quelqu'un m'avait raconté ce qui venait de se passer, je ne l'aurais pas cru.

Un junkie aux vampires! Je le jure devant Dieu, cette fois, plus rien ne pourra m'étonner.

—Un volontaire pour le prochain baiser? susurra Jean-Claude.

D'abord, personne ne réagit. Puis des mains brandirent de l'argent. Quelques-unes seulement, mais tout de même… La plupart des spectateurs paraissaient désorientés, comme s'ils venaient de faire un cauchemar.

Monica aussi agitait des billets au bout de son bras tendu.

Phillip était toujours allongé là où on l'avait laissé tomber. Son torse se soulevait au rythme de sa respiration.

Robert le vampire s'approcha de Monica, qui lui fourra ses billets dans le pantalon. Les crocs en avant, il plaqua sa bouche ensanglantée sur les lèvres de la jeune femme. Le baiser fut long et profond, chacun dardant une langue avide dans la bouche de l'autre. Ils se goûtaient mutuellement !

Puis Robert s'écarta de Monica, qui tenta de l'attirer de nouveau vers elle. Mais il la repoussa et se tourna vers moi. Secouant la tête, je lui montrai mes mains vides. Désolée, mon gars, pas d'argent pour toi.

Plus vif qu'un crotale, il se jeta sur moi. Pas le temps de réfléchir. Ma chaise s'écrasa sur le sol. Moi, j'étais déjà debout, hors de portée. Aucun être humain ordinaire n'aurait anticipé l'attaque. Les jeux étaient faits, comme on dit…

Des voix confuses retentirent dans le public, cherchant à comprendre ce qui venait de se produire. Bougez pas, les gars, c'est simplement la gentille petite réanimatrice qui s'excite un peu, pas de quoi s'affoler !

Le vampire ne m'avait pas quittée des yeux.

Jean-Claude apparut à côté de moi sans que je l'aie vu approcher.

— Tout va bien, Anita ?

Ces mots anodins sous-entendaient tant de choses… Des promesses chuchotées dans la pénombre de chambres obscures, à l'abri de draps glacés. Il m'aspirait en lui, s'emparait de mon esprit comme un poivrot d'une poignée de billets, et ça me faisait du bien.

Boum – wizzz !

Un bruit éclata dans ma tête et en chassa le vampire.

Mon bipeur !

Clignant des yeux, je titubai jusqu'à ma table. Jean-Claude tendit vers moi une main secourable.

— Ne me touchez pas, dis-je.

Il sourit.

— Bien sûr que non.

J'appuyais sur le bouton de mon bipeur pour le faire taire. Dieu merci, j'avais pensé à l'accrocher à ma ceinture au lieu de le fourrer dans un sac. Sinon, je n'aurais pas entendu la sonnerie.

J'appelai du téléphone placé à côté du bar. La police avait besoin de moi au cimetière de Hillcrest. Il fallait que je travaille alors que j'étais en congé. Youpi !

Le pire, c'est que ma joie était sincère.

Je proposai à Catherine de partir avec moi, mais elle préférait rester. Quoi qu'on dise des vampires, ce sont des créatures fascinantes. C'est écrit sur leur fiche signalétique : ils boivent du sang humain, travaillent la nuit et sont fascinants.

Catherine était assez grande pour décider toute seule de ce qu'elle devait faire.

Je promis de revenir à temps pour les ramener chez elles. Puis je récupérai ma croix auprès de la préposée au vestiaire et la glissai sous mon chemisier.

Jean-Claude m'attendait devant la porte du club.

— J'ai presque réussi à t'avoir, ma petite, dit-il.

Je lui jetai un rapide coup d'œil avant de m'empresser de baisser le regard.

— *Presque*, ça ne suffit pas, espèce d'affreux buveur de sang !

Jean-Claude éclata de rire. Alors que je m'éloignai, son rire me suivit longtemps, comme un ruban de velours qui s'enroulerait lascivement autour de moi…

CHAPITRE 5

L e cercueil était renversé sur le côté. Des griffures blanchâtres couraient sur le vernis noir. Le capitonnage bleu pâle imitation soie était troué et lacéré. L'empreinte sanglante d'une main s'imprimait sur le tissu : elle aurait presque pu passer pour une main humaine. Du cadavre, il ne restait que les lambeaux d'un costume marron, l'os d'un doigt proprement rongé et un morceau de cuir chevelu. L'homme avait été blond.

Un deuxième cadavre gisait à un mètre cinquante du premier. Ses vêtements étaient déchirés. On lui avait défoncé la cage thoracique et réduit les côtes en miettes. La majeure partie des organes avait disparu, donnant au corps l'apparence d'une bûche évidée. Seul le visage était intact. Deux yeux délavés fixaient absurdement les étoiles, dans le ciel d'été.

J'étais contente qu'il fasse nuit.

La nuit, j'y vois très bien, mais l'obscurité retire au monde ses couleurs. Tout le sang paraissait noir et le corps de l'homme était perdu dans l'ombre des arbres. Je n'étais pas forcée de le voir, à moins de m'approcher. Ce que j'avais déjà fait. Avec mon fidèle mètre à enrouleur, j'avais pris les mesures des marques de morsures. Les mains gantées de latex, j'avais palpé le cadavre à la recherche d'un indice.

Chou blanc !

Je pouvais faire tout ce que je voulais sur la scène du crime, déjà dûment filmée et photographiée sous tous les angles possibles. J'étais toujours le dernier « expert » convoqué sur place. Pour emporter les cadavres, l'ambulance attendait que j'en aie fini avec eux.

J'étais sur le point d'avoir terminé. Et je savais qui avait tué l'homme. Des goules. Procédant par élimination, j'avais orienté mon enquête sur cette catégorie particulière de morts-vivants. Le médecin légiste aurait pu le dire à la police aussi bien que moi.

Sous la combinaison destinée à protéger mes vêtements, je commençais à transpirer. Initialement, la combinaison était réservée à la chasse aux vampires, mais j'avais pris l'habitude de l'utiliser sur les lieux de crime. La pauvre était tachée des genoux aux chevilles, car l'herbe était saturée d'hémoglobine. Dieu merci, je n'avais pas été contrainte de voir ce spectacle en plein jour…

Je ne sais pas pourquoi la lumière du soleil rend les choses encore pis. Mais en cas d'intervention diurne, je suis bonne pour des cauchemars. Le sang est d'un rouge toujours si intense et visqueux… La nuit adoucit sa couleur et le rend moins réel. Je préfère ça.

Je descendis la fermeture Éclair de ma combinaison, la laissant ouverte. Le vent s'y engouffra, étonnamment froid. L'air sentait la pluie. Un nouvel orage s'annonçait.

Le ruban de plastique jaune de la police, enroulé autour du tronc des arbres, passait au milieu des buissons. Une des boucles ornait même le pied de la statue d'un ange. Le vent, qui soufflait de plus en plus fort, faisait claquer et gémir le ruban. L'inspecteur divisionnaire Rudolph Storr le souleva et avança vers moi.

Taillé comme un lutteur, Dolph mesure plus d'un mètre quatre-vingts. Son pas est vif et son allure décidée. Ses cheveux noirs coupés en brosse dégagent largement ses oreilles.

Dolph est le chef de la nouvelle équipe d'intervention, la Brigade des Ombres. Officiellement, elle répond au nom de Brigade régionale d'Investigations surnaturelles.

Question carrière, il ne s'agit pas vraiment d'une promotion. Willie McCoy ne se trompait pas : on avait créé cette unité à contrecœur, histoire de faire taire la presse et de calmer l'opinion publique.

Dolph a dû agacer un de ses supérieurs, sinon il ne se serait pas retrouvé dans cette galère. Mais il est résolu à faire son boulot de la meilleure façon possible. Ce type est une force de la nature. Il n'a jamais besoin de hurler. Il se contente d'être là, et les choses se font d'elles-mêmes, tout simplement.

—Bien, dit-il.

Un commentaire typique de Dolph, le contraire d'un grand bavard.

—L'attaque a été menée par des goules.

—Et alors ?

Je haussai les épaules.

—Il n'y en a pas dans ce cimetière.

Dolph ne broncha pas. Il sait comment s'y prendre pour ne pas influencer les gens qui travaillent avec lui.

—Tu viens de dire qu'il s'agit d'une attaque de goules.

—Oui, mais venues d'ailleurs.

—Et après ?

—À ma connaissance, aucune goule ne s'éloignerait autant de son cimetière attitré.

Je le dévisageai, tentant de deviner s'il avait compris ce que j'étais en train de lui expliquer.

—Parle-moi un peu des goules, Anita.

Il sortit son fidèle petit carnet, prêt à prendre des notes.

— Ce cimetière est encore un lieu consacré. Les cimetières infestés de goules sont généralement très anciens. Ou ils sont le théâtre de rituels vaudous. Les puissances maléfiques utilisent le caractère sacré du lieu jusqu'à ce qu'il soit complètement profané. Dès lors, les goules en prennent possession ou sortent des tombes. Personne n'est en mesure de dire ce qui se passe exactement.

— Attends… Tu prétends que personne n'en sait rien ?

— C'est à peu près ça.

Sourcils froncés, il secoua la tête, étudiant les notes écrites sur son carnet.

— Explique-moi.

— Les vampires sont créés par d'autres vampires. Les zombies, eux, se lèvent d'entre les morts par l'intermédiaire d'un réanimateur ou d'un prêtre vaudou. Dans l'état actuel de nos connaissances, tout ce que nous pouvons dire, c'est que les goules sortent de leur tombe sans aucune aide extérieure. Certaines théories postulent que les gens vraiment très méchants se transforment en goules après leur mort, mais je ne suis pas d'accord. On a dit aussi que les victimes mordues par des créatures surnaturelles, des métamorphes ou des vampires, deviennent des goules, mais j'ai vu des cimetières dont tous les occupants, sans exception, en étaient. Il est impossible que tous ces morts aient été attaqués de leur vivant par des créatures surnaturelles.

— D'accord, nous ignorons d'où viennent les goules. Que savons-nous d'elles, exactement ?

— À la différence des zombies, la putréfaction les épargne. Elles conservent leur apparence, à la façon des vampires. Leur intelligence les place au-dessus des animaux, mais pas beaucoup plus haut. Comme elles sont plutôt peureuses, elles n'attaquent jamais, sauf si la personne est blessée ou inconsciente.

— Ce qui est sûr, c'est qu'elles ont attaqué le gardien.

— On l'a peut-être assommé avant.

— Comment ?

— Il aurait fallu que quelqu'un s'en charge… C'est ce qui s'est passé ?

— Non, les goules ne collaborent ni avec les humains ni avec les autres morts-vivants. Un zombie obéit aux ordres qu'on lui donne et les vampires pensent par eux-mêmes. Les goules sont comme une meute de bêtes sauvages. Des loups, par exemple, en beaucoup plus dangereux. Elles seraient incapables de collaborer avec qui que ce soit. Si on n'en est pas une soi-même, on devient une proie bonne à dévorer ou un danger potentiel.

— Que s'est-il donc passé dans ce cimetière ?

— Dolph, ces goules ont parcouru une distance considérable avant d'arriver ici. C'est le seul cimetière à des kilomètres à la ronde. Les goules n'ont pas pour habitude de voyager. Il est donc possible, je dis bien *possible*, qu'elles aient attaqué le gardien quand il a voulu les chasser. Normalement, elles auraient dû s'enfuir, mais il est envisageable qu'elles soient restées.

— Pourrait-il s'agir de quelque chose, ou de quelqu'un, qui se fait passer pour une ou plusieurs goules ?

— Possible, mais j'en doute. Qui que soient les responsables, ils ont bouffé ce pauvre type. Un humain en serait capable, mais il lui serait impossible de mettre le corps en pièces. Une question de capacité physique : les humains n'ont pas cette force.

— Des vampires, alors ?

— Ils ne sont pas carnivores.

—Des zombies?

—Peut-être. On connaît des cas de zombies devenus fous qui ont attaqué des gens. Comme s'ils avaient besoin de manger de la chair. S'ils n'en trouvent pas, leur corps commence à se décomposer.

—Je croyais que les zombies n'échappaient pas à la putréfaction.

—Ceux qui se nourrissent de chair durent beaucoup plus longtemps que la moyenne. C'est le cas d'une femme qui conserve son apparence humaine depuis trois ans.

—Et on la laisse manger les gens?

—On lui donne de la viande crue. Je crois me souvenir que l'article précisait qu'elle préfère le gigot d'agneau.

—Quel article?

—Tous les métiers ont une revue professionnelle, Dolph.

—Quel est le titre de la tienne?

Je haussai les épaules.

—*Le Journal du Réanimateur*, bien entendu.

Un vrai sourire apparut sur le visage de Dolph.

—D'accord. À ton avis, nous avons affaire à des zombies?

—J'en doute… Sauf s'ils en ont reçu l'ordre, ils ne se déplacent pas en meute.

Il jeta un coup d'œil à ses notes.

—Même les zombies carnivores?

—On connaît trois cas de ce genre. Et les trois étaient des chasseurs solitaires.

—Donc, il s'agirait de zombies carnivores, ou d'un nouveau type de goule. J'ai bien résumé la situation?

Je hochai la tête.

—Ouais.

—Bon, eh bien, merci. Désolé d'avoir interrompu ta soirée.

Refermant son carnet, Dolph me regarda dans les yeux. Il n'était pas loin de se marrer.

— La secrétaire m'a dit que tu sortais entre copines, ce soir...

Puis il ajouta, un sourcil levé :

— Ça va chauffer...

— Ne te moque pas de moi, Dolph.

— Je n'oserais jamais, tu le sais bien...

— Parfait. Si tu n'as plus besoin de mes services, je crois que je vais rentrer.

— Nous en avons terminé pour l'instant. Appelle-moi si tu as une idée susceptible de nous aider.

— Compte sur moi.

Je rejoignis ma voiture. Les gants en latex tachés de sang échouèrent dans un sac-poubelle, au fond du coffre. Après avoir réfléchi un instant, je me décidai à plier la combinaison et à la placer sur le sac. Je pourrais peut-être m'en resservir, une prochaine fois...

La voix de Dolph me fit sursauter :

— Sois prudente, ce soir, Anita. On n'a pas envie que tu attrapes une saloperie...

Me retournant, je le foudroyai du regard. Les hommes qui l'accompagnaient agitèrent la main et tous s'écrièrent :

— On t'adore !

— Fichez-moi la paix, les gars !

— Si j'avais su que tu appréciais les hommes nus, dit un des flics, on se serait débrouillés pour t'offrir un petit spectacle...

— Zerbrowski, si c'est toi qui t'y colles, ne compte pas sur moi pour regarder !

Un policier passa un bras autour du cou de Zerbrowski.

— Elle t'a bien eu, mon vieux... Laisse tomber, c'est chaque fois pareil.

Sous un concert d'éclats de rire, je montai dans ma voiture.

En démarrant, j'entendis un type déclarer qu'il se portait volontaire pour devenir mon esclave. Zerbrowski, probablement…

Chapitre 6

Un peu après minuit, je fus de retour au *Plaisirs coupables*. Jean-Claude attendait au pied de l'escalier, adossé au mur, parfaitement immobile. S'il respirait, je n'étais pas assez douée pour m'en apercevoir. Le vent faisait voleter la dentelle de son jabot. Une mèche de cheveux noirs bouclait sur sa joue pâle et lisse.

— Tu portes sur toi l'odeur d'un sang qui n'est pas le tien, petite.

— C'est celui de quelqu'un que vous ne connaissez pas…

Le ton de sa voix changea, exprimant une rage contenue qui m'enveloppa comme une brise glacée.

— Alors, chère petite réanimatrice, on a tué beaucoup de vampires ?

— Pas un seul, chuchotai-je, la voix soudain rauque.

C'était la première fois que Jean-Claude utilisait ce ton avec moi.

— Ils te surnomment l'Exécutrice, tu le sais ?

— Oui.

Il n'était pas du tout menaçant, mais rien n'aurait pu me forcer à passer à côté de lui. Une porte blindée ne m'aurait pas mieux arrêtée.

— Combien en as-tu inscrit à ton tableau de chasse ?

Je n'aimais pas le tour que prenait la conversation. Elle allait m'entraîner là où je ne voulais pas aller. Je connaissais un maître vampire capable de détecter n'importe quel mensonge. Et même si je ne comprenais pas l'attitude de Jean-Claude, je n'avais aucune envie de lui raconter des histoires.

— Quatorze.

— Et tu oses nous traiter d'assassins…

Je me contentai de baisser la tête, sans savoir ce qu'il aurait fallu répondre.

Buzz le vampire descendait les marches. Il étudia Jean-Claude, puis moi, avant de reprendre son poste, les bras croisés sur la poitrine.

— La pause t'a fait du bien ? lui demanda Jean-Claude.

— Oui, merci, maître.

— Je te l'ai déjà dit, Buzz. Ne m'appelle pas *maître*.

— Oui, m… Oui, Jean-Claude.

Le maître vampire éclata de rire.

— Viens, Anita, rentrons, nous aurons plus chaud.

Comme il faisait déjà 27 degrés sur le trottoir, j'avoue n'avoir pas compris ce qu'il voulait dire par là. D'ailleurs, je ne comprenais plus rien à ce qui se passait depuis quelques minutes.

Jean-Claude gravit les marches et je le vis disparaître à l'intérieur du club. Je restais plantée devant la porte, décidée à ne pas entrer. Quelque chose ne tournait pas rond, mais j'ignorais quoi.

— Vous n'entrez pas ? lança Buzz.

— Vous accepteriez de demander à une certaine Monica, et la rousse qui est avec elle, de venir me rejoindre ici ?

Il sourit, découvrant ses canines par la même occasion. On reconnaît les nouveaux morts-vivants à ça : ils ne peuvent pas s'empêcher d'exhiber leur denture. Ils adorent choquer les gens.

51

—Impossible de quitter mon poste. Et je viens de prendre ma pause.

—Je me doutais que vous sortiriez un truc comme ça.

Je dus m'enfoncer à l'intérieur du club. La fille du vestiaire m'attendait et je lui remis ma croix. Elle me tendit un ticket. L'échange n'était pas en ma faveur.

Jean-Claude n'était visible nulle part.

Je découvris Catherine sur la scène, immobile et les yeux écarquillés. Comme ceux d'un enfant, ses traits exprimaient l'abandon et la fragilité de quelqu'un qui dort. Sa longue chevelure étincelait sous la lumière. Elle était en transe, ça crevait les yeux.

—Catherine…

Ma voix n'était qu'un souffle rauque…

Je me précipitai vers la scène. Assise à notre table, Monica me regarda avec un sourire affreux qui en disait long.

J'étais presque sur la scène quand un vampire apparut derrière Catherine. Il n'avait pas écarté le rideau. Non, il s'était contenté d'apparaître derrière elle. Pour la première fois, je compris le point de vue des spectateurs. De la simple magie !

Le vampire avait des cheveux dorés et soyeux, un teint de porcelaine, et on aurait pu se noyer dans ses grands yeux. Baissant les paupières, je secouai la tête. Ce que je voyais n'était pas réel. Tant de beauté ne pouvait pas exister.

D'une voix presque trop ordinaire pour un tel visage, il lança un ordre.

—Appelez-la !

Ouvrant les yeux, je constatai que le public me regardait. Je jetai un coup d'œil à Catherine, sachant à l'avance ce qui allait se produire. Mais comme n'importe quel client ignorant, j'étais obligée de m'exécuter.

—Catherine, Catherine, tu m'entends?

Elle resta immobile; seule sa respiration était perceptible. Mon amie était vivante, mais pour combien de temps? Le vampire l'avait plongée dans une transe très profonde. Ça signifiait qu'il pouvait l'appeler n'importe quand et n'importe où: elle répondrait à son ordre. À partir de maintenant, sa vie lui appartenait. Elle était à son entière disposition.

—Catherine, je t'en prie!

Il n'était plus possible d'intervenir, car le mal était fait. Bon sang, je n'aurais jamais dû la laisser ici sans surveillance.

Le vampire lui toucha l'épaule. Clignant des yeux, elle regarda autour d'elle, à la fois surprise et inquiète. Puis elle rit nerveusement.

—Que s'est-il passé?

Le vampire porta la main de sa victime à ses lèvres.

—Désormais, vous êtes en mon pouvoir, délicieuse créature.

Elle rit, sans comprendre qu'il venait de lui dire la vérité. Il la raccompagna jusqu'au bord de la scène, où deux serveurs l'aidèrent à rejoindre sa place.

—J'ai les jambes en coton, dit-elle.

Monica lui prit la main.

—Tu as été géniale!

—Qu'est-ce que j'ai fait?

—Je te raconterai ça plus tard. Le spectacle n'est pas encore terminé.

Et en prononçant ces mots, elle me regarda droit dans les yeux.

Je savais que j'allais avoir des problèmes. Le vampire qui occupait la scène ne m'avait pas quittée du regard. Il m'assaillait de toute sa volonté, sa force mentale, sa personnalité, appelons ça comme on veut. Son énergie me parvenait par bourrasques successives.

Je frissonnai.

—Je m'appelle Aubrey, annonça le vampire. Dis-moi ton nom.

La bouche sèche, je savais que mon nom n'avait aucune importance. Je ne risquais rien à le donner.

—Anita.

—Anita. Un prénom ravissant.

Mes genoux se dérobèrent et je m'écroulai sur le siège le plus proche. Les yeux écarquillés, Monica guettait ma réaction.

—Viens, Anita! Rejoins-moi sur scène.

Non, sa voix ne sonnait pas aussi bien que celle de Jean-Claude. Mais l'esprit qui se cachait derrière était différent de tous ceux que j'avais affrontés. Un esprit terriblement ancien. Jusque dans mes os, je sentais douloureusement sa puissance.

—Approche.

Je m'entêtai à secouer la tête. Tout ce que j'étais capable de faire. Impossible d'aligner deux mots ou deux pensées cohérentes. Mais je savais qu'il n'était pas question que je quitte ce siège. Si j'allais le rejoindre, il me tiendrait en son pouvoir, comme Catherine. Mon chemisier était trempé par la sueur qui ruisselait dans mon dos.

—Approche! Maintenant!

J'étais debout et je ne me souvenais pas de m'être levée. Seigneur, aidez-moi!

—Non!

Je plantai mes ongles dans la paume de ma main. Ma peau se déchira aussitôt et la douleur fut la bienvenue. Enfin, je respirais de nouveau.

Telle la marée descendante, l'esprit du vampire recula. Je me sentais vide et la tête me tournait. Je m'affaissai contre la table. Un des serveurs vampires s'approcha de moi.

— Ne lui résistez pas. Il est furieux quand on lui résiste.

D'un geste, je le repoussai.

— Si je le laisse faire, il prendra possession de moi.

Le serveur, un mort-vivant tout récent, avait l'air presque humain et son visage exprimait un sentiment très familier. La peur.

Je m'adressai à la créature qui se tenait sur la scène.

— Je viendrai à une seule condition : ne me forcez pas à le faire.

Monica hoqueta de stupeur. Je l'ignorais. Plus rien ne comptait, à part ce qui allait suivre.

— Alors, viens, dit le vampire.

M'écartant un peu de la table, je m'aperçus que je pouvais tenir debout seule. Un point pour moi. Je pouvais même marcher. Deux points de plus. Je baissai les yeux vers le plancher. Si je parvenais à me concentrer sur mes pieds, tout irait bien. La première marche apparut dans mon champ de vision. Je levai les yeux.

Au milieu de la scène, Aubrey ne cherchait pas à m'attirer vers lui. Au contraire : il était parfaitement immobile. Mais je crois qu'il aurait pu se dresser devant moi sans que je le voie, sauf s'il le désirait.

— Approche.

Ce n'était plus une voix, mais un son qui résonnait sous mon crâne.

— Viens à moi !

Je voulus reculer. En vain. Le sang battait dans ma gorge. Je ne pouvais plus respirer. La puissance de l'esprit du vampire m'assaillait de toutes parts.

—Ne me résiste pas! cria-t-il dans ma tête.

Quelqu'un hurla et je m'aperçus que c'était moi. Si je cessai de lutter, ce serait facile, comme quand on arrête de résister au courant et qu'on se noie. Une façon de mourir tout à fait paisible.

Non. Non!

—Non!

J'avais une drôle de voix.

—Quoi? dit-il, surpris.

—Non, répétai-je en levant les yeux vers lui.

Nos regards se croisèrent, tous ces siècles pesant entre nous.

Ce qui faisait de moi une réanimatrice et m'aidait à relever les morts, je le sentais comme jamais. Soutenant le regard du vampire, je ne fis plus un geste.

Il eut un sourire cruel.

—Ce sera donc moi qui viendrai à toi.

—Je vous en prie, n'approchez pas!

Je ne pouvais pas reculer. Sa poigne d'acier mentale me tenait.

Il s'arrêta un peu avant que nos corps se touchent. Ses yeux étaient d'un marron parfait, solide, insondable et infini. Je détournai le regard de son visage. Des gouttelettes de sueur perlaient sur mon front.

—Tu pues la peur, Anita!

D'une main fraîche, il suivit la courbe de ma joue et je me mis à trembler. Ses doigts jouaient avec les boucles de mes cheveux.

—Comment peux-tu te présenter devant moi dans cet état?

Son souffle chaud comme de la soie caressa mon visage, puis glissa jusque dans mon cou. Quand il prit une inspiration vibrante, je sentis sa voracité. Il était si affamé que j'en avais des crampes à l'estomac. Se tournant vers la salle, il siffla entre ses dents et tous les spectateurs hurlèrent de terreur.

Il allait me mordre !

L'adrénaline déferla en moi à la manière d'un torrent. Je le repoussai. Perdant l'équilibre, je me retrouvai à quatre pattes sur la scène.

Un bras me saisit par la taille et me souleva. Je hurlai en balançant mon coude en arrière. Un bruit mou m'indiqua que le coup avait porté et j'entendis un cri de surprise. Mais le bras resserra son étreinte au point que je ne pus plus respirer.

Je tirai sur ma manche et le tissu se déchira.

Le vampire se jeta sur moi, me renversant en arrière. Rendu fou par la faim, il découvrit ses canines luisantes.

Quelqu'un monta sur la scène – un des serveurs. Le vampire siffla, menaçant, et un peu de salive brilla sur son menton. Il n'avait plus rien d'humain.

Il passa à l'attaque, aveuglé par sa voracité.

J'enfonçai la lame en argent du poignard dans son cœur et un jet de sang macula sa poitrine. Il grogna, les babines retroussées, tel un chien qui tire sur sa laisse.

Je hurlai.

La peur avait neutralisé tous ses pouvoirs. Seule une vague terreur subsistait encore. S'abattant sur moi, il enfonça dans sa chair la lame du poignard et du sang dégoulina le long de ma main et sur ma chemise.

Son sang à lui.

Soudain, Jean-Claude apparut.

—Aubrey, lâche-la !

Un feulement jaillit de la gorge du vampire.

Altérée par la peur, ma voix était coincée dans les aigus. Quand j'ouvris la bouche, on aurait cru entendre une petite fille.

— Dites-lui de me lâcher !

Jean-Claude parla en français. Même si je ne comprenais pas la langue, sa voix était comme du velours, douce et apaisante.

Sans cesser de parler, il s'agenouilla à côté de nous.

Le vampire réagit aussitôt, agrippant le bras de Jean-Claude.

Qui gémit de douleur.

Fallait-il que je le tue ? Aurais-je le temps de planter la lame du poignard dans sa chair avant qu'il m'égorge ? Était-il aussi rapide qu'il en avait l'air ? J'eus l'impression que mon esprit fonctionnait à une vitesse incroyable. Mais il aurait été illusoire de croire que j'avais tout mon temps pour arrêter un plan d'action. Le poids du vampire se fit plus insistant contre mes jambes. Sa voix, encore rauque, était plus calme.

— Je peux me relever, maintenant ?

Son visage était redevenu humain, agréable et séduisant, mais l'illusion s'était dissipée. Je l'avais vu sans son masque, et cette image ne me quitterait plus.

— Écartez-vous, lentement.

Il sourit, confiant. Avec une lenteur tout humaine, il se redressa.

Jean-Claude lui fit signe de reculer jusqu'au rideau, au fond de la scène.

— Ça va, petite ?

Les yeux rivés sur le poignard ensanglanté, je secouai la tête.

— Je n'en sais rien.

— J'aurais préféré éviter ce qui vient de se passer.

Le club était parfaitement silencieux. Le public avait compris que quelque chose clochait : tout le monde avait vu la réalité cachée derrière un si beau masque. Dans l'assistance, de nombreux visages étaient décomposés.

Ma manche droite, que j'avais arrachée pour atteindre le poignard, pendait lamentablement.

— S'il te plaît, range le couteau, dit Jean-Claude.

Je le regardai. Pour la première fois, je croisai son regard sans ressentir le moindre trouble. Rien, à part un grand vide.

— Tu as ma parole d'honneur que tu pourras repartir saine et sauve. Range ce couteau.

Mes mains tremblaient si fort que je dus m'y reprendre à trois fois avant de replacer le poignard dans son étui.

Les lèvres pincées, Jean-Claude me sourit.

— Et maintenant, nous allons quitter la scène.

Il m'aida à me relever. S'il n'avait pas été là pour me rattraper, j'aurais perdu l'équilibre.

Il me tenait fermement par la main ; la dentelle de son poignet caressait ma peau. Un contact qui n'avait rien de doux, bien au contraire.

Jean-Claude tendit à Aubrey sa main libre. Comme je tentai de reculer, il murmura à mon intention :

— N'aie crainte, je te protégerai, c'est juré.

Je le crus. Dieu sait pourquoi. Peut-être parce qu'il était le seul en qui je pouvais croire.

Il nous guida, Aubrey et moi, jusqu'au bord de la scène et sa voix chaude caressa le public.

— Nous espérons que vous avez apprécié notre petit mélodrame. C'était très réaliste, vous ne trouvez pas ?

Les spectateurs étaient mal à l'aise, et on lisait de la peur sur tous les visages.

Avec un grand sourire, Jean-Claude lâcha la main d'Aubrey. Déboutonnant une manche de ma chemise, il la fit glisser le long de mon bras, exposant la cicatrice de la brûlure. Plus sombre, la croix se détachait nettement sur ma peau. Les gens gardèrent le silence, cherchant à comprendre.

Jean-Claude écarta alors la dentelle qui couvrait son torse, révélant sa propre marque en forme de croix. Il y eut un moment de silence médusé, puis un tonnerre d'applaudissement éclata dans le club. Des cris, des hurlements et des sifflets résonnèrent autour de nous. Les gens me prenaient pour un vampire. Ils pensaient qu'ils venaient d'assister à une sorte de numéro de music-hall. Moi, je regardais le visage radieux de Jean-Claude et nos deux cicatrices jumelles : son torse, mon bras.

Jean-Claude me força à saluer. Alors que les applaudissements diminuaient, il chuchota :

— Il faut que nous ayons une petite conversation, Anita. La vie de Catherine dépend de ton attitude.

Soutenant son regard, je lâchai :

— J'ai tué ceux qui m'ont fait cette cicatrice.

Son sourire s'élargit, dévoilant brièvement ses canines.

— Quelle charmante coïncidence… Moi aussi !

CHAPITRE 7

Jean-Claude nous fit traverser les rideaux, au fond de la scène. Un autre vampire, strip-teaseur lui aussi, attendait son tour. Il était déguisé en gladiateur, avec une cuirasse en métal et un glaive.

Le genre de numéro pas trop difficile à suivre...

Et merde !

Tirant d'un coup sec sur le rideau, il se jeta sur scène.

Catherine approcha, livide. Ses taches de rousseur ressortaient comme autant de minuscules gouttelettes d'encre. Je me demandais si j'étais aussi pâle. Mais non, mon teint n'avait pas la nuance requise.

— Mon Dieu... Tu vas bien ? demanda-t-elle.

J'enjambai prudemment l'entrelacs de câbles qui serpentait sur le sol des coulisses, puis m'adossai contre un mur avec l'impression de réapprendre à respirer.

— Je suis en pleine forme, mentis-je.

— Anita, que se passe-t-il ? C'était quoi, ce truc, sur scène ? Tu n'es pas plus un vampire que moi.

Dans son dos, Aubrey mima un sifflement, ses crocs entaillant légèrement ses lèvres. Un rire silencieux le secouait.

Catherine agrippa mon bras.

— Anita ?

Je la serrai contre moi. Pas question de la laisser mourir de cette façon !

Elle recula d'un pas et me regarda dans les yeux.

—Parle-moi, Anita.

—Et si nous avions cette conversation dans mon bureau ? proposa Jean-Claude.

—Inutile que Catherine se joigne à nous…

Aubrey s'approcha en sautillant. Dans la pénombre, il semblait briller comme un bijou précieux.

—Moi, je pense qu'elle devrait venir. Ça la concerne – intimement, même.

D'une langue rose et agile comme celle d'un chat, il lécha le sang sur ses lèvres.

—Non. Je ne veux pas qu'elle soit mêlée à tout ça, et je ferais tout pour qu'elle ne le soit pas.

—Mêlée à quoi ? Vous parlez de quoi ?

—Est-elle susceptible d'appeler la police ? demanda Jean-Claude.

—La police ? Pourquoi ? s'étonna Catherine, la voix plus forte à chacune de ses questions.

—Et si c'était le cas ?

—Elle en mourrait, répliqua Jean-Claude.

—Attendez un peu ! s'écria Catherine. Vous me menacez ?

Son visage reprenait rapidement des couleurs. La colère lui donnait bonne mine.

—Oui, je crois qu'elle est susceptible d'aller voir les flics, dis-je.

—C'est toi qui choisis…

—Je suis désolée, Catherine, mais il serait préférable pour tout le monde que tu oublies tout ce que tu viens de voir.

—Ça suffit ! Bon, on s'en va. On s'en va tout de suite !

Elle me prit la main, et je ne fis rien pour l'en empêcher.

Aubrey était venu se placer juste derrière elle.

—Regarde-moi, Catherine.

Elle se raidit. Ses ongles s'enfoncèrent dans ma main, tous ses muscles tétanisés. Une tension qu'elle s'efforçait de combattre. Mon Dieu, venez-lui en aide... Mais elle n'avait aucun talisman, et pas de crucifix. Pour s'opposer à une créature comme Aubrey, la volonté ne suffit pas.

Catherine lâcha mon bras, ses doigts devenus inertes. Un long soupir s'échappa de ses lèvres. Elle avait le regard rivé sur un point situé au-dessus de ma tête qu'il ne m'était pas permis de voir.

— Catherine, je suis vraiment désolée, murmurai-je.

— Aubrey effacera tous ses souvenirs de cette soirée, dit Jean-Claude. Elle croira qu'elle a trop bu, mais ça ne réparera pas les dégâts.

— Je sais. La seule chose qui peut la libérer de l'emprise d'Aubrey, c'est qu'il meure.

— Avant que ça arrive, elle sera retournée à la poussière depuis longtemps.

J'étudiai Jean-Claude. Il y avait une tache de sang sur sa chemise. Très prudemment, j'esquissai un sourire.

— Le coup que tu m'as porté, c'était de la chance, rien de plus ! lança Aubrey. N'aie pas trop confiance en toi, ma chère !

Confiance en moi. Ça, c'était marrant. Je réussis à garder mon sérieux.

— Je comprends la menace, Jean-Claude. Ou je fais ce que vous voulez, ou Aubrey finit ce qu'il a entrepris avec Catherine.

— Ma petite, tu as parfaitement saisi la situation.

— Arrêtez de m'appeler comme ça ! Qu'est-ce que vous attendez de moi ?

— Willie McCoy t'a déjà dit ce que nous voulons.

— Vous payer mes services pour enquêter sur la série de meurtres dont des vampires ont été victimes ?

—Précisément.

—Et ceci…

Je désignai Catherine, toujours hagarde.

—… n'était pas nécessaire. Vous auriez pu me tabasser, menacer de me tuer, m'offrir davantage d'argent. Vous auriez pu essayer pas mal de trucs avant d'en arriver à ça.

Jean-Claude sourit.

—Mais ça aurait pris du temps. Et soyons sincères : tu aurais quand même refusé notre proposition.

—Possible…

—Alors que là, tu n'as pas le choix.

Il n'avait pas tort.

—D'accord, je m'occupe de l'affaire. Vous êtes content ?

—Ravi, dit Jean-Claude d'une voix très douce. Que comptes-tu faire de ton amie ?

—Il faut qu'elle rentre chez elle en taxi. Et je veux que vous me garantissiez que votre pote Crocs-Blancs n'a pas l'intention de l'assassiner.

Aubrey éclata de rire. Plié en deux, il en hoquetait.

—Crocs-Blancs. J'adore !

—Je te donne ma parole, dit Jean-Claude. Si tu nous aides, il n'arrivera rien de fâcheux à ton amie.

—Loin de moi l'idée de vous offenser, mais je crains que ce ne soit pas suffisant.

—Tu mets ma parole en doute, petite ? gronda Jean-Claude, de la haine dans la voix.

—Non. Mais vous ne tenez pas Aubrey en laisse. À moins qu'il réponde de son comportement devant vous, vous ne pouvez pas m'assurer qu'il ne la touchera pas.

Le rire d'Aubrey avait tourné au gloussement. Je n'avais jamais entendu un vampire glousser. Un bruit plutôt désagréable.

Après un dernier hoquet, il se redressa.

— Personne ne me tient en laisse, fillette. Je suis mon propre maître.

— Oh, redescends sur terre, tu veux ? Si tu avais cinq cents ans, et si tu étais un maître vampire, tu m'aurais aplatie, sur la scène. Comme tu ne l'as pas fait, j'en déduis que tu es très vieux, mais que tu n'es pas ton propre maître.

— Comment oses-tu me parler ainsi ?

— Aubrey, réfléchis un peu, dit Jean-Claude. Elle a deviné ton âge à cinquante ans près et elle a compris que tu n'es pas un maître vampire. Je te dis que nous avons besoin d'elle.

— Il faudra qu'elle apprenne l'humilité.

Serrant les poings, il bondit sur moi.

Jean-Claude s'interposa.

— Nikolaos attend qu'on la lui amène. Intacte !

Aubrey hésita. Avec un feulement de gorge, il fit claquer ses mâchoires. En s'entrechoquant, ses dents produisirent un son sinistre.

Ils se toisèrent. Étrangement, je sentais dans l'air l'intensité du conflit de leurs volontés. J'en avais la chair de poule, surtout sur la nuque.

Clignant gracieusement des yeux, Aubrey détourna le regard, toujours aussi furieux.

— Je ne céderai pas à la colère, mon maître.

Il prononça distinctement le mot *mon*, comme pour souligner que, justement, Jean-Claude n'était pas *vraiment* son maître.

Je me forçai à déglutir – un peu bruyamment. Si leur intention était de me terrifier, ils avaient réussi au-delà de toute espérance.

— Qui est Nikolaos ?

Jean-Claude tourna vers moi son beau visage serein.

— Il ne nous appartient pas de répondre à cette question.

— Et ça veut dire quoi, ça ?

Prenant soin de ne pas montrer ses dents, il me sourit.

— Mettons plutôt ton amie à l'abri dans un taxi. Et que faisons-nous de Monica ?

Il rit, les crocs dévoilés, l'air réellement amusé.

— Tu t'inquiètes pour sa sécurité ?

Soudain, je compris tout : la soirée entre filles, n'avoir été que toutes les trois…

— C'est grâce à elle que vous nous avez attirées ici, Catherine et moi.

Il hocha la tête.

Je brûlais d'envie de gifler Monica. Plus j'y pensais, plus l'idée paraissait excellente. Comme par magie, elle ouvrit les rideaux et nous rejoignit.

Je lui souris méchamment, et ça me fit du bien.

Elle hésita, son regard se posant sur Jean-Claude puis sur moi.

— Tout se déroule comme prévu ?

Je fis mine de m'approcher d'elle, mais Jean-Claude me retint par le bras.

— Ne la touche pas, Anita. Elle est sous notre protection.

— Je jure que je ne poserai pas le petit doigt sur elle. Laissez-moi seulement lui dire quelque chose.

Il lâcha mon bras lentement, comme s'il n'était pas certain que ce soit une bonne idée. Je m'approchai de Monica, jusqu'à ce que nos corps se touchent presque, et chuchotai à sa seule intention :

— S'il arrive quoi que ce soit à Catherine, je te le ferais payer très cher.

Tranquillisée par la présence de ses protecteurs, elle me fit une petite grimace.

—Ils me feront revenir, et je serai l'un d'eux.

Ma tête pivota sur son axe, un coup à droite, un coup à gauche. Un mouvement lent et précis.

—Je t'arracherai le cœur!

Je n'avais pas perdu mon sourire. Au contraire, je rayonnais.

—Et après, je le ferai brûler et je répandrai les cendres dans la rivière. Tu comprends ce que je dis?

Elle eut du mal à avaler sa salive. Le bronzage dû aux lampes UV de sa salle de gym avait un peu verdi. Elle me fit signe qu'elle avait pigé, me regardant comme si j'étais le grand méchant loup.

Elle était convaincue que je ne bluffais pas. Tant mieux. J'ai horreur de faire des menaces en vain.

Chapitre 8

J e suivis des yeux le taxi de Catherine jusqu'à ce qu'il disparaisse à l'angle de la rue. Elle ne se retourna pas et ne me fit aucun signe de la main.

Elle se réveillerait demain matin avec de vagues souvenirs. Une soirée entre filles, comme tant d'autres.

J'aurais aimé me persuader qu'elle était à l'abri, mais j'en savais trop long pour ça. L'air sentait la pluie. Les lampadaires brillaient le long du trottoir. L'atmosphère était presque trop épaisse pour rester respirable. Saint Louis l'été. Charmant.

—Tu me suis ? demanda Jean-Claude.

Il se leva, sa chemise blanche brillant dans l'obscurité. Si la moiteur de l'air le dérangeait, ça ne se voyait pas. Aubrey se tenait dans l'ombre, près de la porte. Seul le néon rouge de l'enseigne du club l'éclairait un peu. Le visage écarlate, le reste du corps plongé dans le noir, il me souriait, ravi.

—Un peu forcé, le sourire, Aubrey, dis-je.

Il se rembrunit.

—Qu'est-ce que ça signifie ?

—On dirait que tu tournes un *Dracula* de série B.

Il dévala les marches avec la fluidité que seuls les très anciens vampires possèdent. La lueur des lampadaires illumina ses traits tendus et ses poings serrés.

Se plaçant devant lui, Jean-Claude lui parla d'une voix apaisante. Haussant brusquement les épaules, Aubrey tourna les talons et s'éloigna.

Jean-Claude se tourna vers moi.

— Si tu continues à le provoquer, je ne suis pas certain de pouvoir le ramener à la raison. Et tu mourras.

— Je croyais que votre boulot était de me ramener vivante à Nikolaos.

Il fronça les sourcils.

— C'est vrai, mais je n'ai pas l'intention de donner ma vie pour toi. Tu comprends ce que je dis ?

— Maintenant, oui…

— Bien. On y va ?

Il indiqua la direction qu'Aubrey venait de prendre.

— À pied ?

— Ce n'est pas loin.

Il me tendit la main.

Je secouai la tête, refusant de la prendre.

— C'est obligatoire, Anita. Sinon, je ne te l'aurais pas demandé.

— Pourquoi faut-il que je vous prenne la main ?

— La police ne doit pas savoir que nous nous sommes vus cette nuit. Prends ma main et fais comme si tu étais transie d'amour pour ton vampire d'amant. Ça expliquera le sang sur ta chemise. Et ça indiquera aussi où nous allons, et pourquoi.

Son bras était toujours tendu. Il ne tremblait pas, comme s'il avait eu la capacité de me tendre éternellement la main.

Et peut-être le pouvait-il.

Je finis par obéir. Ses longs doigts se replièrent aussitôt sur les miens.

Nous avançâmes, son pouls battant contre ma paume. Le rythme des pulsations s'accéléra pour s'accorder aux miennes. Comme si j'avais eu un second cœur, je sentais le flot de sang qui coulait dans ses veines.

— Vous vous êtes nourri, ce soir ? demandai-je d'un ton faussement détaché.

— Tu n'es pas capable d'en juger par toi-même ?

— Avec vous, je ne suis jamais sûre de rien.

Du coin de l'œil, je vis qu'il souriait.

— Tu me flattes.

— Vous n'avez pas encore répondu à ma question.

— Non, dit-il.

— Non, vous ne m'avez pas encore répondu, ou non, vous ne vous êtes pas alimenté ?

Il tourna la tête vers moi. Quelques gouttes de sueur luisaient sur sa lèvre supérieure.

— À ton avis, petite ? susurra-t-il.

Je voulus retirer ma main, même si je savais que c'était idiot et que je n'y arriverais pas. Jean-Claude serra convulsivement, broyant mes os jusqu'à ce que je pousse un petit cri de douleur. Pourtant, il n'avait pas essayé de me faire mal…

— Ne cherche pas à lutter contre moi, Anita.

Sa langue passa furtivement sur ses lèvres.

— Lutter est… excitant.

— Pourquoi ne vous êtes-vous pas nourri plus tôt ?

— On m'a ordonné de ne pas le faire.

— Pour quelle raison ?

Il ne me répondit pas. La pluie commença à tomber. Une pluie fine et glaciale.

— Pour quelle raison ? répétai-je.

— Je ne sais pas…

Le bruit pourtant doux de la pluie manqua couvrir le son de sa voix. Si j'avais eu affaire à quelqu'un d'autre, j'aurais affirmé qu'il avait peur.

Le bâtiment était haut, pas très large et entièrement en brique rouge. Le néon bleu de l'entrée annonçait *Chambres à louer*. Pas d'autre indication. Aucun nom. Rien de plus pour indiquer qu'il s'agissait d'un hôtel. Juste *Chambres à louer*.

Comme autant de diamants, les gouttes de pluie étincelaient dans les cheveux de Jean-Claude. Ma chemise collait à ma peau. Le sang commençait à se diluer.

Contre les taches de sang fraîches, rien de tel qu'une bonne averse!

Une voiture de police apparut à l'angle de la rue. Je me raidis. Jean-Claude m'attira aussitôt contre lui.

Je plaquai une main sur son torse, histoire de garder mes distances. Contre ma paume, son cœur battait la chamade.

La voiture roulait très lentement. Un projecteur s'alluma, déchirant les ténèbres.

Les flics patrouillent régulièrement dans le District. Si les touristes se faisaient vider de leur sang lors de nos attractions les plus célèbres, ce serait très mauvais pour les affaires.

M'attrapant par le menton, Jean-Claude me força à le regarder. Je tentai de résister, mais ses doigts s'enfoncèrent dans ma chair.

—Ne lutte pas!

—Je ne veux pas vous regarder dans les yeux!

—Je te donne ma parole que je n'essaierai pas de t'hypnotiser. Cette nuit, tu pourras me regarder en face en toute sécurité. J'en fais le serment.

Il jeta un coup d'œil à la voiture, qui se rapprochait inexorablement.

—Si la police se mêle de cette affaire, je ne réponds plus de ton amie.

Je me forçai à me détendre, laissant mon corps s'appuyer contre celui de Jean-Claude. Mon cœur pulsait très vite, comme si je venais de piquer un sprint. C'est ce que je crus d'abord, comprenant ensuite qu'il ne s'agissait pas de mon pouls, mais de celui de mon compagnon, qui battait dans mes propres veines. Je l'entendais et le sentais à l'intérieur de moi. Oui, j'aurais presque pu m'en saisir à pleines mains !

Je plongeai mon regard dans celui de Jean-Claude. Il avait des yeux d'un bleu très sombre tels que je n'en avais jamais vu. Des yeux parfaits, comme un ciel sans lune au plus profond de la nuit. Ils pétillaient de vie, sans chercher à m'hypnotiser ou à m'attirer malgré moi.

Des yeux normaux, quoi.

Il approcha son visage du mien, et murmura :

— Je le jure.

Et merde ! Il était sur le point de m'embrasser, et je n'étais pas d'accord. Mais je n'avais pas envie non plus que les flics nous tombent dessus. Expliquer les taches de sang et ma chemise déchirée ne me disait rien.

Les lèvres de Jean-Claude hésitaient à se poser sur ma bouche. Les battements de son cœur résonnaient dans ma tête et je haletais, emportée par son ardeur.

Ses lèvres étaient douces comme de la soie. Mais sa langue humide se darda. Tentant de m'écarter, je m'aperçus que sa main était plaquée contre ma nuque, pressant ma bouche sur la sienne.

Le faisceau du projecteur passa sur nous sans s'attarder. Je me laissais aller contre Jean-Claude, acceptant son baiser.

Quand ma langue caressa ses crocs lisses, je reculai. Il me plaqua le visage sur son torse, me serrant très fort contre lui. Il tremblait et ce n'était pas à cause des gouttes de pluie.

Son souffle était court et son cœur s'affolait contre ma joue. Je sentis sa cicatrice sur ma peau, telle une étrange scarification.

Sa faim me submergea à la manière d'une lame de fond. Jusqu'à maintenant, il m'en avait préservée.

— Jean-Claude ! criai-je sans chercher à dissimuler la peur qui faisait trembler ma voix.

— Chut !

Il frissonna et poussa un énorme soupir. Puis il me lâcha si brutalement que je manquai perdre l'équilibre.

Il s'éloigna, s'adossa à une voiture garée un peu plus loin et leva la tête, laissant la pluie baigner son visage.

Je sentais encore son cœur battre en moi. Jamais je n'avais été aussi consciente des pulsations de mon propre cœur et de la circulation du sang dans mes veines.

Tremblant malgré la pluie chaude, je repris lentement le contrôle de moi-même.

La voiture avait disparu dans l'obscurité, au bout de la rue.

Jean-Claude se redressa. Je ne sentais plus son rythme cardiaque et mon propre pouls était lent et régulier. Quelque chose s'était produit, mais c'était bel et bien terminé.

Passant devant moi, il me lança par-dessus son épaule :

— Viens, Nikolaos nous attend !

J'entrai derrière lui. Il n'essaya pas de me tenir la main, prenant même soin de garder ses distances. Nous traversâmes un petit salon carré.

Un homme se tenait derrière un comptoir. Levant les yeux du magazine qu'il lisait, il nous dévisagea tour à tour.

Il me toisa, dédaigneux.

Je lui rendis la pareille. Haussant les épaules, il se replongea dans son magazine. Jean-Claude s'engagea dans l'escalier et ne jeta pas un regard dans ma direction. Peut-être entendait-il le bruit de mes pas derrière lui. Ou peut-être se fichait-il que je le suive ou pas.

Nous ne jouions plus aux amoureux, c'était évident. Mais j'aurais juré que le maître vampire, en ma présence, avait du mal à se contrôler.

Je débouchai dans un long couloir, des portes de chaque côté. Jean-Claude avait déjà franchi le seuil de l'une d'elles.

Je m'approchai sans me presser. Pas question de me dépêcher. Ils pouvaient toujours attendre.

Dans la pièce, il y avait un lit, une table de chevet où était posée une lampe, et trois vampires : Aubrey, Jean-Claude, et une étrange créature femelle.

Aubrey se tenait près de la fenêtre. Il me sourit. Jean-Claude était resté à côté de la porte. La vampire allongée sur le lit avait un physique typique. Longue, fine, une masse de cheveux noirs cascadant sur ses épaules. Sa jupe et ses jupons étaient noirs et elle portait des bottines dont les talons devaient faire dans les dix centimètres.

— Regarde-moi dans les yeux, dit-elle.

Sans réfléchir, j'obéis, puis baissai promptement la tête.

Elle éclata d'un rire qui me fit le même effet que celui de Jean-Claude. Les deux possédaient une certaine qualité qui les rendait quasiment palpables. Un son qu'on aurait pu prendre dans ses mains.

— Ferme la porte, Aubrey, dit-elle.

Elle prononçait les *r* avec un accent que j'étais incapable de reconnaître.

En passant, Aubrey me frôla, puis il se posta hors de mon champ de vision. Je me plaçai dos au mur, histoire de les avoir tous en face de moi.

— Tu as peur ? demanda Aubrey.

— Tu saignes toujours ? répliquai-je du tac au tac.

Il croisa les bras, dissimulant les taches de sang sur sa chemise.

—Nous verrons lequel d'entre nous aura versé son sang avant l'aurore.

—Aubrey, ne fais pas l'enfant!

La vampire se leva et ses talons cliquetèrent sur le sol nu. Quand elle commença à tourner autour de moi, je me forçai à résister à l'envie de la suivre du regard. Comme si elle avait lu dans mes pensées, elle éclata de rire.

—Tu veux que je me porte garante de la sécurité de ton amie? me demanda-t-elle après s'être rallongée.

Ses bottines à deux cents dollars faisaient un drôle d'effet dans cette pièce miteuse.

—Non, répondis-je.

—C'est pourtant ce que tu réclamais, Anita, intervint Jean-Claude.

—J'ai dit que je voulais des garanties, mais venant du maître d'Aubrey.

—Tu es en train de parler à mon maître, fillette.

—Ça m'étonnerait…

Soudain, un calme étrange régna dans la pièce. Une sorte de grattement résonna, venant de l'un des murs. Je m'assurai que tous les vampires étaient encore là. Parfaitement immobiles, figés comme des statues, rien n'indiquait s'ils respiraient toujours.

Rudement vieux, mais aucun n'était assez âgé pour être Nikolaos.

—Nikolaos, c'est moi, dit la femme de sa voix rauque.

J'aurais aimé la croire, mais c'était impossible.

—Non, vous n'êtes pas le maître d'Aubrey.

Je risquai un coup d'œil vers elle, la regardant droit dans ses yeux noirs. Ma réaction la surprit.

—Vous êtes très vieille, et très forte, mais pas assez pour être le maître d'Aubrey.

—Je vous avais prévenus qu'elle ne serait pas dupe, dit Jean-Claude.

—Silence!

—La partie est terminée, Theresa. Elle sait.

—Seulement parce que tu le lui as dit!

—Explique-toi, Anita, souffla Jean-Claude.

Je haussai les épaules.

—C'est l'impression qu'elle me donne. Elle n'est pas assez vieille, voilà tout. Aubrey paraît plus puissant qu'elle, et ce n'est pas normal.

—Tu tiens toujours à t'entretenir avec notre maître? me demanda la vampire.

—J'attends qu'on me donne des garanties sur la sécurité de mon amie.

Je les dévisageai l'un après l'autre.

—Et je commence à en avoir marre de vos petits jeux débiles.

Aubrey fut soudain tout près de moi et le monde parut ralentir. Il n'était plus temps d'avoir peur. Il n'y avait pas d'issue, je le savais, mais je reculai quand même.

Jean-Claude se précipita. Il n'allait pas avoir le temps d'intervenir.

Le coup d'Aubrey me cueillit à l'épaule. Le choc me coupa le souffle et me projeta violemment en arrière. Mon dos heurta le mur et ma tête suivit. Autour de moi, le monde devint gris.

Je me sentis glisser le long du mur. Impossible de respirer. De minuscules taches blanches dansaient devant mes yeux. Puis tout s'obscurcit.

J'étais allongée sur le sol.

Étrangement, je n'avais mal nulle part. Luttant pour respirer, j'eus l'impression que mes poumons s'enflammaient.

Puis les ténèbres m'engloutirent.

Chapitre 9

C omme dans un rêve, des voix flottaient dans l'obscurité.

—On n'aurait pas dû la déplacer.

—Tu préfères désobéir à Nikolaos?

—C'est quand même moi qui l'ai amenée ici, que je sache.

La voix d'un homme.

—C'est vrai, dit une femme.

J'étais allongée, les yeux fermés. Non, je ne rêvais pas. Je me souvenais très bien du bras d'Aubrey surgissant de nulle part. Il s'était contenté de me frapper du revers de la main, mais s'il avait opté pour un coup de poing…

Enfin, j'étais encore vivante.

—Anita, réveille-toi!

J'ouvris les yeux. Un flot de lumière se répandit sous mon crâne et je baissai aussitôt les paupières, refusant à la fois la lumière et la douleur. En vain. La douleur subsistait. Je voulus tourner la tête sur le côté. Une nouvelle erreur! La souffrance était si forte que j'en avais la nausée. Comme si les os de mon crâne avaient décidé de se désolidariser les uns des autres. Plaquant les mains sur mon visage, je gémis.

—Anita, ça va?

Pourquoi les gens se croient-ils obligés de poser cette question, alors qu'il est évident que ça ne va pas du tout?

Je me risquai à chuchoter quelques mots. Bon, je pouvais parler.

—La grande forme.

—Quoi ? demanda la voix de femme.

—Je crois que c'est ironique, dit Jean-Claude.

Il avait l'air soulagé.

—Si elle a la force de plaisanter, c'est qu'elle n'est pas trop amochée.

Le *pas trop amochée* me parut optimiste. Je souffrais d'un traumatisme crânien, c'était évident. Grave ou très grave, telle était la question.

—Anita, tu peux bouger ?

—Non, murmurai-je.

—Je vais reformuler ma phrase. Si je t'aide à te relever, te sentiras-tu en état de t'asseoir ?

M'efforçant de respirer malgré la douleur et la nausée, je déglutis tant bien que mal.

—Peut-être.

Des mains se glissèrent sous mes aisselles. Tandis qu'on me soulevait, les os de mon crâne me firent un mal de chien.

Je parvins à me maîtriser.

—Je crois que je vais vomir.

Je me mis à quatre pattes, mais trop vite. Un éclair blanc m'aveugla ; mon estomac se tordit. Un flot de vomi me brûla la gorge. Mon cerveau allait fondre.

Sa main fraîche posée sur mon front – pour garder les os de mon crâne en place, peut-être –, Jean-Claude me tenait par la taille. Sa voix m'était d'un grand secours. Il parlait en français, d'une voix très douce. Je ne comprenais pas un mot de ce qu'il me disait, mais ça n'avait aucune importance. Sa voix me soutenait et me berçait, apaisant la souffrance.

Il me serra contre lui… et j'étais bien trop faible pour protester. La douleur m'avait déchiré le crâne, mais je ne sentais plus désormais qu'une sourde pulsation. L'idée de tourner la tête me paraissait encore très risquée, mais mon état devenait enfin supportable.

Jean-Claude m'essuya la bouche avec un linge humide.

— Tu te sens mieux, maintenant? demanda-t-il.

— Oui.

Mais je n'arrivais pas à comprendre comment la douleur avait pu disparaître.

— Jean-Claude, que lui as-tu fait? lança Theresa.

— Nikolaos veut qu'elle soit en forme pour l'entretien. Tu as bien vu qu'elle avait besoin de soins, pas de sévices supplémentaires.

— Tu l'as donc aidée…

La vampire sembla se réjouir.

— Nikolaos sera en colère!

Jean-Claude se contenta de hausser les épaules.

— J'ai fait ce que je devais faire.

Je pouvais enfin ouvrir les yeux sans risquer de hurler. Nous nous trouvions dans un donjon – c'était le terme adéquat. D'épais murs de pierre délimitaient une pièce carrée de six mètres sur six environ. Quelques marches menaient à une porte en bois massif. Il y avait des chaînes fixées aux murs et des torches enflammées. Bref, il ne manquait que quelques instruments de torture et un bourreau avec un capuchon noir. Un grand et gros bourreau qui aurait eu tatoué sur le bras: «Maman, je t'aime.» Oui, avec ça, la scène aurait été parfaite.

Je me sentais mieux, beaucoup mieux. Étonnant! Je n'aurais pas dû me remettre aussi rapidement du choc. Il m'était arrivé d'être grièvement blessée, et je savais qu'on ne guérissait pas aussi vite.

—Tu peux rester assise sans qu'on t'aide ? demanda Jean-Claude.

À ma grande surprise, la réponse était oui. J'étais appuyée contre le mur, et si la douleur subsistait, je ne souffrais plus autant. Jean-Claude s'empara d'un seau posé près des marches et entreprit de laver le sol.

Au milieu de la pièce, je remarquai un trou d'évacuation tout à fait moderne.

Les mains sur les hanches, Theresa me regardait fixement.

—On peut dire que tu te rétablis vite…

Sa voix trahissait un certain amusement, plus une autre chose que je ne pus identifier.

—La douleur, les nausées… Elles ont presque disparu. Comment a-t-il…

Un sourire naquit sur la bouche pulpeuse de la vampire.

—C'est à Jean-Claude qu'il faut le demander. Il t'a soignée, pas moi.

—Tu n'aurais pas pu faire ce que j'ai fait.

Il y avait de la colère dans la voix de Jean-Claude.

La vampire pâlit.

—Même si j'avais pu, je ne l'aurais pas soignée.

—Je peux savoir de quoi vous parlez, tous les deux ? demandai-je.

Jean-Claude tourna vers moi son beau visage impassible. Ses yeux noirs se plantèrent dans les miens. Pour l'instant, c'étaient toujours des yeux comme les autres.

—Allez, cher maître vampire, dis-lui ! Et nous verrons si elle t'en sera reconnaissante.

—Tu es blessée, probablement un traumatisme crânien. Mais Nikolaos ne nous autorisera pas à t'emmener à l'hôpital avant de… d'en avoir terminé avec toi. J'ai vraiment eu peur que tu ne meures, ou que tu ne sois incapable de… fonctionner.

Je n'avais jamais entendu Jean-Claude s'exprimer d'une voix aussi peu assurée.

—J'ai donc été contraint de partager avec toi ma force vitale.

Incrédule, je secouai la tête. Mal m'en prit. Posant une main sur mon front, je lâchai :

—Je ne comprends pas.

Il écarta les mains en signe d'impuissance.

—Je ne trouve pas les mots appropriés…

—Oh, mais laisse-moi m'en charger ! dit Theresa. Il t'a apposé la première marque, lançant le processus qui fera de toi sa servante humaine.

—Non !

Même si j'avais encore du mal à réfléchir, je savais que quelque chose n'allait pas.

—Il n'a pas essayé de me manipuler, ni de m'hypnotiser. Il ne m'a pas mordue non plus.

—Je ne parle pas des pitoyables créatures qui nous obéissent en échange de quelques morsures dans le cou. Je parle des serviteurs humains permanents, ceux qu'on ne mord jamais et qu'on ne fait pas souffrir. Ceux qui vieillissent presque aussi lentement que nous…

Je ne comprenais toujours pas. Et ça devait se lire sur mon visage, car Jean-Claude intervint :

—J'ai pris ta douleur et je t'ai donné un peu de ma… force.

—C'est vous qui ressentez la douleur, à présent ?

—Non, elle a complètement disparu. Je t'ai rendue un petit peu plus résistante à la souffrance.

Je ne comprenais pas grand-chose. Mais toute cette histoire me dépassait.

—Je ne saisis toujours pas.

—Femme, il a partagé avec toi ce que nous considérons comme un don que seuls méritent ceux qui ont prouvé leur valeur.

Mes yeux se posèrent sur Jean-Claude.

—Ça signifie que vous me tenez en votre pouvoir ?

—Bien au contraire, continua Theresa. Tu es maintenant immunisée contre le pouvoir de ses yeux, de sa voix et de son esprit. Tu le serviras volontairement. Et tu verras alors ce qu'il a fait de toi…

Je sondai les yeux noirs de la vampire. Des yeux quelconques.

Elle hocha la tête.

—Je vois que tu commences à comprendre. Une réanimatrice bénéficie déjà d'une immunité partielle qui la protège de nos pouvoirs hypnotiques. À présent, tu jouis d'une immunité presque totale.

La vampire se mit à éclater de rire.

—Nikolaos vous détruira tous les deux !

Elle se dirigea vers l'escalier, faisant claquer ses talons sur la pierre, et sortit en laissant la porte ouverte.

Jean-Claude s'était approché de moi. Son visage ne trahissait aucune émotion.

—Pourquoi ? demandai-je.

Il se contenta de me regarder. En séchant, ses cheveux avaient bouclé. Même s'il était toujours beau, le désordre de ses mèches le rendait plus… vrai.

—Pourquoi ?

Il me sourit. Quelques rides apparurent au coin de ses yeux.

—Si tu étais morte, notre maître nous aurait punis. Aubrey est déjà en train de payer son… manque de discrétion.

Tournant les talons, il se dirigea à son tour vers les marches, qu'il gravit comme un chat, souple et gracieux.

Arrivé devant la porte, il me jeta un dernier regard.

—Quand Nikolaos aura décidé qu'il est temps de te rencontrer, on viendra te chercher.

Il referma la porte et je l'entendis tourner la clé dans la serrure. D'une voix joyeuse, presque en riant, il ajouta :

—Et peut-être t'ai-je aussi sauvée parce que je t'aime bien.

Son rire amer me sembla coupant comme du verre.

Chapitre 10

Il fallait que j'essaie d'ouvrir la porte. De la secouer, de tirer sur le verrou, comme si je savais comment forcer une serrure…

Je tentais d'ouvrir la porte simplement parce que je ne pouvais pas résister à cette idée. La même urgence que celle qui pousse à tirer sur la poignée du coffre d'une voiture alors qu'on vient d'enfermer ses clés à l'intérieur.

J'ai souvent été du mauvais côté d'un grand nombre de portes fermées. Aucune ne s'est jamais ouverte spontanément, mais l'espoir fait vivre.

Un bruit me rappela à la réalité de ma cellule et de ses murs suintants. Un rat courait le long de la paroi. Les moustaches frémissantes, un autre jeta un coup d'œil du haut de l'escalier.

Une geôle digne de ce nom se doit d'avoir des rats, j'avais failli l'oublier.

Une silhouette trottina jusqu'au bord des marches. À la lueur des torches, je crus d'abord que c'était un chien. Hélas, non. Assis sur ses pattes arrière, un rat de la taille d'un berger allemand me regardait, ses énormes griffes enfouies dans le pelage de son torse. Ses babines se retroussèrent sur des crocs jaunis. Ce rat avait des canines longues d'une bonne douzaine de centimètres et pointues comme des dagues.

Je criai.

—Jean-Claude!

Une série de couinements suraigus retentit aussitôt. Je gravis d'un bond les quelques marches et découvris un tunnel de la hauteur d'un homme creusé dans le mur. Un flot de rats se déversait de l'ouverture, mer de fourrure qui couinait frénétiquement en distribuant des coups de dent. Les rongeurs étaient si nombreux qu'ils menaçaient de recouvrir le sol.

—Jean-Claude!

Je frappai à la porte et secouai les barreaux. En vain. Impossible de sortir. Lançant un coup de pied, je hurlai :

—Bordel de merde!

Le son se répercuta contre les murs, réussissant presque à couvrir le cliquetis assourdissant de centaines de pattes griffues.

—Ils ne t'attaqueront pas avant que nous en ayons terminé.

Les mains sur le loquet de la porte, je me figeai. La voix venait de l'intérieur de la cellule. Le sol grouillait de petits corps couverts de fourrure. Des couinements, des pelages qui se frottaient, des multitudes de pattes griffant la pierre…

Des milliers, il y en avait des milliers !

Quatre rats géants étaient debout au beau milieu de cette marée de poils. L'un d'eux me dévisageait de ses yeux noirs, mais son regard n'avait rien d'animal. Si je n'avais jamais rencontré de rats-garous, j'étais prête à parier que j'en avais un en face de moi.

Les pattes arrière à demi fléchies, une silhouette se détacha de la masse grouillante. La créature était de la taille d'un homme, avec un faciès étroit pointu comme le museau d'un rat. Une longue queue rose était enroulée autour de ses pattes telle une épaisse corde de chair.

Le rat tendit vers moi une main griffue.

—Joins-toi à nous, l'humaine!

Il avait une voix épaisse et vaguement gémissante. Les mots étaient précis, bien que mal prononcés. La gueule des rats n'est pas faite pour parler.

Pas question que je redescende les marches! Sûrement pas.

Je connais un type qui a subi l'attaque d'un loup-garou. Il en est presque mort, mais il n'est pas devenu un métamorphe. Je connais un autre type, transformé en tigre-garou à cause d'une égratignure.

Si je me faisais griffer, dans un mois, j'avais toutes les chances de me retrouver couverte de fourrure, avec de grosses canines pleines de tartre.

Seigneur!

—Viens, l'humaine. Viens t'amuser avec nous.

Je déglutis, non sans mal, avec l'impression d'avaler mon propre cœur.

—J'aime mieux pas…

La créature eut un rire chuintant.

—Nous pourrions venir te chercher…

Le rat se fraya un chemin parmi ses congénères. Tous beaucoup plus petits, ils s'écartaient frénétiquement devant lui, montant les uns sur les autres pour l'éviter.

La tête tournée vers moi, il s'immobilisa au pied des marches. Sa fourrure sombre avait la couleur du miel, avec des bandes plus claires, presque blondes.

—Si tu nous forces à te faire descendre, tu risques de le regretter.

Je le croyais volontiers, ce foutu rat-garou! Je voulus saisir mon poignard, mais l'étui était vide. Les vampires l'avaient pris, évidemment. Et merde!

—Viens, l'humaine, viens t'amuser avec nous.

—Si vous voulez que je vienne, il faudra d'abord m'attraper !

Le rat jouait avec sa queue, la caressant d'une main. L'autre vint se loger dans la fourrure de son bas-ventre. Quand je le regardai dans les yeux, il éclata de rire.

—Attrapez-la, vous autres !

Deux gros rats de la taille d'un chien se dirigèrent vers l'escalier, renversant au passage un pauvre petit rongeur qui couina pathétiquement. Puis ses cris moururent et les autres eurent tôt fait de lui sauter dessus. Il y eut un bruit d'os brisé. Ici, on ne gaspillait rien…

Je me plaquai contre la porte, comme si j'avais voulu m'incruster dans le bois. Les deux rats gravirent souplement les quelques marches. C'étaient des bêtes bien nourries, mais qui n'avaient rien d'animal dans le regard. Ce qu'on y lisait était bel et bien humain, et intelligent.

—Attendez…

Les rats s'immobilisèrent.

—Oui ? lança le rat-garou.

—Qu'est-ce que vous me voulez ?

—Nikolaos nous a demandé de te distraire pendant que tu l'attendais.

—Ça ne répond pas à ma question. Que voulez-vous, exactement ?

Des canines jaunies apparurent. On aurait pu croire à un rictus, mais c'était un sourire.

—Viens avec nous, l'humaine. Touche-nous et laisse-toi toucher. Permets-nous de t'enseigner les plaisirs que dispensent notre fourrure et nos dents.

En parlant, il frottait ses griffes contre le pelage de ses cuisses, attirant mon attention sur son entrejambe. Détournant le regard, je sentis mes joues s'empourprer. Je rougis. Et merde !

D'une voix assurée, je réussis à répliquer :

—J'imagine que vous essayez de m'impressionner…

Il se raidit, un rictus mauvais sur les lèvres.

—Amenez-la-moi!

Bravo, Anita, continue à l'énerver! Tu n'as plus qu'à insinuer qu'il n'est pas aussi bien pourvu qu'il le croit…

Son rire chuintant me fit frémir.

—On va rigoler, ce soir, je le sens.

Leurs muscles jouant sous leur pelage, les moustaches raides comme du fil barbelé, les rats géants se lancèrent à l'assaut des marches. Adossée contre la porte, je commençai à me laisser glisser le long du battant.

—Je vous en supplie, non…

Ma voix trahissait ma peur, et je me détestais.

—Il ne nous aura pas fallu longtemps pour venir à bout de ta résistance. Comme c'est triste! dit l'homme-rat.

Les deux rongeurs géants étaient presque sur moi. Je m'assurai d'être solidement appuyée contre la porte, genoux relevés, talons bien posés sur le sol, et le reste du pied souple. Une griffe m'effleura la jambe, mais je tins bon. J'attendais. Il fallait que ma réaction soit la bonne. Je vous en prie, Seigneur, faites que mon sang ne coule pas…

Des moustaches me chatouillèrent le visage et je sentis un de mes agresseurs peser sur moi de tout son poids.

Alors je tendis les jambes. Mes deux pieds frappèrent le rat, qui bascula en arrière. Gisant sur le sol, il voulut m'atteindre avec sa queue, mais je me jetai aussitôt sur lui.

Il roula au bas des marches.

S'accroupissant, le deuxième grogna, ou plutôt feula. Je le vis bander ses muscles. Posant un genou à terre, je m'apprêtais à encaisser le choc. S'il se jetait sur moi alors que j'étais debout, je perdrais l'équilibre – une mauvaise idée, à quelques centimètres de l'escalier.

Il bondit. Me laissant tomber au sol, je roulai sur le côté, et mes deux pieds s'enfoncèrent dans le corps chaud du monstre. Je le repoussai impitoyablement. Le rat me survola, avant de disparaître de mon champ de vision avec des couinements apeurés. Un bruit sourd m'avertit qu'il venait d'atterrir. Un son… gratifiant.

Je savais que mes agresseurs avaient survécu, mais je ne pouvais pas faire mieux.

Je me relevai en prenant soin de rester dos au mur. L'homme-rat n'avait plus du tout envie de rire, et je m'empressais de lui adresser mon sourire le plus angélique. Il n'eut pas l'air particulièrement impressionné.

D'un geste, il rameuta sa troupe de rats, qui s'élança à l'assaut des marches.

J'aurais pu me débarrasser d'une partie de mes agresseurs, mais pas de tous. S'il lui en avait donné l'ordre, sa meute m'aurait bouffée vivante. Une bouchée de chair sanguinolente pour chacun des petits soldats !

Les rats se bousculaient à mes pieds en piaillant et mes bottines disparaissaient sous leurs petits corps. Dressé sur les pattes arrière, l'un d'eux s'étira pour tenter d'atteindre le bord de ma botte. Je m'en débarrassai immédiatement. Il atterrit au pied des marches et couina de douleur.

Les rats géants avaient tiré un de leurs blessés dans un coin de la pièce. Celui-là ne bougeait plus. Quant à ma seconde victime, elle boitait douloureusement.

Les griffes en avant, un rongeur se jeta sur moi et resta cramponné à ma chemise. Je le sentais peser contre ma poitrine. D'une main, je l'attrapai par le milieu du corps. Des dents pointues se plantèrent dans ma chair, manquant me broyer les os.

Je voulus balancer le rat le plus loin possible, mais il resta accroché à ma main comme un bijou obscène. Son pelage était maculé de sang. Sans attendre, un autre animal bondit à son tour sur ma chemise.

L'homme-rat souriait.

Un rongeur cherchait à atteindre mon visage. L'attrapant par la queue, je le lançais loin de moi en criant :

— Tu as la trouille de venir tout seul ? Tu as peur de moi ?

Ma voix trahissait ma panique, mais je continuai quand même :

— Tes potes n'ont pas hésité à attaquer, mais toi, tu as peur d'être blessé, pas vrai ? C'est ça ?

Les rongeurs géants regardèrent l'homme-rat, qui leur jeta un bref coup d'œil.

— Je n'ai pas peur d'une humaine.

— Amène-toi, alors, viens me chercher toi-même ! Si tu en es capable…

Le rat accroché à ma main lâcha prise. Entre mon pouce et mon index, toute la peau était arrachée.

Les petits rats, très anxieux, ne savaient plus que faire. Accroché à mon jean, l'un d'eux, pourtant arrivé à la hauteur de ma cuisse, décida de se laisser retomber sur le sol.

— Je n'ai pas peur.

— Prouve-le !

J'avais retrouvé un ton beaucoup plus assuré. On aurait dit la voix d'une petite fille de neuf ans, au lieu de cinq…

Les rats géants avaient les yeux rivés sur l'homme-rat, attendant sa réaction et prêts à le juger. Il fit de nouveau un geste de la main, comme s'il voulait fendre l'air devant lui, mais cette fois en remontant. Plantés sur leurs pattes arrière, les rats couinèrent et piaillèrent, comme s'ils n'en croyaient pas leurs yeux, puis ils se décidèrent à battre en retraite.

Appuyée à la porte, les jambes coupées, je plaquai ma main mordue contre ma poitrine avec l'espoir d'atténuer la douleur. L'homme-rat gravit lentement les marches. Prenant appui sur ses coussinets, il se déplaçait avec aisance. À chacun de ses pas, ses griffes se plantaient dans la pierre des marches.

Les lycanthropes sont plus forts et plus rapides que les humains. Sans manipulations mentales, sans trucages, ils leur sont physiquement supérieurs. Même si j'attaquais la première, je n'avais aucune chance de le surprendre. Et je doutais que la colère l'aveugle au point de lui faire commettre une erreur. Mais j'avais le droit d'espérer…

J'étais blessée, sans arme, et le combat s'annonçait inégal. Si je ne me débrouillais pas pour le pousser à commettre une faute, j'étais foutue.

Il promena sa langue rose sur ses crocs.

— Du sang frais…, dit-il en prenant une profonde inspiration. Tu pues la peur, l'humaine! Le sang, la peur, pour moi, ça annonce l'heure du repas.

Je glissai ma main valide derrière mon dos comme si je cherchais à attraper quelque chose.

— Approche, homme-rat, et on verra si tu apprécies les lames en argent!

Il s'immobilisa.

— Tu mens!

— Tu paries quoi? Ta vie?

Il joignit ses mains griffues. Un des gros rats émit un couinement éloquent.

— Non, je n'ai pas peur! cria mon adversaire.

Si les autres le mettaient au défi, inutile d'essayer de bluffer.

— Tu as vu ce que j'ai fait à tes amis. Et je ne me suis pas encore servie de mon arme.

J'avais parlé d'une voix basse et très calme. Un point pour moi!

L'homme-rat me dévisagea. À la lueur des torches, son pelage brillait comme s'il venait de le laver. Il bondit souplement et atterrit en haut des marches, hors de ma portée.

— Je n'avais jamais vu de rat blond, dis-je.

N'importe quoi pour briser le silence, n'importe quoi pour l'empêcher de s'approcher de moi ! Jean-Claude n'allait sans doute pas tarder à revenir.

J'éclatai de rire, manquant m'étouffer.

Interloqué, l'homme-rat se tendit.

— Qu'est-ce qui t'amuse, l'humaine ?

Il n'était pas tout à fait à l'aise, et ça s'entendait. Très bon !

— Je me disais que les vampires n'allaient pas tarder à débouler, et qu'ils me sauveraient. Reconnais qu'il y a de quoi rigoler.

Non, il n'avait pas l'air de vouloir le reconnaître. Pas mal de gens n'apprécient pas mon sens de l'humour. Si j'étais moins sûre de moi, je penserais que mes vannes ne sont pas drôles. Mais bon…

Faisant toujours semblant de tenir un poignard, je bougeai un peu le bras. Un des rats géants émit un piaillement que je jugeai dérisoire. Si j'arrivais à bluffer, son honneur n'y survivrait pas. Et si je n'y arrivais pas, c'était moi qui ne survivrais pas.

Confrontés à un rat-garou, la plupart des gens ont tendance à paniquer. Mais j'avais eu le temps de m'habituer à l'idée. S'il me touchait, je ne risquais pas de me volatiliser. J'entrevoyais même une solution possible. Si je me trompais, il me tuerait. Mon estomac se noua et j'eus toutes les peines du monde à déglutir. Mieux valait être morte que transformée en rate. S'il devait vaincre, j'aimais autant qu'il me tue. En matière de lycanthropie, les rats ne sont pas ce que je préfère. Et avec la poisse, une minuscule égratignure suffit pour être infecté.

Si j'étais rapide, et chanceuse, je pourrais aller à l'hôpital. Le traitement ressemble à celui de la rage. Parfois, les vaccins marchent, mais ils peuvent aussi transformer le patient en lycanthrope.

L'homme-rat jouait négligemment avec sa longue queue rose.

—Tu as déjà été attaquée par un garou ?

Je ne savais pas s'il parlait de sexe ou d'alimentation. Ni l'un ni l'autre ne paraissaient souhaitables. L'homme-rat allait se mettre en condition, rassemblant son courage, puis il attaquerait. Mais seulement quand il serait prêt. Or, je voulais qu'il attaque quand je le serais.

J'optai pour le sexe.

—J'ai peur que tu n'aies pas ce qu'il faut, homme-rat.

Il se raidit, brossant son pelage blond, griffes sorties.

—Nous allons voir qui possède quoi, l'humaine !

—Le viol est la seule façon de te payer un peu de bon temps ? Dois-je croire que tu es aussi laid en humain qu'en rat ?

Furieux, il ouvrit la gueule et émit un étrange sifflement. Une sorte de feulement, plutôt, à la fois aigu et profond. Je n'avais jamais entendu ça.

L'homme-rat se ramassa sur lui-même, la tête dans les épaules, prêt à attaquer.

Je retins mon souffle. De toute évidence, il était énervé, et je l'avais bien cherché. On n'allait pas tarder à savoir si mon plan fonctionnait comme prévu, ou s'il décidait plutôt de me faire la peau.

L'homme-rat bondit. Je me laissai tomber sur le sol, mais il s'attendait à une esquive. Incroyablement vite, il sauta sur moi, toutes griffes dehors, son haleine me fouettant le visage.

J'avais remonté les genoux contre ma poitrine pour l'empêcher de se plaquer sur moi. Tendant sa main griffue, il voulut me forcer à lâcher prise.

Je passai les bras autour de mes jambes avec le sentiment de me battre contre un bloc d'acier vivant. De nouveau, il émit son étrange sifflement et m'arrosa d'une pluie de bave.

Cherchant un meilleur angle d'attaque, il s'agenouilla, décidé à forcer le barrage de mes jambes.

Je propulsai mes deux pieds en avant. Voyant le coup arriver, il voulut s'écarter, mais mes pieds le frappèrent entre les cuisses. Sous l'impact, il vola dans les airs et s'écroula sur le sol. À en juger par les râles qui lui sortaient de la gorge et son souffle court, il manquait d'air.

Un deuxième homme-rat surgit du tunnel. Les autres rongeurs s'éparpillèrent en couinant. J'étais assise le plus loin possible du garou blond qui se tordait de douleur.

Fatiguée et révoltée, je regardai le nouveau venu.

Bon Dieu, mon plan aurait dû fonctionner ! Normalement, les méchants ne sont pas autorisés à recevoir des renforts, surtout quand je suis déjà dans la mouise.

Le nouveau rat avait un pelage d'un noir de jais sans aucun défaut. Ses pattes arrière légèrement arquées étaient couvertes par un jean effrangé. Il avança, souple et inquiétant.

Mon cœur menaçait d'exploser. Le souvenir des petits corps chauds collés à moi me faisait frémir de dégoût. Et ma main portait la marque douloureuse d'une morsure.

Ils allaient me déchiqueter.

— Jean-Claude !

Telle une marée de poils bruns, les rats refluèrent et s'engouffrèrent dans le tunnel.

Les rats géants, surexcités, désignèrent des pattes et du museau leur semblable étendu sur les dalles.

— Elle s'est défendue… Et vous, que faisiez-vous ?

La voix de l'homme-rat était grave et chaude et sa diction presque parfaite. Les yeux fermés, j'aurais pu croire que c'était celle d'un homme.

Les rats géants s'enfuirent, tirant derrière eux leur ami, toujours inconscient. Il n'était pas mort, mais salement blessé. Alors qu'ils disparaissaient dans le tunnel, l'un d'eux tourna la tête vers moi et me foudroya du regard, comme pour m'assurer que je n'allais pas m'en tirer comme ça.

L'homme-rat blond ne gigotait plus. Immobile, il gardait ses mains sur son entrejambe.

— Je t'avais dit de ne pas venir ici, déclara le second homme-rat.

Le blond s'assit péniblement. Tous ses gestes semblaient douloureux.

— J'ai obéi aux ordres du maître.

— Je suis ton roi, et c'est à moi que tu dois obéir.

Le rat noir gravit les marches, sa longue queue rose fouettant l'air comme celle d'un chat.

Pour la énième fois de la soirée, je me plaçai dos à la porte de la cellule.

L'homme-rat blessé essaya d'argumenter :

— Tu es notre roi, mais seulement jusqu'à ta mort. Et si tu résistes au maître, tu mourras bientôt. Il est puissant, plus puissant que toi.

Sa voix manquait encore d'assurance, mais il reprenait des forces. La colère est souvent stimulante.

Le roi des rats bondit sur son congénère. Le saisissant à bout de bras, il le souleva du sol et plaqua son visage contre le sien.

— Je suis ton roi, et tu dois m'obéir ! Sinon, je te tuerai.

Deux mains griffues s'enfoncèrent dans la gorge de l'homme-rat blond, qui commençait à manquer d'air.

Dédaigneux, le roi le jeta dans l'escalier et il roula au pied des marches.

Recroquevillé sur lui-même, il leva les yeux vers son souverain. Une telle haine brûlait dans son regard qu'il aurait pu mettre le feu à un bûcher.

—Tout va bien ? demanda le roi.

Il me fallut une bonne minute pour comprendre qu'il s'adressait à moi. D'un hochement de tête, je fis signe que oui. Apparemment, les renforts étaient arrivés. Non que j'en aie eu besoin, bien sûr…

—Merci.

—Je ne suis pas venu vous sauver, dit-il. J'ai interdit à mon peuple de chasser pour les vampires. C'est pour ça que je suis là…

—Bon, comme ça, je sais où me situer. J'ai un petit peu plus d'importance qu'une puce. Enfin, merci quand même…

Il hocha gravement la tête.

—Il n'y a pas de quoi.

Je remarquai alors sur son avant-bras gauche la cicatrice d'une brûlure qui représentait grossièrement une couronne. On l'avait marqué au fer rouge.

—Il vaudrait peut-être mieux porter sur vous votre couronne et votre sceptre, non ?

Jetant un coup d'œil sur son avant-bras, il sourit. Un vrai sourire de rat, qui dévoile toutes les dents.

—Ça me permet de garder les mains libres.

Je le regardai dans les yeux pour voir s'il se moquait de moi. Difficile à dire. Les rats ne sont pas très expressifs…

—Que veulent les vampires ? demanda-t-il.

—Que je travaille pour eux.

—Obéissez. Sinon, ils vous feront du mal.

—Comme ils vous feront du mal à vous, si vous empêchez les rats de les servir?

Il haussa les épaules.

—Nikolaos croit dominer les rats parce que ce sont ses animaux préférés. Mais nous ne sommes pas de simples rongeurs, et nous avons notre libre arbitre. Nous pouvons choisir. Je peux choisir.

—Faites ce qu'elle veut, et elle ne vous fera pas de mal, lui dis-je.

Encore ce sourire.

—Je donne de très bons conseils, même si j'accepte rarement de les suivre moi-même.

—Idem pour moi…

Il me dévisagea puis se tourna vers la porte.

—Ils arrivent.

Je savais de qui il parlait. La fête était finie. Les vampires rappliquaient. Bondissant au pied de l'escalier, le roi ramassa l'homme-rat qui gisait sur les dalles et le hissa sur son épaule sans effort apparent. Puis il disparut dans les profondeurs du tunnel. Aussi vif qu'une souris qu'on surprend dans la cuisine. Un éclair noir.

J'entendis un cliquetis de talons dans le couloir et m'écartai de la porte. Le battant s'ouvrit. Theresa apparut dans l'encadrement. Les mains sur les hanches, les lèvres pincées, elle jeta un coup d'œil circulaire dans la pièce.

—Où sont-ils?

Je levai vers elle ma main blessée.

—Ils ont fait ce qu'ils avaient à faire, et ils sont partis.

—Ils n'étaient pas censés s'en aller. Encore un coup de celui qui se prétend leur roi, n'est-ce pas?

Je haussai les épaules.

—Ils sont partis, mais j'ignore pourquoi.

— Tu es si calme, si paisible… Les rats ne t'ont pas fait peur ?

De nouveau, je haussai les épaules. On ne modifie pas une tactique qui marche.

— Ils ne devaient pas faire couler le sang.

Elle me dévisagea avec intérêt.

— À la prochaine pleine lune, tu te transformeras ?

La curiosité tue les vampires – je pouvais toujours y croire !

— Non.

Je m'en tins là. Pas d'autre explication. Si elle voulait vraiment savoir, elle devrait me passer à tabac jusqu'à ce que je crache ce qu'elle désirait entendre. Mais elle n'était pas du genre à faire des efforts inutiles.

Et Aubrey était puni pour m'avoir attaquée…

Tandis qu'elle m'observait, ses yeux parurent s'étrécir.

— Les rats étaient censés t'effrayer, réanimatrice, mais on dirait qu'ils ont mal fait leur boulot.

— Peut-être qu'il en faut beaucoup pour m'effrayer.

Sans me forcer, je soutins son regard. Des yeux comme les autres.

Theresa sourit, me montrant ses dents pointues.

— Nikolaos saura trouver quelque chose pour t'effrayer. La peur, c'est le pouvoir, sache-le !

Elle avait chuchoté les derniers mots, comme si elle craignait de parler trop fort.

De quoi une vampire pouvait-elle avoir peur ? Étaient-ils hantés par des visions de pieux et de gousses d'ail, ou connaissaient-ils d'autres tourments bien pis ? Comment ficher les jetons aux morts ?

— Passe devant, réanimatrice. Ton maître t'attend.

— Je croyais que Nikolaos était également ton maître, Theresa…

Elle me regarda, impassible, comme si son sourire de tout à l'heure n'avait été qu'une illusion. Son regard était glacial. Les yeux des rats exprimaient davantage de sentiments.

—Avant que le jour soit levé, Nikolaos sera devenu notre maître à tous.

Je secouai la tête.

—Voilà qui m'étonnerait…

—C'est la force de Jean-Claude qui te rend idiote.

—Non…

—Quoi alors, mortelle?

—Je préférerais mourir plutôt que d'être la servante d'un vampire.

Sans ciller, Theresa se contenta de hocher la tête.

—Il n'est pas impossible que ton vœu soit bientôt exaucé.

Un frisson me remonta le long du dos. J'aurais pu la regarder, mais le mal a une façon bien à lui de se manifester. Une sensation terrifiante, qui serre soudain les entrailles. Il m'est arrivé de la ressentir en compagnie d'humains. Inutile d'être mort-vivant pour nuire aux autres. Mais ça aide!

Je passai devant elle. Les talons de Theresa cliquetèrent dans le couloir. C'était peut-être dû à la peur, mais j'avais l'impression que son regard ne me quittait pas et qu'il me glaçait littéralement les sangs.

CHAPITRE 11

La pièce était immense, de la taille d'un entrepôt, mais avec des murs en pierres de taille. À chaque instant, je m'attendais à voir apparaître Bela Lugosi drapé dans sa cape.

La vampire que j'aperçus, assise contre un mur, le valait largement.

Elle avait dû mourir à l'âge de douze ou treize ans. Des petits seins à peine formés pointaient sous l'étoffe vaporeuse de sa robe longue. Bleu pâle, le tissu faisait ressortir la blancheur parfaite du teint de cette toute jeune fille. Vivante, elle devait déjà être blême. Vampire, elle donnait dans le livide. Sa chevelure avait la blondeur mousseuse qu'ont celles de certains enfants avant de virer au brun. Mais cette chevelure-là ne perdrait jamais sa lumière.

Nikolaos était assise dans un fauteuil en bois sculpté. Ses pieds ne touchaient pas le sol.

Un vampire mâle vint s'appuyer à l'un des accoudoirs. Son teint était d'une nuance étrange, genre ivoire sombre. Penché sur Nikolaos, il lui murmura quelque chose à l'oreille.

Elle eut un rire clair qui tintinnabula gaiement. Un son charmant… et calculé.

Theresa avança jusqu'à la vampire-enfant, puis se plaça derrière son fauteuil, caressant du bout des doigts la cascade blonde de ses cheveux.

Un humain se tenait à droite du fauteuil. Le dos au mur, les mains plaquées le long du corps. Impassible, droit comme un *i*, il fixait un point, juste devant lui. Une calvitie presque totale au-dessus d'un visage en lame de couteau, il avait les yeux noirs. La plupart des chauves ne sont pas très avantagés, mais lui, c'était différent. Il restait séduisant. Pourtant on sentait qu'il n'y attachait aucune importance. Sans savoir pourquoi, j'aurais juré que c'était un militaire.

Un autre homme approcha de Theresa. Cheveux blonds coupés court. Visage étrange, pas beau sans être laid. Une gueule qu'on n'oublie pas et qui aurait pu être attirante, à condition de la regarder assez longtemps. Ses yeux étaient d'un très joli vert clair.

Ce n'était pas un vampire, mais je me serais gardée de le qualifier d'humain...

Jean-Claude se posta près du fauteuil, sur la gauche, prenant soin de ne toucher personne et de rester un peu en retrait.

—Eh bien, dis-je, il ne manque que le thème musical de *Dracula, prince des Ténèbres*, et je crois qu'on pourra commencer.

La voix de la jeune fille retentit, claire et inoffensive. Une innocence qui n'avait rien de spontané.

—Tu te trouves irrésistiblement drôle, n'est-ce pas ?

Je me contentai de hausser les épaules.

—Des fois oui, des fois non...

Elle me sourit. Aucune canine n'apparut. Avec ses yeux pétillants d'humour et son visage rond et plaisant, elle semblait tellement humaine. *Regardez comme j'ai l'air mignonne. Une adorable petite fille.*

Tu parles !

Le vampire noir lui chuchota de nouveau quelques mots à l'oreille. Elle lâcha un rire cristallin si clair qu'on aurait pu le mettre en bouteille.

—Pour rire comme ça, vous vous entraînez ou c'est un don? Non, je parie que vous vous entraînez régulièrement.

Jean-Claude se raidit. Je ne sais pas s'il tentait de retenir son hilarité, ou s'il s'efforçait de ne pas froncer les sourcils. Les deux, peut-être. Il y a des gens sur qui je produis cet effet…

Toute joie s'effaça des traits charmants de la jeune fille. Seuls ses yeux pétillaient encore. Mais il n'y avait rien de gai dans ce regard étincelant.

Le regard des chats quand ils s'apprêtent à croquer un petit oiseau.

—Tu es très courageuse ou très bête, dit-elle.

À la façon de Shirley Temple, sa voix traînait sur la dernière syllabe de chaque mot.

—Pour aller avec votre voix, il vous faudrait au moins une fossette.

—À mon avis, c'est surtout de la bêtise, souffla Jean-Claude.

Je le regardai puis toisai toute la petite équipe.

—Si vous tenez absolument à trouver un qualificatif, dites plutôt que je suis épuisée, blessée, furieuse et que j'ai peur. J'aimerais qu'on en finisse avec cette comédie, et qu'on se mette enfin au boulot.

—Je commence à comprendre pourquoi Aubrey a perdu son calme…

La voix de la petite fille était sèche, sans une once d'humour. Le ton mélodieux et l'accent traînant n'étaient soudain plus de mise.

—Tu sais quel âge j'ai?

Je secouai la tête.

— Tu disais qu'elle était très forte, Jean-Claude.

Elle prononça ces mots comme si elle était furieuse contre lui.

— Elle l'est.

— Alors, qu'elle devine mon âge!

À présent, sa voix était glaciale. Une voix d'adulte rageur.

— C'est impossible. Je ne sais pas pourquoi, mais je ne peux pas.

— Quel est l'âge de Theresa?

Je dévisageai la vampire brune en me remémorant la sensation mentale que j'avais éprouvée à son contact.

— Cent ans, peut-être cent cinquante. Pas davantage, en tout cas.

Le visage impénétrable, comme sculpté dans un bloc de marbre, la jeune fille demanda:

— Comment le sais-tu?

— Je le sens.

— Tu le sens?

— Dans mon esprit, je capte qu'elle atteint un certain degré de pouvoir.

J'ai horreur de donner des explications sur ce point. La théorie semble très mystique, alors qu'elle ne l'est pas du tout. Je connais les vampires comme d'autres sont spécialistes des chevaux ou des voitures. C'est un don. Ou plutôt une capacité acquise à force de les fréquenter. Mais comme Nikolaos n'aurait sans doute pas apprécié d'être comparée à une pouliche, ou à une bagnole, je décidai de la fermer. Pas si bête, finalement.

— Regarde-moi, femme! Regarde-moi dans les yeux!

Sa voix restait neutre, sans l'intonation autoritaire de celle de Jean-Claude.

Regarde-moi dans les yeux. De la part du maître de tous les vampires de la ville, on était en droit d'attendre plus d'originalité. Mais je me gardai de donner mon opinion à haute voix. Le maître, ou plutôt la maîtresse, avait les yeux bleus, ou gris, voire les deux. Son regard pesait tellement sur moi que je me serais presque crue capable de le repousser physiquement.

En plus, je pouvais le soutenir. Alors que c'était inconcevable !

Le mercenaire qui se tenait à droite de la maîtresse ne me quittait pas des yeux, comme si j'avais enfin fait quelque chose d'intéressant.

Nikolaos se leva et fit quelques pas devant sa cour. Elle m'arrivait à peine à la clavicule. Vraiment pas grande, la reine des rats !

Elle resta immobile un long moment, éthérée et ravissante. Un tableau de maître. S'il n'y avait en elle aucune vie, elle offrait un spectacle fascinant, tout de courbes exquises et de teintes recherchées.

Sans faire un geste, elle m'ouvrit ses pensées. Comme si elle avait poussé une porte pourtant fermée à clé. Son esprit entra en collision avec le mien et le choc me déséquilibra. Un flot de pensées se bouscula en moi, puis me pénétra comme autant de lames de couteau. Des particules mentales appartenant à la vampire dansèrent dans ma tête, paralysant mon cerveau.

Je me retrouvai à genoux sans me souvenir d'être tombée. J'avais froid, très froid. Dans ce monde, il n'y avait rien pour moi. Je n'étais qu'une petite chose insignifiante, comparée à l'esprit qui se manifestait à moi. Comment pouvais-je penser à être son égale ? Comment ne pas ramper vers elle en la suppliant de me pardonner ma médiocrité ? L'insolence dont je faisais preuve était intolérable.

Je rampai. La seule chose à faire. Il fallait que je supplie la maîtresse de me pardonner. Devant une déesse, on se prosterne…

Non. Quelque chose n'allait pas. Je devais implorer la déesse de me pardonner. Je devais la vénérer et lui obéir. Non. Non et non !

— Non, murmurai-je.

— Fillette, viens à moi.

Sa voix était comme une source qui renaît à la fin de l'hiver. Je m'ouvris complètement. L'entendre me donnait le sentiment d'être attendue quelque part.

L'adorable vampire tendit vers moi ses bras blancs. La déesse condescendait à me laisser l'approcher. Incroyable !

Pourquoi étais-je en train de ramper ? Pourquoi ne pas courir vers elle ?

— Non.

Du plat de la main, je frappai les dalles. La douleur, dans mes paumes, n'était pas encore assez forte.

— Non !

Mon poing s'abattit sur la pierre. Mon bras fut immédiatement engourdi au point que je ne le sentais plus.

— NON !

Je martelai les dalles à m'en faire saigner les mains. La douleur était très vive. Très réelle. Et elle était à moi.

— Tire-toi de ma tête, salope ! criai-je.

À bout de souffle, les mains pressées sur mon estomac, je restai recroquevillée sur le sol. Mon cœur menaçait d'exploser et je n'arrivais plus à reprendre ma respiration. Un flot de rage me submergea, implacable, balayant l'empreinte mentale que Nikolaos avait voulu laisser dans mon esprit.

Je levai les yeux vers elle. Avec de la rage et de la terreur. Nikolaos était entrée en moi comme l'océan remplit et vide successivement un coquillage. Il lui faudrait me rendre folle pour briser ma volonté. Mais elle en était capable, si l'envie lui en prenait. Et je n'avais aucun moyen de me protéger.

Me toisant de toute sa hauteur, elle eut un rire cristallin.

—Nous avons déniché quelque chose qui fait peur à notre réanimatrice ! Oui, nous avons trouvé ce que nous cherchions !

Le timbre de sa voix était enfantin. Une très jeune fille, le jour de ses fiançailles.

Relevant l'ourlet de sa robe bleu ciel avec l'aisance d'une femme du monde, Nikolaos s'agenouilla devant moi. Puis elle se pencha pour me regarder dans les yeux.

—Quel âge me donnes-tu, chère réanimatrice ?

Toujours en état de choc, je tremblais. Mes dents s'entre-choquaient comme si je grelottais de froid.

—Mille ans. Peut-être plus, dis-je en tentant d'empêcher mes mâchoires de jouer des castagnettes.

—Tu as parfaitement raison, Jean-Claude. Elle est forte.

Elle approcha son visage du mien. J'avais envie de la repousser, mais plus que tout, je redoutais qu'elle ne me touche.

Son rire retentit de nouveau, d'une pureté à fendre l'âme. Si je n'avais pas souffert le martyre, j'aurais éclaté en sanglots ou je lui aurais craché au visage.

—Chère réanimatrice, je vois que nous nous comprenons. Tu as intérêt à faire ce que nous voulons, ou je te réduirai en poussière.

Pendant qu'elle murmurait ses menaces, je sentais son souffle sur mes joues.

—Tu m'en crois capable, n'est-ce pas ? demanda-t-elle.

Bien vu ! Je n'avais pas le moindre doute à ce sujet.

Chapitre 12

J'avais envie de lui cracher au visage – ce visage pâle et lisse –, mais je redoutais ce qu'elle pourrait me faire.

Une goutte de sueur coula lentement sur ma tempe. J'étais prête à lui promettre n'importe quoi, pourvu qu'elle ne me touche plus jamais. Nikolaos n'avait pas besoin de m'ensorceler : il lui suffisait de me terrifier. La peur me contrôlerait. Elle comptait là-dessus.

Je n'allais pas lui laisser cette satisfaction.

—Arrêtez de me postillonner à la figure, crachai-je.

Elle éclata de rire. Son souffle tiède sentait les pastilles de menthe. Mais sous cette odeur moderne et hygiénique, je détectai un léger parfum de sang frais.

J'avais cessé de frissonner.

—Votre haleine pue le sang.

Elle recula en portant une main à sa bouche : un geste si humain que j'éclatai de rire.

Sa robe m'effleura le visage alors qu'elle se relevait. Un petit pied chaussé d'une mule me flanqua un coup dans la poitrine.

L'impact me projeta en arrière. Une douleur aiguë, plus d'air. Pour la seconde fois cette nuit-là, je n'arrivais plus à respirer. À plat ventre, haletante, je ravalai ma douleur. Je n'avais pas entendu de craquement. Pourtant, quelque chose avait dû se briser.

— Faites-la sortir d'ici avant que je la tue de mes propres mains, dit une voix haineuse.

Mes poumons me brûlaient. Ma gorge était toute contractée, comme si j'avais avalé du plomb.

— Reste où tu es, Jean-Claude, ordonna Nikolaos en levant une main pâle. Tu m'entends, réanimatrice ?

— Oui, répondis-je d'une voix étranglée.

— Je t'ai cassé quelque chose ? demanda-t-elle d'une voix flûtée pareille au chant d'un oiseau.

Je toussai, tentant de m'éclaircir la voix, mais ça faisait mal. Je me recroquevillai sur moi-même en attendant que la douleur passe.

— Non.

— Dommage. Mais je suppose que ça aurait ralenti les opérations, ou que ça t'aurait rendue inutile pour nous.

Que m'auraient-ils fait si j'avais eu quelque chose de cassé ? Mieux valait ne pas y penser.

— La police n'a connaissance que de quatre assassinats de vampires. Il y en a en six de plus.

Je respirai prudemment.

— Pourquoi ne pas l'avoir dit aux flics ?

— Parce que beaucoup d'entre nous ne font aucune confiance aux lois humaines. Nous savons comment votre justice s'applique aux vampires.

Elle sourit. Franchement, elle aurait dû avoir des fossettes.

— Jean-Claude était le cinquième vampire le plus puissant de cette ville. Désormais, il est le troisième.

Je levai les yeux vers elle, m'attendant à ce qu'elle éclate de rire et révèle que c'était une plaisanterie. Mais elle ne se départit pas de son sourire figé, comme celui d'un mannequin de cire. Me prenaient-ils pour une imbécile ?

—Quelqu'un a tué deux maîtres vampires plus forts que... (Je déglutis avant de continuer) ... Jean-Claude ?

—Tu comprends vite, approuva Nikolaos. Peut-être cela adoucira-t-il la punition de Jean-Claude. C'est lui qui t'a recommandée à nous, le savais-tu ?

Je secouai la tête et levai les yeux vers Jean-Claude. Il n'avait pas bougé, même pour respirer. Ses yeux bleu sombre comme un ciel de minuit me fixaient, brillants de fièvre. Il ne s'était pas encore nourri. Pourquoi ne le laissait-elle pas s'alimenter ?

—Pourquoi le punissez-vous ?

—Tu t'inquiètes pour lui ? s'exclama Nikolaos avec une surprise feinte. Ça alors. N'es-tu pas en colère qu'il t'ait entraînée dans tout ça ? .

J'observai Jean-Claude plus attentivement, et je sus que ce qui brillait dans ses yeux, c'était de la peur. Nikolaos le terrifiait. Si j'avais un allié dans cette pièce, c'était forcément lui. La peur rapproche les gens plus sûrement que l'amour ou la haine. Et plus vite, aussi.

—Non, répondis-je.

—Non, non, non, chantonna Nikolaos. Très bien. (Sa voix se fit plus basse, brûlante de colère.) Je vais te faire un cadeau, réanimatrice. Nous avons un témoin du second meurtre. Il a vu Lucas mourir. Il te racontera, n'est-ce pas, Zachary ?

Elle sourit à l'homme aux cheveux blonds.

Il contourna le fauteuil et s'inclina très bas devant moi. Ses lèvres étaient trop minces, son sourire crispé. Pourtant, ses yeux vert glacier ne me quittaient pas. J'avais déjà vu ce visage quelque part, mais où ?

Il s'approcha d'une petite porte que je n'avais pas remarquée, dissimulée dans l'ombre vacillante des torches. Tout de même, j'aurais dû la voir. Je levai les yeux vers Nikolaos, qui acquiesça avec un léger sourire.

Elle m'avait dissimulé la porte sans que je m'en aperçoive. Je tentai de me relever en m'appuyant sur les mains. C'était une erreur. Je lâchai un hoquet de douleur et me redressai le plus vite possible. Mes mains étaient déjà raidies par les contusions et les ecchymoses.

Zachary ouvrit la porte d'un geste théâtral, tel un magicien qui écarte un rideau. Un homme se tenait derrière. La trentaine, mince, mais avec un début de bouée autour du ventre : trop de bières, pas assez d'exercice. Il portait les restes d'un costume maculé de terre.

—Approche, lui ordonna Zachary.

L'homme entra dans la pièce, les yeux écarquillés de terreur. La lumière du feu se refléta sur la bague de son auriculaire. Il puait la peur et la mort.

Il était encore bronzé, avec des yeux intacts. Il pouvait se faire passer pour un humain, mieux que tous les vampires présents dans la pièce, mais il était beaucoup plus mort qu'eux. Ça n'était qu'une question de temps. Je gagne ma vie en relevant les morts. Donc, je sais reconnaître un zombie quand j'en vois un.

—Te souviens-tu de Nikolaos ? demanda Zachary.

Toute couleur déserta le visage du zombie.

—Oui.

—Elle va t'interroger, et tu lui répondras. C'est compris ?

—Oui.

Il plissa le front comme s'il essayait de se rappeler quelque chose qui lui échappait.

—Jusque-là, tu avais refusé, fit remarquer Nikolaos.

Le zombie secoua la tête, la regardant d'un air à la fois fasciné et terrorisé. Comme un oiseau face à un serpent.

—Nous l'avons torturé, mais il a fait preuve d'une grande obstination. Avant que nous puissions vaincre sa résistance, il s'est pendu. Nous aurions dû lui enlever sa ceinture, dit Nikolaos en faisant la moue.

—Je… me suis pendu? balbutia le zombie. Je ne comprends pas. Je…

—Il n'est pas au courant? m'exclamai-je.

Zachary sourit.

—Non, il n'est pas au courant. Fabuleux, n'est-ce pas? Vous devez savoir combien il est difficile de leur faire oublier qu'ils sont morts.

En effet. Ça devait être le travail d'un réanimateur très puissant. Zachary observait le zombie comme s'il s'était agi d'une œuvre d'art.

—C'est vous qui l'avez relevé?

—N'es-tu pas capable de reconnaître tes semblables? demanda Nikolaos.

Elle éclata d'un rire pareil à un tintement de clochette.

Je fixai Zachary, qui me dévisageait comme pour graver mes traits dans sa mémoire. Une expression impassible, avec juste une pointe de… de colère, de peur? Puis il me sourit. De nouveau, j'eus l'impression de l'avoir déjà vu quelque part.

—Posez votre question, Nikolaos. Il est obligé de vous répondre, à présent.

—Est-ce vrai? me demanda-t-elle.

J'hésitai, surprise qu'elle s'adresse à moi.

—Oui.

—Qui a tué le vampire Lucas?

Le zombie se rembrunit. Sa respiration était trop rapide.

—Pourquoi ne répond-il pas?

—La question est trop complexe, expliqua Zachary. Il ne se souvient peut-être pas de qui était Lucas.

—Dans ce cas, pose-lui les questions toi-même.

Il se tourna vers le zombie.

—As-tu assisté au meurtre d'un vampire?

—Oui.

—Comment a-t-il été assassiné?

—On lui a arraché le cœur et coupé la tête.

—Qui lui a fait ça?

—Je ne sais pas, je ne sais pas!

—Demandez-lui ce qui a tué le vampire, dis-je.

Zachary me foudroya du regard. Ses yeux n'étaient plus que deux billes de verre, et ses os saillaient sous la peau de son visage.

—C'est moi qui l'ai relevé. Mêlez-vous de ce qui vous regarde!

—Zachary! intervint Nikolaos.

Il se tourna vers elle, très raide.

—C'est une bonne question, dit-elle d'une voix calme et raisonnable, mais qui ne trompa personne... Pose-la-lui.

Zachary serra les poings et regarda le zombie. Impossible de deviner pourquoi il se mettait dans un état pareil.

—Qu'est-ce qui a tué le vampire?

—Je ne comprends pas.

La voix du zombie était aiguë à force de panique.

—Quelle sorte de créature lui a arraché le cœur? Était-ce un humain?

—Non.

—Était-ce un autre vampire?

—Non.

C'est pour ça que les zombies ne font pas de bons témoins devant un tribunal. Il faut leur arracher les mots de la bouche un à un, et chaque fois, les avocats vous accusent de les influencer.

—Quelle sorte de créature, alors? répéta Zachary.

Le zombie secoua la tête. Il ouvrit la bouche, mais aucun son n'en sortit. Il semblait s'étrangler, comme si quelqu'un lui avait bourré la gorge de papier.

—Je ne… peux pas, lâcha-t-il.

—Comment ça, tu ne peux pas? hurla Zachary en le giflant à toute volée.

Le zombie leva les bras pour se protéger.

—Tu… vas… me… répondre!

Chaque mot était ponctué par une nouvelle gifle. Le zombie tomba à genoux et sanglota.

—Je ne peux pas!

—Réponds-moi! beugla Zachary en lui décochant un coup de pied.

Le zombie se recroquevilla sur le sol.

—Arrêtez! m'écriai-je en m'approchant d'eux.

—C'est mon zombie, fulmina Zachary. J'en fais ce que je veux.

—C'était un être humain il n'y a pas si longtemps. Il mérite un peu plus de respect.

Je m'agenouillai près de la malheureuse créature. Zachary me surplombait comme une ombre coléreuse.

—Fiche-lui la paix! ordonna Nikolaos.

Je touchai le bras du zombie, qui frémit.

—Je ne vais pas vous faire de mal, promis-je.

Il s'était suicidé pour échapper à Nikolaos. Mais même dans la tombe, il n'était pas hors de sa portée. Pas en sécurité. Avant cette nuit, j'aurais affirmé qu'aucun réanimateur n'aurait relevé un mort dans un tel but. Mais, parfois, le monde est encore pire que je ne veux l'admettre.

Je dus écarter les mains du visage du zombie et le prendre par le menton pour le forcer à me regarder. Ses pupilles étaient dilatées par une terreur indicible, et un filet de bave coulait au coin de sa bouche.

Je secouai la tête et me relevai.

— Vous l'avez cassé.

— Bien entendu! cria Zachary. Je n'autorise pas un foutu zombie à se payer ma tête! Il va répondre à mes questions, que ça lui plaise ou non!

— Vous êtes bouché, ou quoi? Vous avez brisé son esprit!

— Les zombies n'ont pas d'esprit.

— En effet. Tout ce qu'ils ont – et ils le gardent très peu de temps –, c'est le souvenir de ce qu'ils étaient. Si on les traite bien, ils conservent leur personnalité pendant une semaine, parfois un peu plus. Mais là… (Je me tournai vers Nikolaos.) Les sévices accélèrent le processus.

— Que veux-tu dire, réanimatrice?

— Que ce sadique… (Du pouce, je désignai Zachary.) … a détruit l'esprit du zombie. Il ne répondra plus jamais à aucune question.

Nikolaos se retourna.

— Espèce d'arrogant!

Son corps tremblait de ses petits pieds chaussés de mules jusqu'à ses longs cheveux blonds. Je m'attendais que son fauteuil s'embrase sous la chaleur de sa colère.

Ses mains griffèrent l'air, puis agrippèrent les accoudoirs si fort que j'entendis le bois craquer. Sous l'effet de la rage, son regard se fit vitreux, et ses os saillirent sous sa peau livide. Sa voix se répercuta contre les murs de pierre et courut sur ma peau tel un sirocco brûlant.

— Sors d'ici avant que je te tue! Ramène la femme à sa voiture, et fais en sorte qu'il ne lui arrive rien. Si tu échoues encore une fois, si tu me déçois, je t'arracherai la gorge, et mes enfants se baigneront dans ton sang.

Un peu mélodramatique, mais joliment formulé. Ce que je me gardai bien de dire à voix haute. En fait, je n'osais même plus respirer. Tout mouvement risquait d'attirer son attention. Elle avait besoin d'une excuse pour se déchaîner.

Zachary dut le sentir aussi. Il s'inclina et, sans un mot, fila vers la petite porte. Arrivé sur le seuil, il me fit signe de le suivre.

Je regardai Jean-Claude, toujours immobile. Je ne l'avais pas interrogé, au sujet de Catherine. Je voulais savoir si elle allait bien, mais je n'avais pas eu le temps de le lui demander. Tout s'était passé trop vite.

J'ouvris la bouche, mais il me fit taire en levant une main aussi pâle que la dentelle de sa chemise. Ses orbites brûlaient d'un feu bleu sombre, et ses cheveux noirs flottaient autour de son visage. Son masque d'humanité se dissipait à toute vitesse.

Son pouvoir me frappa comme une onde de choc et fit se dresser les poils sur mes avant-bras.

—Cours! cria-t-il d'une voix cinglante.

Je m'attendais presque qu'elle me fasse saigner.

J'hésitai. Puis je vis Nikolaos s'élever lentement dans les airs. Ses cheveux dansaient autour de son visage de squelette, et les veines de ses mains saillaient sous sa peau.

Jean-Claude tendit une main vers moi. Quelque chose d'invisible me propulsa vers la porte. Je heurtai le mur; Zachary me prit par le bras et me fit franchir le seuil.

Je me dégageai alors que la porte claquait derrière nous.

—Doux Jésus, soufflai-je.

Le visage baigné de sueur, Zachary posa le pied sur la première marche d'un escalier. D'un geste nerveux, il m'invita à le suivre.

—S'il vous plaît…

Une odeur de décomposition filtra de sous la porte. Une puanteur de cadavres boursouflés, de peau craquelée au soleil, de sang coulant au ralenti dans des veines mortes. J'eus un haut-le-cœur et m'écartai.

—Oh, mon Dieu, souffla Zachary en portant une main à sa bouche.

À cet instant, la porte craqua et vibra comme sous la pression d'un ouragan. Une rafale s'engouffra dessous, soulevant mes cheveux et charriant une écœurante odeur de pourriture.

Zachary et moi nous regardâmes. Malgré notre antagonisme, nous étions dans le même camp. Deux humains face aux monstres. Nous nous détournâmes pour nous élancer dans l'escalier.

Il ne pouvait pas y avoir de tempête derrière cette porte, ni de vent désireux de nous poursuivre sur les étroites marches de pierre, ni de cadavres en décomposition dans cette pièce.

Ou peut-être que si.

CHAPITRE 13

Une explosion assourdissante retentit derrière nous. Le souffle nous projeta à terre comme de vulgaires poupées de chiffon.

La porte avait cédé. Je me redressai à quatre pattes et rampai sur les marches pour m'éloigner coûte que coûte. Zachary se releva et me tira par le bras. Nous courûmes.

L'ouragan rugit en s'engouffrant dans la cage d'escalier. Mes cheveux me fouettèrent le visage, m'aveuglant. Les murs étaient lisses, les marches glissantes, et il n'y avait rien à quoi se raccrocher. Zachary agrippa ma main. Nous nous plaquâmes sur les marches.

—Anita, chuchota la voix veloutée de Jean-Claude.

Je levai la tête en clignant des yeux, mais il n'y avait personne d'autre que nous.

—Anita.

Le vent appelait mon nom.

—Anita…

Deux minuscules flammes bleues apparurent devant mon visage. Des yeux? Ceux de Jean-Claude? Était-il mort?

Les flammes bleues se rapprochèrent comme si l'ouragan n'avait pas de prise sur elles. Je criai: «Zachary!», mais le rugissement de la tempête couvrit ma voix. Les voyait-il aussi, ou étais-je en train de devenir folle?

Je ne voulais pas que ces flammes me touchent. Je ne savais pas ce qu'elles pouvaient me faire, mais quelque chose me disait que ça ne me plairait pas du tout.

Je m'arrachai à l'étreinte de Zachary. Il cria un avertissement que je ne compris pas. Je me mis à ramper sur les marches, le vent m'aplatissant comme pour m'écraser.

— Pardonne-moi, souffla la voix de Jean-Claude à mon oreille.

Les flammes bleues dansaient devant mes yeux. Je me plaquai contre le mur et tentai de les repousser, mais mes mains passèrent au travers.

— Fichez-moi la paix! m'égosillai-je.

Les flammes remontèrent le long de mes bras et pénétrèrent dans mes yeux.

Autour de moi, le monde se transforma en glace bleue. Le vent continuait à souffler, mais je n'entendais plus son rugissement. Zachary me fixait sans comprendre.

— Cours, souffla une voix.

Puis le vent retomba, comme si quelqu'un avait appuyé sur un interrupteur. Le silence était assourdissant. Je suffoquais, et je ne sentais plus battre mon cœur.

— Vos yeux, balbutia Zachary. Ils sont bleus, et ils brillent!

— Chut, lui ordonnai-je.

Je ne savais pas pourquoi, mais il me semblait vital que personne ne l'entende, que nul ne sache ce qui venait de se passer. Ma vie en dépendait.

Même les chuchotements s'étaient tus. Ce silence était dangereux. Il signifiait que la bataille était terminée, et que le vainqueur pouvait s'occuper d'autre chose. Et je ne voulais pas être impliquée dans ce qui suivrait.

Je me relevai et tendis la main à Zachary. L'air un peu étonné, il l'accepta.

Je montai les marches quatre à quatre en l'entraînant à ma suite. Je devais fuir cet endroit, ou je mourrais. Ça ne faisait pas le moindre doute dans mon esprit. Si Nikolaos voyait mes yeux, je mourrais.

Et je ne saurais pas pourquoi.

Zachary sentit ma panique, ou pensa peut-être que je savais des choses qu'il ignorait. Quoi qu'il en soit, il me suivit sans poser de questions.

Quand l'un de nous trébuchait, l'autre l'aidait à se relever. Nous courûmes jusqu'à ce que l'acide lactique fasse brûler les muscles de mes jambes, et que ma poitrine se contracte à cause du manque d'air. C'est pour ça que je fais du jogging deux fois par semaine, histoire d'avoir une chance d'échapper aux méchants quand ils me poursuivent. Avoir des cuisses plus minces n'est pas une motivation suffisante, alors que rester en vie…

Le silence était lourd, presque palpable. Il semblait fouiller la cage d'escalier en quête d'une proie, aussi sûrement que l'ouragan quelques minutes plus tôt.

Le problème des escaliers, quand on a été blessé au genou, c'est qu'on ne peut pas continuer à les monter indéfiniment. Sur un terrain plat, je suis capable de courir pendant des heures. Dès qu'il y a une pente, mon genou se rebelle. Ça commence par une douleur sourde, qui se transforme bientôt en élancements et remonte tout le long de ma jambe.

Quand ma rotule commença à craquer à chaque pas, je sus que mon genou ne tarderait pas à me lâcher. S'il se déboîtait, je serais immobilisée au milieu de l'escalier et de ce silence menaçant. Nikolaos me retrouverait, et elle me tuerait. Pourquoi en étais-je si certaine ? Je n'en avais pas la moindre idée, mais je me fie généralement à mon instinct. Surtout quand il est aussi impérieux.

Je ralentis et m'immobilisai, le temps de faire quelques étirements. Zachary s'effondra près de moi. Visiblement, il n'était pas très sportif. Mais s'il ne se remettait pas en route tout de suite, ses muscles se contracteraient, et il ne pourrait plus repartir. Peut-être le savait-il. Et peut-être s'en fichait-il.

J'attendis que mon articulation se calme. Pas qu'elle cesse de me faire mal – j'avais trop tiré dessus pour ça –, mais qu'elle ne menace plus de céder. Pendant ce temps, je tendais l'oreille. Ce que je guettais ? Un glissement, un bruit de reptation… Quelque chose de très vieux et de mort depuis longtemps.

Un bruit résonna plus haut dans l'escalier. Je me figeai, plaquée contre le mur de pierre froide. Quoi encore ? Mon Dieu, faites que l'aube se lève bientôt !

Zachary se redressa en haut des marches. Je restai où j'étais pour pouvoir surveiller aussi le bas. Je n'avais pas envie de me faire surprendre, de quelque côté que ce soit. J'avais besoin de mon flingue, mais il était enfermé dans le coffre de ma voiture, là où il ne me servait à rien.

Nous nous tenions juste au-dessous d'une plateforme. À cet endroit, l'escalier tournait et repartait dans la direction opposée. J'ai souvent souhaité voir à travers les murs, mais jamais autant qu'en cet instant.

Un bruissement de tissu contre la pierre, un frottement de semelles.

L'homme qui franchit l'angle était humain. Surprise, surprise ! Il n'avait même pas de traces de morsure dans le cou. Des cheveux blancs coupés très court, un cou de taureau et des biceps plus épais que ma taille. D'accord, je suis mince, mais il était plutôt impressionnant. Il mesurait un mètre quatre-vingt-dix au moins, et il n'y avait pas assez de gras sur lui pour beurrer une poêle à frire.

Ses yeux avaient la pâleur cristalline d'un ciel de janvier. Un bleu glacial. Je n'avais jamais vu de type qui fasse autant de muscu et qui soit si peu bronzé. En principe, les deux vont de pair. Avec son teint pâle, il ressemblait à Moby Dick. Un débardeur noir genre filet ne cachait pas grand-chose de son torse massif. Un short de jogging coupé sur le côté soulignait le renflement de ses cuisses.

— Combien soulevez-vous en développé-couché? murmurai-je.

Il eut un sourire et répondit en remuant à peine les lèvres:

— Deux cents kilos.

Je lâchai un sifflement, le commentaire qu'il voulait entendre:

— Très impressionnant.

Il prenait garde à ne pas montrer ses dents. Sans doute pour se faire passer pour un vampire. Avec moi, il était tombé sur un os. Devais-je lui dire que je connaissais la vérité? Non. Il risquait de me briser en deux sur sa cuisse comme une vulgaire brindille.

— Je vous présente Winter, dit Zachary.

Un nom trop parfait pour être vrai, comme ceux des stars de cinéma des années quarante.

— Que se passe-t-il? demanda Winter.

— Jean-Claude et notre maîtresse se sont battus, répondit Zachary.

— Jean-Claude? répéta Winter.

— Oui. Il n'a l'air de rien comme ça, pas vrai?

— Qui êtes-vous? demanda Winter en se tournant vers moi.

J'hésitai.

—Anita Blake, me présenta Zachary.

Winter sourit, dévoilant enfin des dents tout ce qu'il y a de plus normales.

—L'Exécutrice ?

—Oui.

Il éclata d'un rire qui se répercuta contre les murs de pierre. Le silence parut se resserrer autour de nous.

Puis il s'interrompit brusquement, un peu de sueur perlant sur sa lèvre supérieure.

—Vous n'êtes pas assez grande pour être l'Exécutrice, chuchota-t-il comme s'il craignait qu'on ne l'entende.

Je haussai les épaules.

—Moi aussi, ça me déçoit.

—Fichons le camp d'ici ! dit Zachary.

J'étais d'accord avec lui.

—On m'a envoyé voir comment allait Nikolaos, déclara Winter.

La fin de sa phrase resta suspendue dans les airs. Règle de sécurité numéro un : ne jamais prononcer le nom d'un maître vampire en colère quand il (ou elle) est à portée d'« ouïe ».

—Elle peut se débrouiller seule, répliqua Zachary.

—Je n'en suis pas si sûre.

Il me foudroya du regard. Je battis des cils d'un air innocent.

Winter me fixait, le visage aussi impassible que celui d'une statue de marbre. Monsieur Macho en personne.

—Venez, dit-il enfin.

Il se détourna et partit sans attendre de voir si nous lui emboîtions le pas.

Personnellement, je l'aurais suivi n'importe où du moment que ça m'éloignait de Nikolaos. Rien au monde n'aurait pu me forcer à redescendre cet escalier. Pas de mon plein gré.

Bien entendu, ça ne voulait pas dire qu'on ne pouvait pas m'y forcer, pensai-je en observant le dos musclé de Winter.

Chapitre 14

L' escalier débouchait sur une pièce carrée. Une ampoule nue pendait au plafond. Bon sang, que ça pouvait être beau, une pauvre petite lumière électrique! Le signe que nous étions sortis de la chambre souterraine des horreurs et que nous retournions dans le monde réel.

Il y avait une porte en face de nous, et une sur notre droite. De la musique de cirque filtrait par celle d'en face. Elle s'ouvrit, et la musique envahit la pièce.

J'aperçus brièvement des couleurs vives et des centaines de gens pressés les uns contre les autres. Un néon annonçait «Maison du Rire». Une attraction de fête foraine à l'intérieur d'un bâtiment. Je savais où j'étais.

Au *Cirque des Damnés*. Là où dorment les plus puissants vampires de Saint Louis.

Une adolescente plissa les yeux pour voir à l'intérieur. Mais déjà la porte se refermait.

Un homme venait d'entrer. Grand et mince, il portait une redingote pourpre avec des revers de dentelle, un pantalon noir et des bottes de cuir. Sous son chapeau à bord droit, un masque doré dissimulait le haut de son visage. Des yeux noirs me fixèrent par les fentes. Il entrouvrit la bouche et passa sa langue sur ses crocs effilés. Un vampire, évidemment.

— Je craignais de te manquer, Exécutrice, dit-il avec un fort accent du Sud.

Winter s'interposa entre nous. Le vampire éclata de rire.

— Le gros bras croit pouvoir te protéger. Dois-je lui prouver le contraire ?

— Ça ne sera pas nécessaire, répliquai-je.

— Ne reconnais-tu pas ma voix ?

Je secouai la tête.

— Ça fait deux ans… Jusqu'au début de cette affaire, j'ignorais que c'était toi l'Exécutrice. Je te croyais morte.

— Vous voulez bien ne pas tourner autour du pot ? Qui êtes-vous, et que voulez-vous ?

— C'est bien d'une humaine ! Se montrer aussi impatiente…

De ses mains gantées, il ôta son chapeau. De courts cheveux auburn encadraient son masque doré.

— Ne faites pas ça, intervint Zachary. La maîtresse m'a ordonné de la raccompagner saine et sauve jusqu'à sa voiture.

— Je n'ai pas l'intention de toucher un seul de ses cheveux. Du moins, pas ce soir.

Le vampire souleva son masque. Le côté gauche de son visage n'était qu'une masse de tissu cicatriciel rosâtre dans lequel seul son œil noisette demeurait intact. On aurait dit une brûlure à l'acide. L'eau bénite produit ce genre d'effet sur les vampires.

Je me souvins du poids de son corps me clouant au sol. De ses dents déchiquetant mon bras tandis que je tentais de protéger ma gorge. Du craquement de mes tendons déchirés. De mes hurlements. De ses canines s'enfonçant dans ma clavicule et la brisant.

Il avait lapé mon sang comme un chat devant un bol de crème. J'étais alors trop choquée pour avoir peur ou mal. Je commençais à mourir.

À tâtons, ma main droite avait trouvé dans l'herbe une fiole d'eau bénite échappée de mon sac que les serviteurs demi-humains avaient jeté sur le sol. Le vampire ne me regardait pas. Sa langue explorait la plaie qu'il m'avait faite, caressant mon os mis à nu.

Je débouchai la fiole et lui en jetai le contenu à la figure. Sa peau fuma, sa chair bouillonna. Il se redressa en hurlant, se tenant le visage.

Je croyais qu'il était mort dans l'incendie de la maison. Je l'avais espéré. À présent, c'était comme si mon pire cauchemar devenait réalité.

— Pas d'exclamation horrifiée ? Tu me déçois, Exécutrice, railla-t-il. N'admires-tu pas ton œuvre ?

— Je vous croyais mort, chuchotai-je d'une voix rauque.

— Moi aussi. Nous nous trompions tous les deux. Mais nous nous retrouvons, en fin de compte.

Il sourit et les muscles de sa joue mutilée dessinèrent une hideuse grimace. Même les vampires ne se régénèrent pas parfaitement.

— Toute une éternité ainsi, Exécutrice, gronda-t-il en effleurant son visage d'une main gantée.

— Que voulez-vous ?

— Tu peux bien faire l'effrontée, je sens ta peur quand même. Je veux voir les cicatrices que je t'ai faites, savoir que tu te souviens de moi comme je me souviens de toi.

— Je me souviens de vous.

— Les cicatrices, fillette. Montre-moi les cicatrices.

— Et ensuite ?

— Ensuite, tu pourras rentrer chez toi. La maîtresse a ordonné qu'on ne te fasse pas de mal jusqu'à ce que tu aies fini de travailler pour nous.

— Et ensuite ? répétai-je.

—Ensuite, je te traquerai, et je te ferai payer. Allons, ne sois pas timide. Je t'ai déjà vue. J'ai goûté ton sang. Montre-moi les cicatrices, et le gros bras n'aura pas besoin de mourir en essayant de prouver sa force.

Je regardai Winter. Il serrait les poings, tremblant du désir d'attaquer. Le vampire avait raison.

Je remontai ma manche déchirée jusqu'à mon épaule. J'avais des cicatrices sur tout l'intérieur de l'avant-bras, et une trace de brûlure en forme de croix.

—Je ne pensais pas que tu pourrais te resservir de ce bras un jour, après la façon dont je l'ai déchiré…

—La rééducation est une chose épatante.

—Aucune rééducation au monde ne pourrait m'aider.

—C'est vrai.

Le premier bouton de ma chemise manquait. Je défis le suivant et écartai un pan de tissu pour exposer ma clavicule couturée de cicatrices. Un détail qui me rend très séduisante en maillot de bain.

Le vampire sourit, révélant ses crocs.

—Tu sens la sueur froide quand tu penses à moi, fillette. J'espérais bien te hanter de la façon dont tu me hantes.

—Il y a une différence. Vous avez essayé de me tuer. Je me défendais, c'est tout.

—Et pourquoi étais-tu venue chez nous, sinon pour nous plonger un pieu dans le cœur? Ce n'est pas nous qui nous sommes lancés à ta poursuite.

—Mais vous aviez massacré vingt-trois personnes. Je ne pouvais pas vous laisser continuer.

—Qui t'a nommée juge et exécutrice?

—La police.

—Bah!

Il cracha sur le sol. Très distingué.

— Tu travailles dur, fillette. Retrouve le meurtrier, et nous en finirons.

— Je peux partir, maintenant ?

— Je t'en prie. Tu es en sécurité ce soir, parce que la maîtresse en a décidé ainsi. Mais ça ne durera pas.

— La porte latérale, murmura Zachary dans mon dos.

Il s'en approcha à reculons, sans quitter le vampire du regard. Winter ne bougea pas. L'imbécile…

Dehors, la nuit était chaude et poisseuse. Un vent estival chargé d'humidité me gifla le visage.

— Souviens-toi du nom de Valentin, dit le vampire alors que je battais en retraite. Tu entendras encore parler de moi.

Nous sortîmes, et la porte se referma derrière nous. De ce côté-ci, il n'y avait pas de poignée, aucun moyen de l'ouvrir. Ce qui ne me dérangeait absolument pas.

Nous nous éloignâmes d'un pas rapide.

— Vous avez un flingue avec des balles en argent ? me demanda Zachary.

— Oui.

— À votre place, j'éviterais de m'en séparer à partir de maintenant.

— Les balles en argent ne le tueront pas.

— Mais elles le ralentiront.

Nous marchâmes quelques minutes en silence. L'air épais semblait glisser autour de nous, ou nous palper de ses mains curieuses.

— Ce qu'il me faut vraiment, c'est un fusil à pompe, marmonnai-je.

Zachary haussa les sourcils.

— Et comment comptez-vous vous balader avec en plein jour ?

—Si je scie le canon, je pourrai le dissimuler sous un manteau.

—Par cette chaleur? Vous allez fondre. Pourquoi pas une mitraillette ou un lance-flammes, pendant que vous y êtes?

—Les mitraillettes ont un angle de dispersion trop important. On risque de tuer des innocents. Et les lance-flammes sont trop encombrants…

Zachary s'immobilisa et me posa une main sur l'épaule.

—Vous avez déjà utilisé un lance-flammes contre des vampires?

—Non, mais je l'ai vu faire.

—Mon Dieu. (Il secoua la tête.) Et ça a fonctionné?

—Très bien, oui. Mais ça a incendié la maison où nous étions. J'ai trouvé ça un peu exagéré.

—Ce n'est rien de le dire.

Nous nous remîmes en route.

—Vous devez vraiment détester les vampires.

—Non.

—Dans ce cas, pourquoi les tuez-vous?

—Parce que c'est mon boulot, et que je le fais bien.

J'aperçus enfin le parking où j'avais garé ma voiture. J'avais l'impression que plusieurs jours s'étaient écoulés, même si ma montre affirmait que ça ne faisait que quelques heures.

Le même effet que le décalage horaire, sauf qu'au lieu de franchir des fuseaux, on franchit des événements. Pour peu qu'ils soient assez traumatisants et se produisent à la chaîne, la perception du temps se met à déconner.

—Je suis votre contact diurne. Si vous avez besoin de quoi que ce soit, ou que vous vouliez transmettre un message, appelez ce numéro.

Il me fourra une pochette d'allumettes dans la main. Les mots *Cirque des Damnés* se détachaient en lettres rouge sang sur fond noir brillant. Je la glissai dans ma poche.

Je pris mon flingue dans le coffre de ma voiture et enfilai le holster d'épaule sans m'inquiéter de ne pas porter de veste pour le dissimuler. Les armes à feu tendent à attirer l'attention, mais dissuadent aussi les gens de vous chercher des noises. Souvent, ils s'enfuient en vous dégageant le chemin. C'est parfois très pratique.

Zachary attendit que je m'installe derrière le volant et se pencha par la portière ouverte.

— Ça ne peut pas être juste un boulot pour vous, Anita. Il doit y avoir une meilleure raison.

Je démarrai et levai les yeux vers lui.

— J'ai peur d'eux, avouai-je. C'est une caractéristique très humaine : détruire ce qui vous fait peur.

— La plupart des gens préfèrent fuir ce qui leur fait peur. Vous, vous courez après. Vous devez être un peu folle.

Il marquait un point. Je claquai la portière, l'abandonnant debout dans le noir.

Je relève les morts et je bousille les morts-vivants. C'est mon travail et mon identité. Si je commençais à me poser trop de questions, j'arrêterais tout.

C'est aussi simple que ça. Je ne me pose pas de questions. Donc, je suis l'Exécutrice.

CHAPITRE 15

L'aube dessinait dans le ciel comme un rideau de lumière.

Cela faisait deux jours que je voyais le lever du soleil. De quoi se sentir grognon. Je n'avais qu'une envie : dormir. Le reste pouvait attendre. Devrait attendre.

Depuis des heures, je tenais grâce à la peur, à l'adrénaline et à mon obstination. Mais dans le silence de ma voiture, mon corps commençait à protester. Le simple fait de tourner le volant m'arrachait une grimace. J'avais les paumes à vif et les membres douloureux.

On a tendance à sous-estimer les ecchymoses. Elles font un mal de chien, et ce serait encore pis à mon réveil. Rien de tel que de se lever le matin après avoir reçu une bonne dérouillée. Comme une gueule de bois qui vous prendrait tout le corps.

Seul le bourdonnement de l'air conditionné troublait le silence de mon immeuble. Alors que je traversais le couloir, il me sembla presque sentir mes voisins endormis dans leur appartement. Je me retins de coller l'oreille à la porte pour les écouter respirer. L'heure qui précède le lever du soleil est toujours la plus tranquille, la plus solitaire.

J'allais introduire ma clé dans la serrure quand je m'aperçus que ma porte était entrouverte. Je me plaquai contre le mur. Qui était à l'intérieur ? M'avait-on entendue venir ? L'adrénaline coulait dans mes veines comme du champagne. J'avais conscience de chaque ombre, de chaque rai de lumière. Mon corps était passé en état d'alerte, et je priai Dieu de ne pas avoir besoin de lutter.

Je dégainai mon flingue. Aucun bruit à l'intérieur de mon appartement. Ça ne pouvait pas être des vampires : le jour était presque levé. Qui d'autre pouvait s'être introduit chez moi ?

Je n'en avais pas la moindre idée. Je pris une profonde inspiration et expirai lentement. On pourrait croire que je me suis habituée à ne pas savoir ce qui se passe autour de moi, mais on aurait tort. Ça me fout toujours autant les jetons. Et ça me met les nerfs en pelote.

Plusieurs possibilités s'offraient à moi. Je pouvais appeler la police. Ce n'était pas un mauvais choix, mais je ne voyais pas ce que les flics auraient pu faire de plus que moi… À part être descendus à ma place. Me connaissant, je ne m'en serais jamais remise.

Je pouvais rester plantée dans le couloir jusqu'à ce que mon mystérieux visiteur se lasse d'attendre. Mais ça risquait de prendre un moment. Sans compter que si l'appartement était vide, j'aurais l'air débile.

Ou je pouvais entrer, l'arme au poing. Option un peu moins stupide : me jeter à terre pour tirer la première sur l'intrus. À supposer qu'il y en ait bien un.

La prudence me commandait d'attendre. Mais j'étais crevée, et je voulais me coucher. Si je restais dans le couloir, il n'était pas exclu que je finisse par m'endormir debout. Et d'ici un peu moins d'une heure, mes voisins sortiraient de chez eux pour aller au boulot. Je ne voulais pas qu'ils reçoivent une balle perdue. Mieux valait en finir tout de suite.

Je me mis à genoux. Si quelqu'un me tirait dessus, il le ferait à hauteur de poitrine. Dans cette position, il me manquerait. Puis je tendis mon bras libre et imprimai une brusque poussée à la porte. En même temps, je me jetai dans l'ouverture et braquai mon flingue devant moi.

L'intrus avait déjà les mains en l'air, et il souriait de toutes ses dents.

—Ne tire pas, Anita. C'est moi, Edward.

À genoux sur le seuil de mon appartement, je le foudroyai du regard.

—Salaud. Tu savais que j'étais dehors.

Il examina ses ongles d'un air nonchalant.

—J'ai entendu tinter tes clés.

Je me redressai, inspectant le salon. Edward avait tourné mon fauteuil blanc face à la porte. Tout le reste était à sa place.

—Je t'assure que je suis seul.

—Je veux bien te croire. Pourquoi tu n'as pas prévenu avant de passer ?

—Je voulais voir si tu étais toujours au top. J'aurais pu te faire sauter la tête quand tu as hésité devant la porte.

Je refermai derrière moi et tirai le verrou, même si j'avais été plus en sécurité dehors qu'enfermée avec Edward. Non qu'il soit très imposant. Si on ne le connaît pas, on le juge sans doute inoffensif. Un mètre soixante-dix, mince, blond avec des yeux bleus, et tout à fait charmant. Mais les gens qui me surnomment l'Exécutrice l'ont baptisé la Mort. C'est lui que j'ai vu utiliser un lance-flammes.

J'ai déjà bossé avec Edward, et Dieu sait que je me sens en sécurité quand nous faisons partie de la même équipe. Il trimballe toujours un arsenal digne de Rambo, mais se montre un peu trop désinvolte à mon goût avec la vie des innocents.

Il a commencé sa carrière comme tueur. Mais les humains étaient des cibles trop faciles pour lui. Désormais, il se consacre aux vampires et aux lycanthropes. Et il n'a aucun scrupule. Si je me mets en travers de sa route un jour, je sais qu'il oubliera notre « amitié » et n'hésitera pas à me descendre.

— J'ai passé toute la nuit debout. Edward, je ne suis pas d'humeur à jouer à tes petits jeux, lâchai-je sèchement.

— Le secrétaire de nuit de la boîte m'a dit que tu étais partie enterrer la vie de jeune fille d'une amie. À en juger par ton état, ça a dû être une sacrée soirée.

— Je suis tombée sur un vampire que tu connais peut-être. Tu te souviens de la maison que tu as incendiée pendant qu'on était à l'intérieur ?

— Il y a deux ans, dit-il. Nous avons tué six vampires et deux serviteurs humains.

J'approchai du canapé et m'y laissai tomber en soupirant.

— L'un d'eux nous a échappé.

— Ça m'étonnerait.

— Puisque je te le dis ! Il a failli me tuer tout à l'heure.

Une vérité partielle également connue sous le nom de mensonge. Si les vampires ne voulaient pas que je parle à la police, ils devaient encore moins désirer que j'informe Edward. Parce qu'ils le considèrent – à juste titre – comme beaucoup plus dangereux que les flics.

— Lequel ?

— Celui qui m'a presque taillée en pièces. Il se fait appeler Valentin. Et il m'en veut salement pour les cicatrices que je lui ai faites.

— Avec de l'eau bénite ?

— C'est ça.

Edward vint s'asseoir à l'autre bout du canapé, conservant une distance prudente.

—Raconte-moi, exigea-t-il.

Je détournai la tête.

—Il n'y a pas grand-chose à raconter.

—Tu mens, Anita. Pourquoi?

Je sentis la moutarde me monter au nez. Je déteste qu'on me traite de menteuse, même – ou surtout – quand c'est justifié.

—Il y a eu des meurtres de vampires le long du fleuve. Depuis quand es-tu en ville?

—Pas très longtemps. J'ai entendu dire que tu avais rencontré le maître de la ville ce soir.

—Comment le sais-tu? fis-je, ébahie.

Il haussa les épaules.

—J'ai mes sources.

—Aucun vampire ne t'aurait raconté ça. Pas de son plein gré.

De nouveau ce haussement d'épaules qui voulait tout et ne rien dire à la fois.

—Qu'as-tu fait cette nuit, Edward?

—Et toi, Anita?

Aux échecs, ça s'appelle un pat.

—Alors, pourquoi es-tu venu ici? Que veux-tu?

—Je veux que tu m'indiques l'endroit où repose le maître de la ville pendant la journée.

Je m'étais suffisamment ressaisie pour arborer une expression impassible.

—Comment veux-tu que je le sache?

—Tu le sais, oui ou non?

—Non. (Je me levai.) Je suis crevée. Je vais me coucher, si ça ne te fait rien.

—D'accord. Je te recontacterai. Si jamais tu apprends quelque chose…

135

Il laissa sa phrase en suspens et se dirigea vers la porte.

—Edward…

Il se tourna vers moi.

—Tu n'aurais pas un fusil à canon scié à me prêter ?

Il fronça les sourcils.

—Je pourrais t'en trouver un.

—Je te paierai.

—Laisse tomber.

—Je ne peux rien te dire quand même.

—Mais tu le sais, ou non ?

—Edward…

—Jusqu'où es-tu enfoncée dans cette histoire, Anita ?

—Jusqu'au cou, et je coule à toute allure.

—Je pourrais t'aider.

—Je sais.

—Ça me permettrait de tuer d'autres vampires ?

—Peut-être…

Il eut un sourire éclatant qui le faisait presque ressembler à un gamin. Sincère ou hypocrite ? Le véritable Edward voudrait-il bien se montrer ? Probablement pas.

—J'adore chasser les vampires. Mets-moi sur le coup si tu peux.

—D'accord.

Il s'immobilisa, une main sur la poignée.

—J'espère avoir plus de chance avec mes autres contacts.

—Et si ça n'est pas le cas ?

—Je reviendrai te voir, bien sûr.

—Et… ?

—Et tu me raconteras tout ce que tu sais.

Ça n'était pas une menace : juste l'énoncé d'une certitude. S'il devait recourir à la torture, il le ferait. Je le savais, et il savait que je le savais. Je déglutis.

—Laisse-moi quelques jours, et je pourrai sans doute te fournir l'information.

—Parfait. Je t'apporterai le fusil un peu plus tard. Si tu n'es pas là, je le laisserai sur la table de la cuisine.

Je ne pris pas la peine de lui demander comment il ferait pour entrer. Les serrures ne l'ont jamais beaucoup gêné.

—Merci. Pour le fusil.

—De rien, Anita. À demain.

Il sortit et referma la porte derrière lui.

Génial. D'abord des vampires, et maintenant Edward. La journée était commencée depuis un quart d'heure. Pas un début très prometteur.

Je verrouillai la porte et allai me coucher. Mon Browning était bien au chaud dans sa résidence secondaire : un holster modifié fixé à la tête de mon lit. Je sentais la fraîcheur du métal de mon crucifix sur ma gorge. Je ne pouvais pas être davantage en sécurité et, de toute façon, j'étais trop crevée pour m'en soucier.

La dernière chose que je saisis avant de m'allonger fut un pingouin en peluche baptisé Sigmund. Je ne dors pas avec lui très souvent : seulement après que quelqu'un a tenté de me tuer.

Chacun ses faiblesses. Il y a des gens qui fument. Moi, je collectionne les pingouins en peluche. Si on ne me dénonce pas, je ne dénoncerai personne non plus.

Chapitre 16

Je me tenais dans l'énorme salle de pierre où j'avais rencontré Nikolaos. D'elle, il ne restait que son fauteuil en bois. Un cercueil était posé sur le sol, la lumière des torches se reflétant sur sa surface polie.

Une brise légère faisait vaciller la flamme des torches, projetant sur les murs d'énormes ombres noires qui semblaient se déplacer indépendamment de la lumière. Plus je les regardais, plus je les trouvais anormalement épaisses.

Je sentais mon pouls battre dans ma gorge et résonner dans ma tête. Je n'arrivais pas à respirer. Puis je m'aperçus que j'entendais un second battement de cœur, pareil à un écho.

— Jean-Claude ?

— Jean-Claude, répétèrent les ombres d'une voix aiguë et gémissante.

Je m'agenouillai près du cercueil et agrippai le couvercle. Il se souleva sans un bruit sur ses gonds bien huilés. Du sang encore tiède coula sur mes jambes, éclaboussant mes bras. Couverte de liquide poisseux, je me redressai, en hurlant.

— Jean-Claude !

Une main pâle jaillit du cercueil et retomba mollement sur le bord.

Le visage de Jean-Claude flotta à la surface de ce bain de sang. Je tendis la main vers lui. Son cœur battait dans ma tête, mais il était mort. Mort. Sa chair était comme de la cire figée.

Il ouvrit les yeux et me saisit le poignet.

—Non! dis-je en tentant de me dégager.

Je me laissai tomber à genoux dans le sang qui se coagulait déjà et criai :

—Lâchez-moi!

Il s'assit dans son cercueil, ses vêtements imbibés de sang.

—Non!

Il m'attira vers lui. Je me retins au bord du cercueil. Pas question d'entrer là-dedans avec lui. Je ne voulais pas!

Il se pencha vers moi, la bouche grande ouverte, les crocs avides. Les battements de son cœur résonnaient dans mon crâne comme un grondement de tonnerre.

—Jean-Claude, non!

Il leva les yeux vers moi juste avant de frapper.

—Je n'ai pas eu le choix.

Du sang coula de ses cheveux, couvrant son visage d'un masque écarlate. Ses crocs s'enfoncèrent dans mon bras. Je hurlai…

… Et me réveillai en sursaut.

On sonnait à la porte. Je me redressai d'un bond et hoquetai de douleur. J'avais remué beaucoup trop vite pour quelqu'un qui s'est pris une dérouillée quelques heures plus tôt et a des contusions à des endroits dont il ne soupçonnait pas l'existence jusque-là. Mes mains étaient couvertes de sang séché, mes articulations raidies comme par de l'arthrose.

La sonnette continuait à bourdonner comme si mon visiteur s'était appuyé dessus. Qui qu'il soit, il méritait toute ma reconnaissance pour m'avoir réveillée.

J'avais dormi dans un maxi tee-shirt. J'enfilai un jean en guise de peignoir et reposai Sigmund le pingouin en peluche avec ses petits camarades, sur la bergère, au-dessous de la fenêtre.

Le moindre geste me faisait mal. C'était encore pis quand je respirais.

— J'arrive !

À mi-chemin de la porte, je m'avisai que mon visiteur pouvait très bien être animé de mauvaises intentions. Je rebroussai chemin vers la chambre et pris mon flingue. J'eus du mal à refermer ma main autour de la crosse. J'aurais dû nettoyer et bander mes blessures la veille. Et merde !

Je m'accroupis derrière le fauteuil qu'Edward avait tourné face à la porte.

— Qui est-ce ?

— Ronnie ! Nous devions aller à la gym ce matin.

J'avais complètement oublié que nous étions samedi. Ça me surprend toujours, cette façon qu'a le quotidien de reprendre le dessus dans les circonstances les plus choquantes. Il me semblait que Ronnie aurait dû être au courant de ce qui m'était arrivé la veille. Quelque chose de si étonnant aurait dû contaminer tous les aspects de mon existence.

Mais ça ne fonctionne pas ainsi. Pendant que j'étais à l'hôpital, avec le bras en écharpe et des tubes enfoncés partout, ma belle-mère se plaignait que je ne sois toujours pas mariée. Elle me considère comme une vieille fille à l'âge canonique de vingt-quatre ans. Judith n'est pas ce qu'on pourrait appeler une femme libérée.

Mes parents ont du mal à accepter mon boulot, les risques que je prends et les séjours à l'hosto qui s'ensuivent.

Alors, ils font comme si de rien n'était. À l'exception de mon demi-frère de seize ans, Josh, qui me trouve cool.

Veronica Sims, c'est autre chose. Vu son métier, elle me comprend et on se rend visite à l'hôpital à tour de rôle.

J'ouvris la porte et la laissai entrer, le flingue pendant au bout de mon bras. Après un seul regard sur ma petite personne, elle s'exclama :

—Tu as vraiment une sale gueule !

Je souris.

—Curieusement, ça ne m'étonne pas.

Elle entra et laissa tomber son sac de gym.

—Tu peux me dire ce qui s'est passé ?

C'était une question, pas un ordre. Ronnie comprend qu'on ne peut pas tout se raconter dans ce métier.

—Désolée de ne pas pouvoir t'accompagner aujourd'hui.

—On dirait que tu as déjà fait pas mal de sport. Va te laver les mains. Pendant ce temps, je nous prépare un café.

Je hochai la tête et le regrettai aussitôt. Ce qu'il me fallait vraiment, c'était une aspirine. Voire plusieurs. Je m'immobilisai sur le seuil de la salle de bains.

—Ronnie ?

—Oui ?

Je l'apercevais par-dessus le comptoir de ma kitchenette, une dosette dans une main et un paquet de grains de café dans l'autre. Ronnie mesure un mètre soixante-douze. Les gens sont toujours étonnés d'apprendre qu'on fait du jogging ensemble. Mais ça m'oblige à me défoncer. Et comme elle est sympa, elle règle son allure sur la mienne.

—Je dois avoir des bagels dans le frigo. Tu veux bien les passer au micro-ondes avec un peu de fromage ?

Elle me fixa.

—Je te connais depuis trois ans, et c'est la première fois que je t'entends réclamer de la nourriture avant 10 heures.

—Si tu n'as pas envie, tu n'es pas obligée.

—Ce n'est pas le problème, et tu le sais bien.

—Désolée. Je ne suis pas dans mon état normal.

—Va te soigner, et tu m'en parleras après. D'accord ?

—D'accord.

Je nettoyai le sang séché sur mes mains et les badigeonnai de Neosporin. Quand j'eus vidé la boîte de pansements, mes mains ressemblaient à celles d'une momie en plus bronzé.

Mon dos et ma cage thoracique n'étaient qu'une masse d'ecchymoses violet foncé. Je n'y pouvais pas grand-chose, à part attendre que l'aspirine agisse. Et peut-être faire quelques étirements qui me permettraient de bouger sans que ce soit trop douloureux. Mais d'abord, manger.

J'étais affamée. D'habitude, la seule idée d'avaler quelque chose avant 10 heures me file la nausée. Mais pas ce matin. Bizarre. C'était peut-être dû au stress. L'odeur des bagels et du fromage fondu me filait des crampes à l'estomac ; celle du café fraîchement moulu me donnait envie de mordre le canapé.

J'engloutis deux bagels et trois tasses de café pendant que Ronnie sirotait le sien en me fixant de ses yeux gris. Je l'avais déjà vue dévisager des suspects de la même façon.

—Quoi ? demandai-je, sur la défensive.

Elle haussa les épaules.

—Rien. Tu veux bien me parler de la nuit dernière ?

Je hochai la tête. Ça faisait déjà un peu moins mal. L'aspirine est vraiment un don du Ciel.

Je lui racontai ma soirée, en commençant par le coup de fil de Monica et en terminant par ma rencontre avec Valentin. Je ne lui dis pas que ça s'était passé au *Cirque des Damnés*, une information trop dangereuse en ce moment. J'omis également les flammes bleues dans l'escalier et la voix de Jean-Claude dans ma tête. Quelque chose me disait que ça aussi, c'était une information dangereuse.

Mais Ronnie n'est pas détective privé pour rien. Quand j'eus terminé, elle me fixa un instant et demanda :

—C'est tout?

—Oui.

Un mensonge facile. Un seul petit mot. Mais je ne crois pas que Ronnie le goba.

—D'accord. (Elle but une gorgée de café.) Que veux-tu que je fasse?

—Si tu pouvais poser des questions autour de toi… Tu as accès aux groupes antivampiriques. Vois si certains ne seraient pas impliqués dans les meurtres. Moi, je ne peux pas m'approcher d'eux. Ils détestent les réanimateurs.

—Pourtant, tu tues des vampires.

—Oui, mais je relève aussi des zombies. C'est trop bizarre pour la grenouille de bénitier moyenne.

—D'accord, je verrai ce que je peux trouver. Autre chose?

Je réfléchis et secouai la tête.

—Rien pour le moment. Mais sois prudente. Je ne veux pas te mettre en danger comme je l'ai fait pour Catherine.

—Ce n'était pas ta faute.

—Ouais, c'est ça. Va le raconter à Catherine et à son fiancé si l'affaire tourne mal.

—Putain, Anita, ces créatures se servent de toi! Elles veulent te faire peur et te décourager pour mieux te contrôler. Si tu t'y laisses prendre, tu risques de te faire tuer.

—Voilà ce que j'avais besoin d'entendre, raillai-je. Si c'était censé me remonter le moral, c'est loupé.

—Tu n'as pas besoin qu'on te remonte le moral, mais qu'on te secoue.

—Les vampires s'en sont déjà chargés hier soir, merci bien.

—Anita, écoute-moi. Tu as fait tout ce que tu pouvais pour Catherine. Maintenant, je veux que tu te concentres sur ta propre sécurité. Tu es dans la merde jusqu'au cou. Ne te laisse pas distraire.

Elle avait raison. Une fois qu'on a fait tout ce qu'on peut, il faut arrêter de se miner. Catherine était hors de danger pour le moment. Je devais espérer que ça dure.

—Occupez-vous de vos amis, mes ennemis, je m'en charge…

—Peut-être que ça compensera.

Je posai mes deux mains autour de la tasse de café. De la chaleur se diffusa à travers mes pansements.

—J'ai la trouille, avouai-je.

—Ce qui prouve que tu n'es pas aussi stupide que tu en as l'air.

—Merci beaucoup.

—De rien. (Elle leva sa tasse pour porter un toast.) À Anita Blake, réanimatrice, tueuse de vampires et amie fidèle. Surveille tes arrières.

Je trinquai avec elle.

—Toi aussi. Être mon amie en ce moment n'est pas la plus grande garantie de sécurité.

—Pourquoi, « en ce moment »?

Malheureusement, elle avait raison.

CHAPITRE 17

Deux possibilités s'offraient à moi après le départ de Ronnie. Je pouvais retourner me coucher, ce qui n'était pas une mauvaise idée. Ou me mettre au boulot sur le mystère que tout le monde était si impatient de me voir résoudre. Je suis capable de tenir un moment avec quatre heures de sommeil… Plus longtemps que si Aubrey m'arrachait la gorge, en tout cas.

Il est difficile de porter un flingue à Saint Louis en plein été. À l'épaule ou à la hanche, le problème reste le même. Si on met une veste pour le dissimuler, on fond littéralement de chaleur. Si on le range dans son sac, on se fait tuer, parce que aucune femme n'est capable de retrouver un truc dans son sac en moins de douze minutes. Une loi universelle.

Personne ne m'avait encore tiré dessus. C'était encourageant. Mais j'avais été kidnappée et pratiquement tuée. Pas question que ça se reproduise ! Je peux soulever cinquante kilos en développé-couché. Pas mal du tout pour une nana. Mais je ne pèse que cinquante-trois kilos. Dans un combat contre un type de mon gabarit, je parierais toutes mes économies sur moi. Le problème, c'est qu'il n'y a pas beaucoup de méchants rachitiques. Et contre un vampire capable de soulever un camion, je suis définitivement hors catégorie. D'où le flingue.

J'optai finalement pour un look pas très professionnel. Mon maxi tee-shirt m'arrivait à mi-cuisses et flottait autour de moi. La seule chose qui jouait en sa faveur, c'était le dessin, sur le devant. Il représentait des pingouins en train de jouer au beach-volley, avec des bébés pingouins construisant des châteaux de sable dans le fond.

J'adore les pingouins. J'avais acheté ce truc pour dormir, pas pour le porter là où des gens risquaient de me voir. Mais tant que la brigade de la mode ne passait pas dans le coin, je devrais m'en sortir.

J'enfilai une ceinture dans les passants de mon short noir pour faire tenir le holster de mon Firestar, un petit 9 mm compact avec un chargeur de sept balles. Pas aussi efficace que mon Browning, mais beaucoup plus discret.

Des chaussettes de jogging blanches avec deux bandes bleues assorties à la virgule de mes Nike complétèrent ma tenue. Ainsi vêtue, j'avais l'air d'avoir seize ans. Mais quand je me tournai vers le miroir en pied pour m'examiner, je constatai que mon flingue était invisible.

La moitié supérieure de mon corps est assez fine et pas désagréable du tout à regarder, si je puis me permettre. Malheureusement, il me manque douze centimètres de jambes pour postuler au titre de Miss Amérique. Mes cuisses ne sont pas vraiment minces, et mes mollets beaucoup trop musclés. À cause du jogging. Les fringues que je portais soulignaient tous mes défauts physiques et dissimulaient le reste, mais tant pis. J'avais mon flingue sur moi, et je ne crèverais pas de chaleur. Le compromis est un art imparfait.

Mon crucifix était dissimulé sous le tee-shirt. À titre de précaution, j'enfilai à mon poignet gauche un petit bracelet en argent auquel pendouillaient trois breloques en forme de croix. Évidemment, mes manches courtes dévoilaient mes cicatrices. Mais je mets quiconque au défi de porter des manches longues par quarante degrés et cent pour cent d'humidité. Les bras risqueraient de m'en tomber.

Réanimateurs Inc. avait emménagé dans de nouveaux locaux trois mois auparavant. Dans un immeuble où on trouvait également un psy à cent dollars la consultation, un chirurgien esthétique, deux avocats, un conseiller conjugal et une agence immobilière. Pendant quatre ans, Réanimateurs Inc. avait reçu ses clients dans un local minable au-dessus d'un garage. Les affaires marchaient bien. Essentiellement grâce à Bert Vaughn, mon patron.

Bert est un homme d'affaires, une grande gueule, un faiseur de fric et un sacré filou. Rien de vraiment illégal, mais… La plupart des gens aiment à se considérer comme des gentils. Quelques-uns se complaisent dans le rôle de méchants. La couleur de Bert, c'est le gris. Ni blanc ni noir : pile entre les deux. Parfois, je me dis qu'il n'a pas du sang mais des dollars dans les veines.

Il a su transformer ce que beaucoup considèrent comme un don embarrassant, voire une malédiction, en une activité très rentable. Les réanimateurs sont capables de relever les morts. Bert se débrouille pour qu'on nous paie grassement.

Le papier peint de la réception est vert pâle avec des motifs orientaux marron et vert foncé. La moquette épaisse imite l'herbe, et il y a des plantes partout. Un *Ficus benjamina* à droite de la porte, mince comme un saule avec de petites feuilles lisses et brillantes. Dans le coin du fond, un *Dracaena maginta* au tronc droit surplombé par les longues feuilles piquantes d'un palmier. Je ne m'intéresse pas beaucoup au jardinage, mais les noms sont marqués sur des étiquettes plantées dans les pots. Ces deux arbres effleurent presque le plafond.

Bert pense que le vert clair est une couleur apaisante, et que les plantes apportent une touche chaleureuse. Moi, je trouve que la réception ressemble à un croisement malheureux entre une morgue et la boutique d'un fleuriste.

Mary, notre secrétaire de jour, a plus de cinquante ans. Combien exactement, ça la regarde. Elle a des cheveux courts qu'un ouragan ne décoifferait pas grâce à la bombe de laque qu'elle vide dessus chaque jour. Le look naturel, ça ne l'intéresse pas. Elle a aussi deux fils adultes et quatre petits-enfants. Lorsque je franchis la porte, elle m'adressa son sourire le plus professionnel.

—En quoi puis-je vous…? Oh, Anita. Je ne pensais pas que tu viendrais avant 17 heures.

—Je n'ai pas de rendez-vous, mais il faut que je parle à Bert et que je récupère deux bricoles dans mon bureau.

Elle fronça les sourcils en consultant son agenda.

—Jamison y reçoit une cliente.

Il n'y a que trois bureaux dans nos nouveaux locaux. Bert en a accaparé un, et nous nous partageons les deux autres. Mais la plupart du temps, nous sommes dans un cimetière en train de relever des morts, pas de remplir des paperasses.

—Il en a pour combien de temps?

—Je ne sais pas. Il est avec une mère dont le fils songe à rejoindre l'Église de la Vie éternelle.

—Il essaie de l'en dissuader, ou il l'encourage?

—Anita! s'exclama Mary, choquée.

Mais c'était la vérité. L'Église de la Vie éternelle est un culte vampirique, la première religion de l'Histoire qui peut vraiment accorder l'immortalité à ses fidèles. Pas besoin d'attendre, de se plier à des commandements et de réciter des prières tous les soirs : on vous sert l'immortalité sur un plateau d'argent. Et comme la plupart des gens ne croient plus au concept d'âme… Personne ne se soucie du Paradis et de l'Enfer, et encore moins de son propre salut. Du coup, l'EVE fait un tabac. Hormis son âme, qu'a-t-on à perdre en se transformant en vampire? Les levers de soleil? La nourriture? Bof.

Mais moi, je tiens à mon âme. Elle n'est pas à vendre, même en échange de l'éternité. Et les vampires peuvent encore mourir. Je suis bien placée pour le savoir. Que deviennent-ils ensuite? Est-il possible d'être un bon vampire et de monter quand même au Ciel? J'ai du mal à y croire.

—Bert aussi est en rendez-vous?

Mary consulta de nouveau l'agenda.

—Non, il est libre.

À sa décharge, Bert s'est réservé le plus petit des trois bureaux. Les murs sont tapissés en bleu clair et le plancher est couvert d'une moquette deux tons plus foncée. Il pense que ça calme les clients. Moi, ça me donne l'impression d'être à l'intérieur d'un iceberg.

Bert mesure un mètre quatre-vingt-dix. Il a les épaules larges et la silhouette d'un ancien joueur de foot universitaire qui se ramollit du bide. Ses cheveux blancs sont coupés très court autour de ses petites oreilles. Son bronzage contraste avec ses yeux pâles, gris délavé comme des vitres sales. Des yeux qui ne brillent presque jamais. Et quand ils le font – comme en ce moment – c'est toujours mauvais signe.

—Anita, quelle bonne surprise! Assieds-toi donc. (Il me tendit une enveloppe.) Nous avons reçu le chèque aujourd'hui.

—Quel chèque?

—Celui de l'enquête sur les assassinats de vampires.

J'avais oublié. Il semblait ridicule, presque obscène, que Nikolaos tente de tout arranger avec de l'argent. Beaucoup d'argent, à en juger par l'expression de Bert.

—Combien ?

—Dix mille dollars.

—Ça n'est pas assez.

Il éclata de rire.

—Mais c'est qu'on devient vénale en vieillissant ! Et moi qui pensais être le seul…

—Ça n'est pas assez pour la vie de Catherine ou pour la mienne.

Le sourire de Bert se figea. Il plissa les yeux d'un air soupçonneux, comme si j'étais sur le point de lui révéler que la petite souris n'existait pas. Je l'entendais presque se demander s'il devrait renvoyer le chèque.

—De quoi parles-tu, Anita ?

Je lui racontai toute l'histoire en omettant de mentionner le *Cirque des Damnés*, les flammes bleues et la première marque vampirique. Quand j'arrivai au moment où Aubrey m'avait projetée contre le mur, il s'exclama :

—Tu plaisantes !

—Tu veux voir mes bleus ?

J'achevai mon récit et étudiai son visage carré. Ses grosses mains étaient croisées sur le bureau et le chèque reposait au sommet d'une pile d'enveloppes. Il feignait l'inquiétude et la compassion, mais je le connaissais bien. Je voyais les rouages tourner à l'intérieur de son crâne.

—Ne t'inquiète pas, tu peux encaisser le chèque.

—Voyons, Anita, tu sais bien que ce n'est pas…

—Épargne-moi ton baratin, coupai-je.

—Jamais je ne te mettrais volontairement en danger.

J'éclatai de rire.

—Menteur.

—Anita!

L'air choqué, les yeux écarquillés, il porta une main à son cœur.

—Garde ça pour les clients. Moi, je te connais trop bien.

Bert m'adressa le seul sourire sincère de son répertoire. Sincère, mais calculateur et presque obscène. Comme s'il connaissait mon noir secret et qu'il ne demandait pas mieux que de le garder… à condition que j'y mette le prix.

Je trouve Bert un peu effrayant. Il sait qu'il n'est pas ce qu'on pourrait appeler un mec bien, et il s'en fiche royalement. La négation de toutes les valeurs américaines! Ne nous enseigne-t-on pas à devenir populaire, à nous faire apprécier d'autrui? Une personne qui a renoncé à ça ne peut être qu'un désaxé.

—On peut faire quelque chose pour t'aider?

—J'ai déjà mis Ronnie sur l'affaire. Moins il y aura de gens impliqués, moins il y aura d'amis en danger.

—Tu as toujours été une humaniste.

—Contrairement à certaines personnes de ma connaissance.

—J'ignorais ce qu'elles voulaient.

—Non, mais tu savais ce que je pense des vampires. Si tu m'envoies encore un client comme ça sans me demander mon avis, je démissionne.

—Pour aller où?

—J'emmènerai mes clients avec moi. Qui est la coqueluche des journalistes? C'est moi. Tu y as veillé. Tu pensais que j'étais la plus présentable d'entre nous. Celle qui avait l'air le plus inoffensif, le plus sympathique. Comme un chiot chez l'éleveur. Quand les gens appellent Réanimateurs Inc., de qui réclament-ils les services?

Le sourire de Bert s'était évanoui.

— Tu n'y arriveras pas sans moi.

— La question, c'est y arriveras-tu sans moi ?

Nous nous regardâmes un long moment. Aucun ne voulait être le premier à céder. Puis Bert éclata de rire.

— D'accord, Anita. Plus de vampires.

Je me levai.

— Merci.

— Tu démissionnerais réellement ? demanda-t-il sur un ton affable.

— Je ne lance jamais de menaces en l'air, Bert. Tu le sais bien.

— Je ne pensais pas que ce boulot te ferait courir tant de risques.

— Ça aurait fait une différence ?

Il réfléchit quelques instants.

— Non, admit-il. Mais j'aurais réclamé plus de fric.

Je sortis pour le laisser tripoter son chèque en privé.

CHAPITRE 18

La porte de l'autre bureau s'ouvrit. Une grande femme blonde en sortit.

Elle avait la quarantaine bien sonnée. Un pantalon doré moulait ses hanches minces. Son chemisier sans manches, couleur coquille d'œuf, exposait ses bras bronzés. Elle portait une Rolex en or et une alliance en diamant. Quant au solitaire de sa bague de fiançailles, il devait peser une demi-livre. Je parie qu'elle n'avait pas cillé quand Jamison lui avait annoncé ses tarifs.

Le garçon qui la suivait était également mince et blond. Je lui aurais donné quinze ans à tout casser, mais il devait en avoir au moins dix-huit : légalement, les mineurs ne peuvent pas rejoindre l'Église de la Vie éternelle. Autrement dit, il n'avait pas encore le droit de boire de l'alcool, mais il pouvait choisir de mourir pour accéder à l'éternité. Ça n'avait pas de sens…

Jamison fermait la marche, un sourire obséquieux sur les lèvres. Il parlait au garçon à voix basse en le raccompagnant.

Je sortis une carte de visite de ma poche et la tendis à la femme. Elle la fixa, leva les yeux vers moi, m'examina de la tête aux pieds et n'eut pas l'air impressionnée. Peut-être à cause du tee-shirt.

—Oui ? dit-elle sur un ton hautain.

Il faut avoir reçu un certain type d'éducation pour réussir à rabaisser les gens d'un mot. Évidemment, ça ne prenait pas avec moi. L'élégante déesse toute de doré vêtue ne me donnait pas du tout l'impression d'être minuscule et mal attifée.

Ouais, c'est ça !

— Ce numéro est celui d'un spécialiste des cultes vampiriques, expliquai-je. Il est très fort.

— Je ne veux pas qu'on endoctrine mon fils.

Je me forçai à sourire. Raymond Fields n'était pas du genre à pratiquer le lavage de cerveau. Il racontait seulement la vérité, si déplaisante fût-elle.

— M. Fields vous expliquera les aspects négatifs du vampirisme.

— Je pense que M. Clarke nous a déjà fourni toutes les informations dont nous avions besoin.

Je levai mon bras pour le lui montrer.

— Je n'ai pas récolté ces cicatrices en jouant au foot. Je vous en prie, prenez cette carte. Vous l'appellerez ou non. À vous de choisir.

La femme pâlit sous son maquillage impeccable.

— Ce sont des vampires qui vous ont fait ça ? souffla-t-elle.

— Oui.

Jamison lui prit le coude.

— Madame Franks, je vois que vous avez fait la connaissance de notre tueuse de vampires.

Elle lui jeta un coup d'œil, puis se concentra sur moi.

— Vraiment ? dit-elle en se passant la langue sur les lèvres.

Son masque de supériorité reparut. Je haussai les épaules. Que pouvais-je faire ? Je lui fourrai la carte de visite dans la main. Jamison la lui prit, et elle ne tenta pas de l'en empêcher. Tant pis, j'aurais essayé.

Je dévisageai son fils. Il avait l'air si jeune ! Je me souviens d'une époque où je pensais qu'on était adulte à dix-huit ans.

Qu'on savait tout. Je devais avoir vingt et un ans quand je m'étais avisée que je ne savais rien. Ça ne s'est pas arrangé depuis, mais je fais de mon mieux pour apprendre. On ne peut pas m'en demander plus. On ne peut en demander plus à personne.

Jamison poussa ses clients vers la sortie. Je captai quelques mots au passage.

—Elle essayait de les tuer. Ils n'ont fait que se défendre.

C'est tout moi, ça : l'assassin des morts-vivants, le fléau des cimetières. Ben voyons.

Laissant Jamison à ses demi-vérités, j'entrai dans le bureau. J'avais toujours besoin de mes dossiers. La vie continuait… Pour moi, du moins. Mais le visage lisse et bronzé du garçon me hantait. Ne devrait-on pas attendre d'avoir besoin de se raser tous les jours avant de décider qu'on peut se suicider ?

Je secouai la tête pour me débarrasser de cette image.

J'étais à genoux devant le caisson à dossiers suspendus quand Jamison revint dans le bureau et ferma la porte derrière lui. Il a la peau chocolat au lait, les yeux vert pâle et de longs cheveux roux bouclés. C'est le Noir le plus étrange que j'aie jamais vu. Et il est très mince : pas parce qu'il passe beaucoup de temps à faire du sport, mais parce qu'il a gagné à la loterie génétique. Son exercice le plus exténuant consiste à lever le coude pour s'en jeter un.

—Ne refais jamais ça ! cracha-t-il. Je déteste qu'on me ridiculise devant mes clients.

—Tu n'es pas qualifié pour conseiller les gens qui songent à devenir des vampires.

—Bert pense que si.

—Bert accepterait un contrat sur la tête du pape si c'était bien payé et s'il était sûr de pouvoir s'en sortir.

—Ne fais pas la maligne. La prochaine fois, mêle-toi de tes oignons, d'accord ?

—Je te promets de ne pas intervenir quand tu parles de relever les morts.

—Ça ne suffit pas.

—C'est tout ce que tu obtiendras de moi. Tu n'es pas qualifié pour ce genre de boulot. C'est mal.

—Venant de la bouche de quelqu'un qui assassine des gens pour de l'argent, ça me fait bien marrer.

Je pris une profonde inspiration et expirai lentement. Je n'avais pas l'intention de me battre avec Jamison. Pas aujourd'hui.

—J'exécute des criminels avec la bénédiction de la loi.

—Ouais, mais tu t'éclates. Tu jouis chaque fois que tu plonges un pieu dans la poitrine de quelqu'un. Il ne se passe pas une seule semaine sans que tu te baignes dans du sang.

Je le fixai.

—Tu penses vraiment ce que tu dis ?

Il refusa de soutenir mon regard.

—Je ne sais pas.

—Pauvres petits vampires ! raillai-je. Pauvres créatures incomprises ! C'est ça ? Celui qui m'a marquée avait massacré vingt-trois personnes avant que le tribunal me délivre une autorisation de tuer.

Je tirai sur mon tee-shirt pour exhiber les cicatrices de ma clavicule.

—Celui-là en avait tué dix. Rien que des petits garçons. Il disait que leur viande était plus tendre. Et il n'est pas mort. Il a réussi à s'échapper. Mais il m'a retrouvée la nuit dernière, et il m'a menacée.

—Tu ne les comprends pas.

— Non, répliquai-je en pointant mon index sur sa poitrine. C'est toi qui ne les comprends pas !

Il me foudroya du regard, les narines frémissantes. Je reculai. Je n'aurais pas dû le toucher. C'était contre les règles. On ne touche jamais un adversaire, à moins de vouloir en venir aux mains.

— Désolée, Jamison.

Je ne suis pas certaine qu'il ait compris pourquoi je m'excusais. Comme il ne disait rien, je tournai les talons et m'approchai de la porte.

— Pourquoi emmènes-tu ces dossiers ? demanda-t-il.

J'hésitai. Mais il les connaissait aussi bien que moi. Si je ne répondais pas, une inspection rapide lui suffirait pour découvrir lesquels manquaient.

— Je bosse sur les assassinats de vampires.

— Tu as accepté ?

Je fronçai les sourcils.

— Tu étais au courant ?

Il hocha la tête.

— Bert leur a suggéré de m'engager à ta place. Ils n'ont pas voulu.

— Après toute la publicité que tu leur fais, ce doit être rageant.

— J'ai dit à Bert que tu ne travaillerais pas pour des vampires.

Ses yeux en amande me sondaient, comme s'ils essayaient de lire la vérité sur mon visage. Je me composai une expression neutre.

— Tout le monde a un prix, Jamison. Même moi.

— L'argent ne t'intéresse pas. Pourquoi as-tu accepté ?

Je n'avais pas envie de m'expliquer. Jamison pense que les vampires sont des gens comme les autres, avec des canines un peu plus longues. Et les vampires prennent garde à ne pas lui prouver le contraire. Jamais il ne se salit les mains. Comme ça, il n'a pas besoin de se mentir ou de fermer les yeux.

—Écoute, Jamison, nous ne sommes pas d'accord au sujet des vampires, mais toute personne capable de les massacrer pourrait faire du hachis Parmentier d'humains. Je veux l'arrêter avant qu'il ou elle en arrive là.

Pas un mensonge trop nul. Je le trouvais même plausible.

Jamison cligna des yeux. Qu'il me croie ou non dépendrait du fait qu'il en ait envie. Envie de continuer à vivre dans un monde propre et sûr.

—Te penses-tu capable de capturer quelqu'un que les maîtres vampires n'ont pas réussi à attraper ?

—Ils ont l'air de le penser, eux.

J'ouvris la porte et il me suivit dans le couloir, sans doute pour me poser d'autres questions. Mais une voix nous interrompit.

—Tu es prête, Anita ?

Je me retournai, les yeux écarquillés. Je n'avais rendez-vous avec personne.

Un homme était assis sur une des chaises de la salle d'attente, à moitié dissimulé par la jungle de plantes vertes. Je ne le reconnus pas tout de suite. Il avait d'épais cheveux bruns coiffés en queue-de-cheval et un visage séduisant sous ses lunettes de soleil noires. Il portait un blouson en jean dont il avait relevé le col, et un maillot de corps rouge faisait ressortir son bronzage.

Il se leva, sourit et ôta ses lunettes. C'était Phillip, le type aux bras couturés de cicatrices. Le col de son blouson dissimulait un pansement dans son cou.

—Il faut qu'on parle, dit-il.

Je fermai la bouche et tentai de prendre un air raisonnablement intelligent.

—Phillip. Je ne m'attendais pas à te revoir si vite.

Le regard soupçonneux de Jamison passait de Phillip à moi. Derrière son bureau, Mary avait posé le menton sur ses mains croisées pour contempler le spectacle.

Le silence était embarrassant. Phillip tendit la main à Jamison.

—Jamison Clarke. Phillip... un ami.

Je regrettai ce mot à la seconde où il franchit mes lèvres. C'est comme ça que la plupart des femmes présentent leur amant. Ça sonne mieux que « ma moitié » ou « mon partenaire ».

Jamison eut un grand sourire.

—Alors, comme ça, vous êtes... un ami d'Anita.

Mary esquissa un geste limite obscène. Phillip l'aperçut et lui fit un de ses sourires ravageurs. Elle rougit.

—Nous devons y aller, dis-je précipitamment.

Je lui pris le bras et l'entraînai vers la porte.

—Ravi d'avoir fait votre connaissance, Phillip, lança Jamison. Je parlerai de vous à tous les autres gars qui bossent ici. Je suis certain qu'ils adoreraient vous rencontrer.

Le salaud.

—Nous sommes très occupés en ce moment, Jamison. Une autre fois, peut-être, marmonnai-je, les dents serrées.

—Bien sûr. Pas de problème.

Il ouvrit la porte et la tint avec un grand sourire pendant que nous sortions, bras dessus, bras dessous. Et merde ! J'avais été obligée de lui laisser croire que Phillip et moi étions amants, et il allait le raconter à tout le monde !

Phillip passa un bras autour de ma taille. Je luttai contre une furieuse envie de le repousser. Il fallait bien faire semblant. Ouais, c'est ça ! Je le sentis hésiter quand sa main effleura mon flingue.

Dans le couloir, nous croisâmes une des filles de l'agence immobilière. Elle me salua, mais elle n'avait d'yeux que pour Phillip. Il lui adressa un sourire charmeur qui dut lui faire mouiller sa culotte.

Pendant que nous attendions l'ascenseur, je jetai un coup d'œil par-dessus mon épaule. Elle n'avait pas bougé et fixait les fesses de Phillip. Surprenant mon regard, elle se détourna précipitamment.

— Tu défendais mon honneur ? plaisanta Phillip. C'est gentil.

Je m'écartai de lui et appuyai sur le bouton d'appel.

— Que fais-tu là ?

— Jean-Claude n'est pas revenu la nuit dernière. Tu sais pourquoi ?

— Je ne l'ai pas tué, si c'est ce que tu sous-entends.

La porte s'ouvrit. Phillip se pencha pour la bloquer de la main. Son sourire était plein de promesses. Avais-je vraiment envie de me retrouver seule dans un ascenseur avec lui ? Sans doute pas, mais j'étais armée. Et lui non, d'après ce que je pouvais voir.

Je passai sous son bras sans avoir besoin de me baisser. La porte se referma derrière nous. Il s'adossa à la paroi de la cabine et croisa les bras en m'observant derrière ses lunettes noires.

— Tu es toujours en train de poser ?

Il se raidit, imperceptiblement, puis se détendit.

— C'est un don.

Je secouai la tête mais ne fis pas d'autre commentaire.

— Jean-Claude va bien ? demanda-t-il tandis que je regardai clignoter les chiffres des étages.

L'ascenseur s'arrêta. Nous sortîmes.

— Tu ne m'as pas répondu.

Je soupirai. C'était une trop longue histoire, et je l'avais déjà racontée plusieurs fois.

— Il est presque midi. On peut en parler devant un déjeuner.

— C'est une invitation, mademoiselle Blake? Vous essayez de me séduire?

Je souris malgré moi.

— Ça te plairait, hein?

— Peut-être.

— Tu ne peux pas t'empêcher de flirter.

— La plupart des femmes aiment bien ça.

— Ça me brancherait plus si je n'avais pas l'impression que tu ferais le même numéro de charme à ma grand-mère de quatre-vingt-dix ans.

Il étouffa un petit rire.

— Tu n'as pas une très haute opinion de moi.

— J'ai beaucoup de préjugés. C'est un de mes défauts.

— Tu me feras la liste des autres après m'avoir dit où est Jean-Claude.

— Ça m'étonnerait.

— Pourquoi?

Je m'immobilisai devant la double porte en verre de l'immeuble.

— Parce que je t'ai vu la nuit dernière. Je sais ce que tu es et ce qui t'excite.

Sa main effleura mon épaule.

— Il y a d'autres choses qui m'excitent.

— Remballe ton baratin : je ne suis pas acheteuse.

— Tu le seras peut-être d'ici la fin du déjeuner.

J'avais déjà rencontré des types dans le genre de Phillip. Des hommes dotés d'un physique au-dessus de la moyenne qui ont l'habitude que les femmes se pâment devant eux. Il n'essayait pas de me séduire, seulement de me faire admettre que je le trouvais séduisant. Et il me harcèlerait tant que je ne céderais pas.

—D'accord, j'avoue.

—Tu avoues quoi ?

—Que tu es très beau. Un des types les plus craquants que j'aie jamais rencontrés. Les petites fesses musclées, les tablettes de chocolat et les pectoraux assortis… Tu as tout ce qu'il faut là où il faut. Maintenant, on peut passer aux choses sérieuses ?

Il baissa ses lunettes pour me regarder par-dessus la monture. Au bout de quelques instants, il les remit en place.

—Je te laisse choisir le resto, dit-il d'une voix monocorde.

Je me demandais si je l'avais vexé.

Et si je m'en souciais.

Chapitre 19

Dehors, la chaleur formait comme un mur humide qui s'accrochait à la peau tel un film plastique.

— Tu vas fondre, avec ton blouson.

— Mes cicatrices dégoûtent la plupart des gens.

Je fis passer les dossiers dans le creux de mon bras droit et tendis le gauche, face interne vers le haut.

— Je ne dirai rien si tu ne dis rien non plus.

Il enleva ses lunettes et me fixa, l'expression était indéchiffrable. Tout ce que je savais, c'est qu'il y avait quelque chose derrière ces grands yeux.

— C'est ta seule trace de morsure? demanda-t-il d'une voix douce.

— Non.

Il serra les poings, et les veines de son cou saillirent comme s'il venait de recevoir une décharge électrique. Un frisson remonta le long de sa colonne vertébrale. Il se tordit le cou pour le chasser. Puis il remit ses lunettes et enleva son blouson.

Les cicatrices, au creux de son bras, zébraient son bronzage de zones pâles. Celles de sa clavicule pointaient sous le bord de son maillot de corps. Je comptai quatre traces de morsure sur son cou. Et ça n'était que le côté droit. Un pansement dissimulait le gauche.

— Je peux remettre mon blouson, proposa-t-il.

—Pas la peine, mais…

—Oui?

—Je sais que ça ne me regarde pas…

—Demande quand même.

—Pourquoi fais-tu ça?

Un rictus déforma ses traits.

—C'est une question très personnelle.

—Tu m'as dit de la poser quand même. (J'étudiai l'autre côté de la rue.) D'habitude, je vais *Chez Mabel*, mais on pourrait nous voir.

—Tu as honte de moi?

Sa voix était rugueuse comme du papier de verre. Je ne voyais pas ses yeux, mais il contractait les mâchoires.

—Ce n'est pas ça. C'est toi qui es venu me voir au boulot et qui as prétendu être mon «ami». Si nous allons dans un endroit où on me connaît, il faudra continuer à faire semblant.

—Des tas de femmes paieraient pour que je les escorte dans des endroits où on les connaît.

—Je sais. Je les ai vues hier soir, au club.

—C'est vrai. Mais tu as honte qu'on te voie avec moi à cause de ça?

Il toucha les marques qui ornaient son cou, et j'eus l'impression de l'avoir blessé. Ça ne m'embêtait pas plus que ça, mais… Je sais ce que c'est d'être différent. De provoquer la gêne de son entourage. Alors, pour le principe…

—On y va.

—Où ça?

—*Chez Mabel*.

—Merci.

Il me récompensa par un sourire qui m'aurait fait fondre si j'avais été moins professionnelle. Un sourire plein de sous-

164

entendus pas très nets, mais aussi d'incertitude. Rien n'est plus attirant qu'un homme séduisant qui n'a pas une entière confiance en lui. En nous, ça interpelle la femme et la mère. Une combinaison dangereuse.

Par chance, j'y suis insensible. De toute façon, j'avais vu comment Phillip prenait son pied. Pas mon genre de mec.

Chez Mabel est une cafétéria, mais la nourriture y est bonne et pas chère. Les jours de semaine, c'est plein à craquer de types en costard et de nanas en tailleur avec attaché-case et dossiers à gogo. Le samedi, c'est quasiment désert.

Béatrice me sourit de derrière son comptoir. Petite et grassouillette, elle a des cheveux bruns et un visage fatigué. Son uniforme rose la serre un peu sur la poitrine, et son petit chapeau ne l'avantage pas vraiment. Mais elle est toujours souriante, et j'aime bien bavarder avec elle.

— Salut, Béatrice. (Sans attendre qu'elle pose la question, j'ajoutai :) Voici Phillip.

— Bonjour, Phillip.

Il lui adressa le même sourire éblouissant qu'à la fille de l'agence immobilière. Elle rougit et détourna les yeux en gloussant. Avait-elle seulement remarqué ses cicatrices ?

Il faisait un peu trop chaud pour commander un pain de viande, mais tant pis. *Chez Mabel*, il est toujours bien tendre, et la sauce est juste à point. Je pris même un dessert, ce que je ne fais presque jamais. J'étais affamée.

Nous réussîmes à payer et à trouver une table sans que Phillip flirte avec quelqu'un d'autre. Un exploit !

— Qu'est-il arrivé à Jean-Claude ?

— Encore une petite minute.

Je récitai une prière avant de commencer à manger. Quand je levai les yeux, Phillip me fixait.

En m'empiffrant, je lui racontai une version expurgée de la nuit précédente. Qui se résumait essentiellement à Jean-Claude, à Nikolaos et à la punition.

Quand j'eus terminé, il observait un point invisible au-dessus de ma tête.

—Phillip?

Il baissa les yeux vers moi.

—Elle pourrait le tuer.

—J'ai eu l'impression qu'elle comptait seulement le punir. Sais-tu comment?

—Elle emprisonne ses serviteurs dans un cercueil qu'elle barde de croix pour les garder à l'intérieur. Aubrey a disparu pendant trois mois. Quand je l'ai revu, il était tel que tu le connais à présent. Fou.

Je frissonnai.

Portant ma petite cuiller à ma bouche, je mâchai pensivement une bouchée de tarte. J'en avais déjà avalé la moitié quand je m'aperçus qu'elle était aux mûres. Je déteste les mûres. C'est bien ma veine: pour une fois que je m'autorise un dessert, je ne prends pas le bon. C'est quoi, mon problème? Je bus une grande gorgée de Coca pour me débarrasser du goût.

—Que vas-tu faire? demanda Phillip.

Je repoussai la petite assiette avec la part de tarte entamée et ouvris un de mes dossiers. La première victime – un certain Maurice, pas de nom de famille – vivait depuis cinq ans avec une femme appelée Rebecca Miles.

—Je vais interroger les proches des vampires morts.

—J'en connais peut-être certains.

Je me mordis la lèvre. Je ne voulais pas partager mes informations avec lui, parce que je savais qu'il était les yeux et les oreilles des morts-vivants pendant la journée. Pourtant, quand j'avais parlé à Rebecca Miles avec les flics, elle ne nous avait rien dit. Or, j'avais besoin d'obtenir des résultats au plus vite. Nikolaos ne plaisantait pas.

—Rebecca Miles.

—Je la connais. Elle… appartenait à Maurice.

Il haussa les épaules en guise d'excuse, et je choisis de ne pas relever. Même si je ne voyais pas trop ce qu'il avait voulu dire.

—Par où commençons-nous?

—«Nous»? Je n'emmène pas de civil quand je bosse.

—Je pourrais t'aider.

—Sans vouloir te vexer, tu as l'air costaud, mais ça ne suffit pas. Sais-tu te battre? As-tu un flingue sur toi?

—Je ne suis pas armé, mais je peux me débrouiller.

J'en doutais fort. La plupart des gens ne réagissent pas bien à la violence. Ça les paralyse. Pendant une poignée de secondes, leur corps hésite et leur esprit refuse de comprendre. Et ces hésitations suffisent à les faire tuer.

Le seul moyen de les supprimer, c'est l'entraînement. La violence doit devenir partie intégrante de la façon de penser. Ça rend soupçonneux envers tout le monde, mais ça augmente l'espérance de vie.

Phillip avait l'habitude de la violence, mais en tant que victime. Pas besoin de traîner une victime professionnelle derrière moi. En revanche, il me fallait des informations, et les gens qui les détenaient refuseraient de me les communiquer. Mais ils parleraient peut-être à Phillip.

En pleine journée, je ne m'attendais pas à déclencher une fusillade. Je pouvais me tromper, évidemment. La possibilité était assez mince pour que je prenne le risque d'emmener Phillip. Tant qu'il n'abusait pas de son fameux sourire et ne se faisait pas agresser par une horde de nonnes en chaleur, nous devrions être en sécurité.

—Si quelqu'un me menace, es-tu capable de rester à l'écart et de me laisser faire mon boulot, ou te jetteras-tu dans la mêlée pour tenter de me sauver?

—Oh. (Il baissa les yeux vers son verre.) Je ne sais pas, admit-il.

Un bon point pour lui. La plupart des gens auraient menti.

—Dans ce cas, je préfère que tu ne viennes pas.

—Comment convaincras-tu Rebecca que tu bosses pour le maître de la ville? Tu es l'Exécutrice, me rappela-t-il.

Je n'y avais pas pensé. Ça dut se lire sur mon visage, car Phillip sourit.

—Ça règle la question. Je t'accompagne pour calmer le jeu.

—Je n'ai pas dit que j'étais d'accord!

—Tu n'as pas dit le contraire non plus.

Je soupirai et finis mon Coca en dévisageant Phillip. Il soutint mon regard. Son expression était neutre. Il ne s'agissait pas d'un concours d'ego, comme avec Bert.

—On y va, déclarai-je enfin.

Chapitre 20

Rebecca Miles habitait dans un quartier où toutes les rues portaient des noms d'État : Texas Street, Mississippi Street, Indiana Street…

La plupart des fenêtres de son immeuble étaient barricadées. Sur le devant, les mauvaises herbes formaient une véritable jungle, en moins beau. À un bloc de là se dressaient des résidences luxueuses occupées par des politiciens et des jeunes cadres dynamiques. Mais il ne devait pas y en avoir beaucoup dans cet immeuble.

Son appartement était au bout d'un long couloir étroit. En l'absence de climatisation, l'air était aussi chaud et épais que de la fourrure. Une ampoule nue éclairait la moquette élimée et les murs peints en vert délavé. Une odeur de désinfectant au pin planait dans l'atmosphère.

Comme nous en étions convenus dans la voiture, ce fut Phillip qui frappa à la porte. Il était censé convaincre Rebecca de laisser l'Exécutrice entrer dans son humble demeure.

Après des coups répétés, le battant s'entrouvrit autant que la chaîne accrochée derrière le lui permettait. Une voix de femme ensommeillée demanda :

— Qu'est-ce que tu fais ici, Phillip ?

— Je peux entrer une minute ?

Je ne voyais pas son visage, mais j'étais prête à parier qu'il lui faisait un de ses fameux sourires ravageurs.

— Si tu veux. Désolée, j'étais en train de dormir.

La porte se referma, et j'entendis un bruit de chaîne qu'on décroche. Puis elle se rouvrit en grand.

Phillip entra, et je lui emboîtai le pas.

Dans l'appartement, il faisait aussi chaud que dans un four. La pénombre aurait dû rafraîchir l'atmosphère, mais elle la rendait plus étouffante. De la sueur dégoulinait sur mon visage.

Rebecca Miles nous tenait la porte. Elle était mince, avec des cheveux noirs qui lui tombaient mollement sur les épaules. Ses pommettes hautes saillaient sous la peau de son visage. Son peignoir blanc l'engloutissait presque dans ses pans.

Elle avait une silhouette délicate et fragile. Ses petits yeux noirs clignèrent en m'apercevant. Elle ne m'avait vue qu'une fois, peu de temps après la mort de Maurice, et elle ne me reconnut pas.

— Tu as amené une amie ? demanda-t-elle en refermant la porte.

Les rideaux étaient tirés, et sans la lumière du couloir, nous nous retrouvâmes dans une quasi-obscurité.

— Oui, répondit Phillip. Je te présente Anita Blake.

— L'Exécutrice ? s'étrangla Rebecca.

— Oui, mais…

Il n'eut pas le temps de finir sa phrase. Rebecca cria et se jeta sur moi, distribuant gifles et coups de griffes.

Je levai les bras pour me protéger. Elle se battait vraiment comme une fille. Je lui saisis le poignet et utilisai son propre élan pour la projeter à terre. Puis je lui tordis le bras droit dans le dos. Si je forçais un peu, le coude se casserait. Je ne voulais pas lui faire de mal, mais elle m'avait déjà bien amochée avec ses ongles. Une chance qu'elle n'ait pas eu de flingue sous la main.

Elle tenta de se dégager, et je pressai un peu plus fort. Elle cria de douleur.

— Ne le tuez pas, gémit-elle. Je vous en supplie, ne le tuez pas.

Sous son peignoir trop grand pour elle, ses épaules étaient agitées par de gros sanglots. Je la lâchai lentement et battis en retraite, espérant qu'elle n'en profiterait pas pour m'attaquer de nouveau. Les égratignures commençaient à brûler.

Rebecca Miles se recroquevilla sur le sol. De ses petites mains osseuses, elle serrait ses genoux repliés contre sa poitrine.

— Ne… le… tuez pas. Ne… le… tuez pas! hoqueta-t-elle.

Il y a vraiment des jours où je déteste mon boulot.

— Phillip, dis-lui que je ne veux tuer personne.

Il s'agenouilla près d'elle et lui parla tout bas, sans la toucher. Je n'entendis pas ce qu'il lui racontait. Ses sanglots moururent derrière moi alors que je gagnai la chambre à coucher.

Un cercueil de bois sombre – peut-être du merisier – reposait près du lit. Sa surface vernie luisait faiblement dans la pénombre. Rebecca croyait que j'étais venue tuer son nouvel amant. Doux Jésus.

La salle de bains était petite et encombrée. J'appuyai sur l'interrupteur et clignai des yeux à cause de la lumière crue du plafonnier. Des produits de maquillage étaient éparpillés autour de l'évier fendu. La baignoire rouillée tombait pratiquement en morceaux.

Je trouvai une serviette qui avait l'air à peu près propre et ouvris le robinet. Le filet d'eau qui en sortit avait la couleur du jus de chaussette. Le tuyau eut un soubresaut et vomit enfin de l'eau claire. Je m'en serais volontiers passé sur le visage, mais tout était si sale dans cette pièce… Je me contentai d'imbiber la serviette et de la tordre. Le miroir brisé me renvoyait un reflet fragmenté.

Je retraversai la chambre. En passant près du cercueil, j'hésitai. J'avais envie de toquer au couvercle. Il y a quelqu'un ? Mais je m'abstins. Pour ce que j'en savais, le quelqu'un aurait pu me répondre.

Phillip avait fait s'allonger Rebecca sur le canapé. Aussi molle et désarticulée qu'une poupée de chiffon, elle avait presque cessé de pleurer. Elle frémit en me voyant. Je tentai de prendre un air inoffensif et tendis la serviette humide à Phillip.

— Essuie-lui le visage et glisse-la-lui sous la nuque.

Il s'exécuta sans discuter.

Je trouvai l'interrupteur et une lumière crue envahit le salon. Un seul regard à la ronde me donna envie d'éteindre, mais je m'abstins.

Je n'osais pas m'asseoir près de Rebecca, de peur qu'elle ne m'attaque ou qu'elle ne pique une crise de nerfs. Le seul fauteuil était bancal, et le rembourrage s'en échappait par un coin déchiré. Je décidai de rester debout.

Phillip leva les yeux vers moi. Il avait accroché ses lunettes de soleil dans l'échancrure de son maillot de corps, et passé un bras protecteur autour des épaules de Rebecca. J'avais l'impression d'être un monstre.

— Je lui ai dit pourquoi nous étions là. Et que tu ne ferais pas de mal à Jack.

— Le type dans le cercueil ?

Phillip fit oui de la tête. Doux Jésus. Enfin, si Rebecca Miles avait envie de coucher avec des vampires, ça ne regardait qu'elle.

— Tu peux lui parler, Rebecca. Elle essaie de nous aider.

— Pourquoi ?

Bonne question. Je ne pouvais pas lui en vouloir de la poser, vu la trouille que je lui avais flanquée.

—Le maître de la ville m'a fait une offre que je n'ai pas pu refuser.

Elle me dévisagea comme si elle s'efforçait de graver mes traits dans sa mémoire.

—Je ne vous crois pas.

Je haussai les épaules. La plupart des gens sont prêts à avaler un mensonge plausible, mais ils refusent les vérités qui sortent un peu de l'ordinaire. C'est désolant, mais c'est comme ça.

—Comment un vampire peut-il contrôler l'Exécutrice ?

—Je ne suis pas un croque-mitaine, Rebecca. Avez-vous déjà rencontré le maître de la ville ?

—Non.

—Je vous assure que n'importe qui serait très impressionné.

Elle n'avait toujours pas l'air convaincue, mais elle parla. D'une petite voix, elle répéta ce qu'elle avait raconté à la police.

—Rebecca, j'essaie de capturer la personne ou la créature qui a tué votre petit ami. Aidez-moi, je vous en prie.

Phillip la serra contre lui.

—Parle-lui de la soirée.

Elle leva les yeux vers lui, puis se tourna vers moi. Elle se mordit pensivement la lèvre inférieure et prit une inspiration tremblante.

—Nous étions à une soirée d'esclaves de sang.

Je clignai des yeux.

—C'est bien ce que je pense ?

Ce fut Phillip qui répondit :

—J'ai fréquenté le circuit. Pendant ces soirées, on peut avoir un vampire de toutes les façons qu'on veut. Et ils peuvent vous avoir aussi.

Je dus faire une drôle de tête, car il détourna le regard.

—Il s'est passé quelque chose d'anormal, cette fois-là?

Comme si fricoter avec des vampires était normal le reste du temps. Seigneur, dans quel monde vivons-nous!

Rebecca me fixait sans comprendre.

—Quelque chose d'inhabituel? insistai-je.

Elle baissa les yeux et secoua la tête. Ses longs cheveux noirs retombèrent autour de son visage comme un rideau.

—Maurice avait-il des ennemis, à votre connaissance?

De nouveau, un signe de dénégation. Elle m'observait à travers ses mèches comme un lapin effrayé planqué derrière un buisson.

Avait-elle d'autres informations? Si je la bousculais un peu, peut-être craquerait-elle. Et peut-être pas. Elle se tordait nerveusement les mains. Avais-je envie de savoir à ce point? Sans doute pas. Laisse tomber, ma fille. Anita Blake, humaniste.

Phillip aida Rebecca à se remettre au lit pendant que je patientais dans le salon. Je m'attendais presque à entendre un gloussement ou un autre signe indiquant qu'il usait de son charme. Mais je ne surpris que des murmures indistincts et un froissement de draps.

Quand il sortit de la chambre, son visage était grave. Il remit ses lunettes et appuya sur l'interrupteur. Des ténèbres chaudes et épaisses envahirent la pièce. À tâtons, je cherchai la poignée de la porte et l'ouvris.

Nous sortîmes dans le couloir.

Phillip m'observait derrière ses verres foncés et je percevais son hostilité. Il ne faisait plus semblant d'être mon ami. Je ne savais pas s'il était en colère contre moi, contre lui-même ou contre le destin. Il fallait bien qu'il y ait quelqu'un à blâmer pour une existence comme celle de Rebecca.

—Ça aurait pu être moi, dit-il.

Je ne sus quoi répondre. Dieu t'a protégé ? Je doutais fort que Dieu ait grand-chose à voir avec le monde de Phillip.

Il referma la porte derrière nous.

—Je sais qu'au moins deux des vampires assassinés étaient des habitués du circuit.

L'excitation me noua l'estomac.

—Et les autres ?

Il haussa les épaules.

—Je peux me renseigner.

Son visage était toujours fermé. Pouvais-je lui faire confiance ? Me dirait-il la vérité ? Cela le mettrait-il en danger ?

Toujours pas de réponses, toujours plus de questions. Mais au moins, elles se précisaient.

Chapitre 21

D ans la voiture, je poussai la clim à fond. La transpiration se congela sur ma peau. Je baissai un peu avant que le brusque changement de température me flanque la migraine.

Phillip s'était assis aussi loin de moi que possible, à demi tourné vers la vitre, le regard lointain derrière ses lunettes de soleil. Recroquevillé sur lui-même comme s'il souffrait. Ce qui était peut-être le cas. Il ne voulait pas parler de ce qui venait de se passer. Pas la peine d'être télépathe pour le deviner.

Je venais de harceler un être humain infiniment fragile. Je n'en étais pas très fière, mais ça aurait pu être pire. J'aurais pu la tabasser pour la faire parler. Alors que je l'avais à peine touchée.

Ouais…

Mais elle m'avait fourni une piste, et je ne pouvais pas m'offrir le luxe de l'ignorer.

— Phillip ?

Ses épaules se contractèrent.

— Phillip, j'ai besoin de renseignements sur ces fameuses soirées.

— Dépose-moi au club.

— Au *Plaisirs coupables* ?

— Oui.

— Tu n'as pas besoin de récupérer ta voiture?

— Je n'ai pas mon permis. C'est Monica qui m'a emmené à ton bureau.

— Quoi? m'exclamai-je, furieuse.

Phillip tourna enfin la tête vers moi.

— Pourquoi lui en veux-tu à ce point? demanda-t-il d'une voix lasse et très humaine. Elle t'a seulement conduite au club.

Je n'aurais pas répondu au charmeur qu'il était une heure plus tôt. Mais la personne que j'avais près de moi en ce moment était réelle. Et elle méritait une réponse.

— C'est une humaine. Elle a trahi les siens. Elle les a vendus à des monstres.

— En quoi est-ce un crime plus grave que de te choisir pour être notre championne, comme l'a fait Jean-Claude?

— Jean-Claude est un vampire. On ne peut pas s'attendre qu'il ait une moralité irréprochable.

— Toi, tu ne peux pas. Moi, si.

— Rebecca Miles ressemblait pourtant beaucoup à la victime d'une trahison.

Phillip frémit. Félicitations, Anita! Continue à faire de la peine à tous les gens que tu croises aujourd'hui. Cela dit, ça n'était que la stricte vérité.

Il se tourna de nouveau vers la vitre, et je me sentis obligée de meubler le silence.

— Les vampires ne sont pas humains. Leur loyauté va d'abord à leurs congénères, ce que je peux comprendre. Mais Monica a trahi sa propre espèce. Pis, elle a vendu une amie. Ça, c'est impardonnable.

— Donc, dit lentement Phillip, tu es prête à faire n'importe quoi pour tes amis?

Je réfléchis quelques instants pendant que nous roulions sur la 70ᵉ Est. N'importe quoi? Ça faisait un peu beaucoup.

—Presque n'importe quoi.

—La loyauté et l'amitié sont des valeurs importantes pour toi.

—Exact.

—Et les bafouer constitue à tes yeux un crime plus grave que tous ceux dont les vampires auraient pu se rendre coupables?

Je m'agitai sur mon siège. Je n'aimais pas du tout la tournure que prenait cette conversation. Je ne suis pas du genre à disséquer inlassablement mes actes et mes motivations. Je sais qui je suis et ce que je dois faire; ça me suffit la plupart du temps.

—Pas tous, le détrompai-je. Je n'adhère pas à beaucoup d'absolus. Mais si tu veux vraiment le savoir… En effet, c'est pour ça que je suis en colère contre Monica.

Phillip hocha la tête, comme si c'était tout ce qu'il voulait entendre.

—Elle a peur de toi, tu sais.

Le sourire qui s'afficha sur mes lèvres n'avait rien de bienveillant.

—Elle a raison.

Phillip soupira. J'avais l'impression qu'il n'approuvait pas. Mais c'était son problème. Moi, j'étais bien contente que cette garce de Monica marine dans son jus.

Nous approchions de la sortie d'autoroute. Phillip n'avait toujours pas répondu à ma question. En fait, il l'avait soigneusement éludée.

—Parle-moi de ces soirées.

—As-tu vraiment menacé Monica de lui arracher le cœur?

—Oui. Tu as l'intention de m'aider, ou pas?

—Tu en serais vraiment capable?

— Réponds à ma question, et je répondrai à la tienne.

Je m'engageai dans les étroites rues pavées. Plus que deux blocs et nous arriverions au *Plaisirs coupables*.

— Ça fait quelques mois que je me suis retiré du circuit.

— Pourquoi ?

Il hésita.

— J'en ai eu assez de passer de bras en bras. Je ne voulais pas finir comme Rebecca, ou pire.

Je me demandais ce qui pouvait être pire, mais je n'insistai pas. Je suis têtue, pas cruelle. Même si certains jours la frontière entre les deux est assez mince.

— Si tu découvres que toutes les victimes fréquentaient le circuit, préviens-moi.

— Et ensuite ?

— Il faudra que j'aille à une de ces soirées.

Je me garai devant le club. L'enseigne au néon était éteinte, et l'endroit semblait désert.

— Ça risque de ne pas te plaire.

— J'essaie d'enquêter sur une série de crimes, Phillip. La vie d'une de mes amies est en jeu. Et je ne me fais pas d'illusions sur le sort que me réserve Nikolaos en cas d'échec. Une mort rapide, c'est le mieux que je puisse espérer.

Il frissonna.

— Je sais.

Il défit sa ceinture de sécurité et se frotta les bras comme pour se réchauffer.

— Tu n'as pas répondu à ma question, à propos de Monica.

— Tu ne m'as pas non plus parlé de ces soirées.

Il baissa les yeux.

— Il y en a une aujourd'hui. Si tu veux vraiment y aller, je t'emmènerai. Elles ont toujours lieu à un endroit

179

différent. Quand je saurai où ça se passe, comment puis-je te contacter ?

—Laisse un message sur mon répondeur.

Je sortis une carte de visite de mon sac et écrivis mon numéro au dos. Phillip prit son blouson sur la banquette arrière et fourra la carte dans sa poche. Quand il ouvrit la portière, la chaleur s'engouffra dans la voiture comme le souffle brûlant d'un dragon.

Un bras posé sur le toit et l'autre sur la portière, il se pencha vers moi.

—Maintenant, réponds à ma question. Arracherais-tu vraiment le cœur de Monica pour qu'elle ne puisse pas se relever en vampire ?

Je fixai les verres opaques de ses lunettes de soleil.

—Oui.

—Rappelle-moi de ne jamais t'énerver. (Il prit une profonde inspiration.) Il faudra que tu portes une tenue qui montre tes cicatrices. Achètes-en une si tu n'en as pas. (Il hésita, puis demanda :) Es-tu aussi performante comme amie que comme ennemie ?

—Je suis bien plus agréable en tant qu'amie.

—Ouais… Je n'en doute pas.

Il referma la portière et s'approcha de l'entrée du club.

Il frappa. Quelques instants plus tard, quelqu'un lui ouvrit. J'aperçus une silhouette pâle derrière la porte. Ça ne pouvait pas être un vampire, pas vrai ? Les vampires ne supportent pas la lumière du jour. C'est la règle. Mais hier encore, j'étais persuadée qu'ils sont incapables de voler, alors…

Phillip était attendu au club. Je redémarrai. Qui l'avait envoyé me charmer ? Et pourquoi lui ? Était-il le seul humain en qui les vampires avaient confiance ? Le seul membre de leur cercle très fermé ? Monica mise à part, bien sûr, et elle n'était pas vraiment dans mes petits papiers.

Je ne pensais pas que Phillip m'ait menti au sujet des soirées d'esclaves de sang, mais que savais-je à son sujet ? Il faisait un numéro de strip-tease au *Plaisirs coupables*. Pas exactement une référence. Encore mieux, c'était un junkie accro aux vampires. Ses souffrances étaient-elles feintes ? Me tendait-il un piège, tout comme Monica ?

Je l'ignorais, et j'avais besoin de le savoir. Or, je connaissais un endroit, dans le quartier, où je pourrais obtenir des réponses à mes questions. Le seul où je sois la bienvenue : *Dead Dave's*, un bar dont le propriétaire s'est fait éjecter de la police sous prétexte qu'il était mort.

Dave aime bien filer un coup de main à la justice, mais il en veut toujours à ses anciens collègues. Donc, c'est à moi qu'il parle. Et moi, je parle aux flics. Comme ça, on sauve la face. Du coup, la police attache une importance inestimable à ma collaboration. Vu que je suis payée à l'intervention, même Bert est content.

Nous étions en plein après-midi, et Dave devait encore dormir dans son cercueil. Mais Luther, le gérant de jour, serait là. Luther est une des rares personnes qui bossent dans le quartier et qui n'ont rien à faire avec les vampires. L'un d'eux lui signe son chèque à la fin du mois, un point c'est tout.

Je réussis à me garer près de *Dead Dave's*. Autrefois, quand les humains détenaient tous les commerces du quartier, il n'y avait jamais de place libre pendant la semaine, de jour comme de nuit. La baisse d'activité diurne est une des rares conséquences positives des nouvelles lois sur le vampirisme. Ça, et l'afflux de touristes.

Saint Louis est devenu un lieu de villégiature très prisé par les amateurs de sensations fortes. Il n'y a guère qu'à

New York que la densité de vampires au kilomètre carré est supérieure, mais le taux de criminalité aussi.

Un des gangs de vampires de New York a voulu s'installer ici. La police a retrouvé ses premières recrues découpées en petits morceaux. Notre communauté vampirique se vante de ne pas faire d'histoires. Un gang lui aurait valu de la mauvaise publicité, aussi elle s'en est chargée à sa façon.

J'admire son efficacité, mais je déplore ses méthodes. Pendant des semaines, j'ai rêvé de murs qui saignaient et de bras arrachés rampant sur le sol. On n'a jamais retrouvé les têtes.

CHAPITRE 22

Le bar de Dave est un ensemble de verre noir et de panneaux publicitaires lumineux pour des marques de bière. La nuit, la vitrine ressemble à une galerie d'art moderne. Le jour, tout est terne. Comme les vampires, les bars sont plus à leur avantage après le coucher du soleil. À sa lumière, ils ont quelque chose de fatigué.

La clim était poussée à fond ; on se serait cru dans un frigo. Après la chaleur du dehors, ça faisait un choc.

Debout sur le seuil, j'attendis que mon regard s'accoutume à la pénombre. Pourquoi fait-il si noir dans les bars ? La plupart ressemblent à des cavernes. L'air y sent la clope froide à toute heure du jour et de la nuit, comme si la fumée s'était incrustée dans les housses des meubles.

Deux types en costard étaient installés dans le box du fond. Ils mangeaient des hamburgers en consultant des dossiers ouverts sur la table. Ils bossaient le samedi, comme moi. D'accord, pas tout à fait comme moi. Je parie que personne n'a encore menacé de leur arracher la gorge. Évidemment, je peux me tromper, mais leur pire angoisse, c'est sans doute le chômage. Comme dans le bon vieux temps…

Un autre client était avachi sur un tabouret, devant le comptoir, un verre à la main. Il avait l'air hébété, et faisait des gestes très lents comme s'il craignait de renverser quelque chose. Déjà bourré à 14 heures. Pas bon signe pour lui, mais ce n'était pas mon problème.

Je ne peux pas sauver tout le monde. En réalité, il y a des jours où je me demande si je peux secourir quiconque. Une personne doit d'abord avoir envie de s'en tirer avant qu'on puisse lui venir en aide. La seule exception à cette règle, c'est pendant un combat au revolver. Ou au couteau.

Luther était en train d'essuyer des verres avec un torchon d'une blancheur immaculée. Il leva les yeux quand je me hissai sur un tabouret. Une cigarette pendait au coin de ses lèvres.

Luther est un type costaud… Non : gras. Mais une graisse tellement compacte qu'on pourrait la prendre pour du muscle. Ses mains aux jointures énormes sont aussi grandes que ma figure. Sa peau est d'un noir foncé tirant sur le violet et ses yeux couleur chocolat.

Je ne l'ai jamais vu sans une clope au bec. Il est obèse, il fume trop et il doit avoir plus de cinquante ans à en juger par ses tempes grisonnantes. Pourtant, il n'est jamais malade. Encore un gagnant à la loterie de la génétique.

—Qu'est-ce que tu prendras, Anita ? me demanda-t-il d'une voix grave.

—La même chose que d'habitude.

Il me versa du jus d'orange dans un verre à whisky. Pour faire comme s'il y avait de l'alcool dedans et ne pas donner mauvaise réputation à son établissement.

—J'ai besoin de renseignements.

—Je m'en doutais. Sur quoi ?

—Un type prénommé Phillip, qui danse au *Plaisirs coupables*.

Luther haussa un sourcil épais.

—Un vampire ?

Je secouai la tête.

—Un accro aux vampires.

Il tira une taffe de sa cigarette, dont la braise rougeoya, puis tourna la tête pour ne pas me souffler la fumée dans la figure.

—Que veux-tu savoir sur lui?

—S'il est fiable.

Luther me fixa, incrédule.

—Fiable? Anita, c'est un junkie. Peu importe qu'il soit accro à la drogue, à l'alcool, au sexe ou aux vampires. Ça ne fait pas de différence. On ne peut avoir confiance en aucun junkie, tu le sais bien.

—C'est ma seule piste…

—Décidément, tu n'as pas des fréquentations très recommandables.

—Je dois savoir si tu as entendu quelque chose de vraiment négatif à son sujet.

—Que mijotes-tu?

—Je ne peux pas te le dire. Et de toute façon ça ne te servirait à rien.

Il m'étudia un moment, des flocons de cendre tombant de sa cigarette. Il les essuya machinalement avec son torchon.

—D'accord, Anita. Mais la prochaine fois, tu ferais mieux d'avoir des infos à échanger.

Je souris.

—Juré craché!

Il secoua la tête et sortit une nouvelle clope du paquet qu'il planquait derrière le comptoir. Il l'alluma au mégot de la précédente, qu'il écrasa dans le cendrier déjà plein qu'il trimballe partout avec lui, comme un nounours fétiche.

—Au club, ils ont un danseur qui est un esclave de sang. Il tourne dans le circuit des soirées, et il est très populaire auprès d'un certain type de vampires. (Luther haussa les épaules ; ce fut comme si un séisme soulevait une montagne.) C'est tout ce que je sais, et c'est déjà assez. Tu devrais rester à l'écart de ce type.

— Je le ferais si je le pouvais. Tu n'as rien entendu d'autre ?

Il réfléchit en suçotant le bout de sa cigarette.

— Non, rien du tout. Il n'est pas très connu dans le quartier. Juste une victime professionnelle. Les gens aiment parler des prédateurs, pas de leurs proies. Mais… (Il fronça les sourcils.) À propos de prédateur, il y a un vampire nommé Valentin. Facile à reconnaître : il porte un masque. Il dit que c'est lui qui s'est tapé ton fameux Phillip le premier.

— Et alors ?

— Pas la première fois quand il est devenu junkie, la première fois tout court, précisa Luther. Il dit qu'il l'a eu quand Phillip était un petit garçon. Ça lui a plu, et c'est à cause de ça qu'il est devenu accro aux vampires.

— Doux Jésus !

Je me souvins des cauchemars que me donnait Valentin. Qu'est-ce que ça aurait été, si j'avais été enfant… Que m'aurait-il fait ?

— Tu connais Valentin ?

Je hochai la tête.

— Ouais. Il t'a dit quel âge avait Phillip quand il l'a agressé ?

— Non, mais on raconte qu'il ne s'en prend qu'aux moins de douze ans, sauf quand il s'agit d'une vengeance. Et il est très porté sur la vengeance. Si le maître ne le tenait pas en laisse, il serait sacrément dangereux.

— Il est dangereux même comme ça.

— Tu le connais.

Ça n'était pas une question.

—Dis-moi où il dort pendant la journée.

—Ça fait deux infos gratos. Et puis quoi encore ?

—Il porte un masque parce que je l'ai arrosé d'eau bénite il y a deux ans. Jusqu'à hier soir, je le croyais mort, et réciproquement. Maintenant, il est décidé à me tuer.

—Tu es coriace, Anita.

—Il y a toujours une première fois et, dans ce cas, elle risque de suffire.

—Je comprends. Mais si on apprend que nous te fournissons des adresses de vampires, ça risque de mal tourner pour nous. Ils sont capables de foutre le feu au bar pendant qu'on est à l'intérieur.

—Tu as raison. Je n'ai pas le droit de te demander ça.

Pourtant, je restai vissée sur mon tabouret, l'implorant mentalement de parler. Risque ta vie pour moi, mon pote. J'en ferais autant à ta place.

Ouais…

—Si tu jurais que tu ne t'en servirais pas pour le tuer, je pourrais te le dire.

—Ce serait un mensonge.

—Tu as une autorisation du tribunal ?

—Elle n'est peut-être plus valable, mais je pourrais en obtenir une autre.

—Tu attendrais de l'avoir en main ?

—Il est illégal de tuer un vampire sans un ordre d'exécution.

—Ça n'est pas la question. Serais-tu prête à prendre les devants ?

—C'est possible, concédai-je.

Il secoua la tête.

—Un de ces quatre, tu te retrouveras accusée de meurtre, Anita. C'est sérieux.

Je haussai les épaules.

187

—Un petit séjour en prison vaut mieux qu'un long séjour dans la tombe.

—Je suppose que oui.

Ne sachant que faire, il recommença à essuyer un verre déjà impeccable.

—Je vais demander à Dave. S'il est d'accord, je te le ferai savoir.

Je finis mon jus d'orange et posai un billet de cinquante dollars sur le comptoir. D'accord, ça fait un sacré pourboire. Mais comme Dave refuserait d'admettre qu'il m'aide à cause de mes liens avec la police, il faut bien que de l'argent change de main. Même si ça n'était pas la moitié de la valeur réelle des informations fournies.

—Merci, Luther.

—On raconte que tu as rencontré le maître de la ville hier soir. C'est vrai ?

—Tu l'as su avant ou après ?

Il eut l'air peiné.

—Anita, si je l'avais su avant, je te l'aurais dit gratuitement.

—Désolée, Luther. Les derniers jours ont été difficiles.

—Je m'en doute. Alors, c'est vrai ?

Que pouvais-je faire ? Nier ? Beaucoup de gens semblaient être au courant. On ne peut même plus faire confiance aux morts pour garder un secret.

—Peut-être.

J'aurais aussi bien pu dire « oui », du moment que je ne disais pas « non ». Luther connaissait les règles du jeu. Il hocha la tête.

—Que te voulait-il ?

—Je ne peux pas t'en parler.

—D'accord. Sois prudente, Anita. S'il y a quelqu'un en qui tu as confiance, c'est le moment de faire appel à lui.

Ce n'était pas une question de confiance.

—Tu sais comment cette histoire risque de se terminer. Quel genre d'ami pourrais-je y entraîner ?

Il ne répondit pas.

Le téléphone sonna. Luther décrocha. Au bout de quelques instants, il me tendit le combiné.

—C'est pour toi.

Je le coinçai entre mon oreille et mon épaule.

—Oui ?

—C'est Ronnie.

Elle était excitée comme un gosse le matin de Noël. Mon estomac se noua.

—Tu as trouvé quelque chose ?

—Une rumeur concernant Humains Contre Vampires. Ils auraient monté un escadron de la mort pour effacer les vampires de la face de la Terre.

—Tu as une preuve, des témoins ?

—Pas encore.

Je soupirai.

—Allons, Anita, c'est quand même une bonne nouvelle !

Je couvris le combiné de ma main et chuchotai :

—Je ne peux pas raconter ça au maître. Les vampires massacreraient tous les membres d'HCV. Beaucoup d'innocents mourraient, et nous ne sommes pas certaines que ça en vaille le coup.

—D'accord, d'accord. J'aurai quelque chose de plus concret d'ici demain, c'est promis. Qu'il faille recourir à la menace ou aux pots-de-vin, je trouverai.

—Merci, Ronnie.

—À quoi servent les amis ? Et Bert va devoir me payer mes heures sup et rembourser mes frais. J'adore son expression peinée quand il me signe un chèque.

— Moi aussi.

— Que fais-tu ce soir ?

— Je vais à une petite fête.

— Quoi ?

Je lui expliquai aussi brièvement que possible.

— Ça me fait froid dans le dos, commenta-t-elle quand j'eus terminé.

— Tu n'es pas la seule. Continue les recherches de ton côté. Je fouille du mien, et on se retrouvera peut-être au milieu.

— Ça serait bien, dit-elle sur un ton légèrement menaçant.

— Qu'est-ce qui ne va pas ?

— Tu comptes y aller sans renforts, pas vrai ?

— Toi aussi, tu es seule, lui rappelai-je.

— Mais pas entourée de vampires et de déjantés.

— Si tu vas au siège social de HCV, le second point se discute.

— Ne fais pas la maligne. Tu vois très bien ce que je veux dire.

— Oui, Ronnie, je vois très bien ce que tu veux dire. Tu es la seule amie qui peut prendre soin d'elle-même. Les autres seraient tous comme Catherine : des moutons parmi les loups.

— Tu ne pourrais pas emmener un autre réanimateur ?

— Qui ? Jamison trouve les vampires extra. Si Bert a une grande gueule, il n'aime pas se salir les mains. Charles est très doué pour relever des zombies, mais il s'évanouit à la vue d'une goutte de sang, et il a un gamin de quatre ans. Manny ne chasse plus les vampires. La dernière fois, il a passé quatre mois à l'hôpital pour qu'on recolle ses morceaux.

— Si mes souvenirs sont exacts, tu as fini à l'hôpital aussi.

—Avec un bras et une clavicule cassés. Manny a failli mourir, lui. Et il a une femme et quatre enfants.

C'est Manny qui s'est chargé de ma formation, après que Bert m'eut engagée à la sortie de la fac. Il m'a montré comment relever les morts et tuer les vampires.

Depuis, j'ai découvert pas mal d'autres choses par moi-même. Mais c'est lui qui m'a enseigné les bases. C'est un traditionaliste, un adepte du pieu et des gousses d'ail. Il porte un flingue et le sort uniquement en dernier recours. Si la technologie moderne me permet de neutraliser un vampire à distance plutôt que d'en arriver au corps-à-corps, moi, je n'ai rien contre.

Il y a deux ans, Rosita, la femme de Manny, est venue me voir pour me supplier de ne plus mettre son mari en danger. Cinquante-deux ans, c'est bien trop âgé pour ce genre de boulot, avait-elle dit. Que deviendraient-ils, elle et ses enfants, s'il arrivait quelque chose à Manny? À l'entendre, c'était ma faute. Comme si j'étais une délinquante juvénile qui avait dévoyé son fils préféré.

Elle m'avait fait jurer devant Dieu que je ne demanderais plus à Manny de m'accompagner à la chasse aux vampires. Je voulais refuser, mais elle avait éclaté en sanglots. De la triche! Une fois que la personne d'en face commence à pleurer, on ne peut plus discuter. On veut juste la prendre dans ses bras et lui promettre que tout ira bien, pour ne plus avoir l'impression d'être un monstre sans cœur.

—D'accord, soupira Ronnie à l'autre bout de la ligne. Mais sois prudente.

—Aussi prudente qu'une vierge pendant sa nuit de noces.

Elle éclata de rire.

—Tu es incorrigible.

— C'est pour ça qu'on m'aime.

— Surveille tes arrières.

— Toi aussi.

Elle raccrocha.

— De bonnes nouvelles ? demanda Luther en récupérant le combiné.

— Oui.

Humains Contre Vampires avait *peut-être* un escadron de la mort. Mais une rumeur, c'était déjà un début de piste. Regardez, les amis : je n'ai rien dans les poches, rien dans les manches et pas la moindre idée de ce que je suis en train de faire. Je me contente de piétiner en faisant beaucoup de bruit.

Je cherchais l'assassin de deux maîtres vampires. Si j'étais sur la bonne piste, je ne tarderais pas à attirer l'attention. Ça signifiait que quelqu'un essaierait sûrement de me tuer.

Qu'est-ce qu'on rigole !…

J'avais besoin de fringues qui dévoilent mes cicatrices et me permettent de dissimuler une arme. Ça n'allait pas être de la tarte. J'étais bonne pour un après-midi de shopping. Or, je déteste faire les magasins. Pour moi, c'est un des maux nécessaires de la vie, comme les choux de Bruxelles et les talons aiguilles.

Évidemment, c'est toujours mieux que d'être menacée de mort par des vampires.

Mais avec un peu d'organisation, je pouvais finir mon shopping avant le coucher du soleil. Ça me laisserait toute la nuit pour les menaces de mort.

CHAPITRE 23

J e transférai tous mes petits sacs dans un plus grand pour garder une main libre. On fait une cible facile avec les bras chargés d'emplettes. Il faut commencer par lâcher les sacs, à supposer que les poignées veuillent bien se détortiller. Le temps de trouver son flingue, de dégainer et de viser, les méchants ont déjà fait un carton et s'éloignent en sifflotant.

J'avais passé l'après-midi en proie à une paranoïa aiguë, consciente du moindre geste des gens qui m'entouraient. Étais-je suivie ? Cet homme ne me regardait-il pas avec un peu trop d'insistance ? Cette femme portait-elle un foulard pour dissimuler des traces de morsure ?

Lorsque je regagnai enfin ma voiture, les muscles de mes épaules et de mon cou étaient noués. La chose la plus effrayante que j'aie vue de l'après-midi, c'étaient les prix des vêtements de marque.

Le ciel était encore bleu et la chaleur accablante quand je sortis sur le parking. Il est facile de perdre toute notion du temps dans un centre commercial. Un petit monde privé et climatisé où rien ne vous touche. Disneyland pour les accros du shopping.

Je mis mes paquets dans le coffre et levai les yeux vers l'horizon qui s'assombrissait. Puis je haussai les épaules et bougeai le cou pour me détendre. C'était un peu mieux, mais à peine. J'avais besoin d'une aspirine.

Dérogeant à toutes mes habitudes, j'avais mangé au centre commercial. À l'instant où j'avais senti une odeur de nourriture, je m'étais dirigée vers les stands, comme hypnotisée.

La pizza avait un goût de carton, et le fromage était caoutchouteux, dans aucune saveur. J'avais pris une part avec des champignons et des poivrons verts – que je déteste – et des saucisses – dont la place est, d'après moi, sur la table du petit déjeuner. Et j'en avais mangé la moitié avant de comprendre ce qui m'arrivait.

Pourquoi avais-je envie de trucs que je ne supporte pas d'habitude ? Encore une question sans réponse. Mais pourquoi celle-là m'effrayait-elle plus que les autres ?

Ma voisine, Mme Pringle, était en train de promener son chien sur la pelouse de l'immeuble. Je me garai à mon emplacement habituel et sortis du coffre mon grand sac bourré à craquer.

Mme Pringle a plus de soixante ans. Très maigre, elle mesure près d'un mètre quatre-vingts. Ses yeux d'un bleu délavé brillent d'un éclat curieux derrière ses lunettes à monture métallique. Son chien Mayonnaise est un loulou de Poméranie qui ressemble à un pissenlit duveteux avec des pattes de chat.

Elle me fit signe. Coincée ! Je lui souris et m'approchai d'elle.

Mayonnaise me sauta dessus comme s'il avait des ressorts dans ses pattes minuscules et lâcha des aboiements joyeux. Il sait que je ne l'aime pas et il est déterminé à faire ma conquête. À moins qu'il fasse exprès pour m'embêter. Avec la perversité canine, allez savoir !

—Anita, petite cachottière, pourquoi ne m'avez-vous pas dit que vous aviez un fiancé ?

Je fronçai les sourcils.

— De quoi voulez-vous parler?

— Je suis peut-être une vieille dame, mais je sais ce que ça signifie, quand une jeune femme donne la clé de son appartement à un homme.

Je sursautai.

— Vous avez vu quelqu'un entrer chez moi aujourd'hui? demandai-je sur un ton qui se voulait détaché.

— Oui, votre petit ami. Il est très séduisant. Félicitations.

Je faillis lui demander à quoi il ressemblait, mais j'aurais dû le savoir, puisque nous étions fiancés et que je lui avais donné ma clé. Très séduisant… Phillip, peut-être? Mais pourquoi?

— À quelle heure est-il passé?

— Vers 14 heures. Je sortais promener Mayonnaise, et je l'ai croisé dans le couloir.

— Vous l'avez vu repartir?

— Non. Ne me dites pas que ça n'était pas votre fiancé. Aurais-je laissé un cambrioleur s'enfuir?

— Non, non. (Je me forçai à sourire.) Je ne m'attendais pas à le voir aujourd'hui, c'est tout. Si vous croisez d'autres gens qui me cherchent, ne leur prêtez pas attention. Mes amis risquent de passer souvent, ces prochains jours.

Mme Pringle baissa les yeux. Assis dans l'herbe, Mayonnaise m'observait en haletant.

— Anita Blake, dit sa maîtresse sur un ton qui me rappela qu'elle avait été institutrice, que mijotez-vous?

— Rien du tout, je le jure. C'est la première fois que je donne ma clé à un homme. Ça fait un peu bizarre, expliquai-je avec un petit rire nerveux.

Mme Pringle croisa les bras. Elle n'avait pas l'air de me croire.

— Si vous avez des doutes au sujet de ce jeune homme, c'est que ça n'est pas le bon.

— Vous avez sûrement raison. Je vais y réfléchir.

J'étais si soulagée que je me laissais aller à caresser Mayonnaise. Alors que je me dirigeais vers la porte d'entrée, j'entendis Mme Pringle l'exhorter à «faire sa petite affaire pour que nous puissions remonter».

Pour la deuxième fois de la journée, quelqu'un s'était introduit dans mon appartement. Je dégainai mon flingue en m'engageant dans le couloir. Une porte s'ouvrit, livrant passage à un homme et à deux jeunes enfants. Je glissai ma main dans mon sac en papier et fis semblant de chercher quelque chose dedans. Le bruit de leurs pas mourut dans l'escalier.

Je ne pouvais pas rester planquée là avec mon flingue. Le samedi, l'Amérique salariée multiplie les allées et venues. Quelqu'un finirait par me voir et par appeler la police.

Je serrai le sac contre ma poitrine de la main gauche, la droite toujours plongée dedans. Dans le pire des cas, je pourrais tirer au travers.

Je dépassai mon appartement et sortis mon trousseau de clés. Puis je posai mon sac en papier contre le mur et transférai le flingue dans ma main gauche. Bon, je ne suis pas tout à fait ambidextre, mais je ne me débrouille pas trop mal.

Laissant l'arme pendre le long de ma cuisse pour la dissimuler, je revins vers ma porte, et m'agenouillai devant en prenant garde de ne pas faire de bruit. Le flingue pointé devant moi, j'introduisis la clé dans la serrure et tournai. Un cliquetis. Je me raidis et attendis les détonations. Mais rien ne se produisit.

Je fourrai le trousseau dans ma poche et repris le flingue dans ma main droite. Puis je me plaquai contre le mur et, bras tendu, imprimai une poussée à la porte, qui alla percuter le mur. Il n'y avait personne derrière. Et toujours pas de bruit.

Je jetai un coup d'œil prudent à l'intérieur. Le fauteuil resté face à la porte était inoccupé. J'aurais presque été soulagée de voir Edward.

Des pas résonnèrent dans l'escalier. Je devais prendre une décision. De la main gauche, je saisis mon sac en papier sans quitter l'appartement des yeux. Je rampai à l'intérieur et repoussai la porte derrière moi.

Le chauffage de l'aquarium s'alluma. Je sursautai. De la sueur dégoulinait le long de ma colonne vertébrale. Anita Blake, la redoutable chasseuse de vampires. Tu parles! S'ils m'avaient vue en ce moment, ils se seraient fichtrement moqués de moi.

Je ne sentais aucune autre présence que la mienne dans l'appartement. Juste au cas où, je fouillai rapidement les placards et regardai sous le lit. J'avais l'air d'une imbécile, mais d'une imbécile vivante. Par opposition à une fille tellement cool que son cadavre est en train de refroidir.

Un fusil à pompe et deux boîtes de munitions étaient posés sur la table de la cuisine. Dessous, une feuille de papier blanc portait ces mots: «Je te laisse vingt-quatre heures.» L'encre était noire, l'écriture bien nette.

Edward était venu. Bien qu'il me l'ait annoncé, j'en eus le souffle coupé. Je l'imaginai en train de bavarder avec Mme Pringle. Si ma voisine s'était montrée soupçonneuse, l'aurait-il descendue? Je l'ignorais. Décidément, pire qu'une épidémie de peste noire, je mettais tout mon entourage en danger.

D'après le message, je disposais de vingt-quatre heures avant qu'Edward vienne me demander où Nikolaos se reposait pendant la journée. Si je refusais de parler, je serais forcée de le tuer. Je me demandais si j'en serais capable. Probablement pas. J'avais dit à Ronnie que nous étions des professionnelles, mais à côté d'Edward, je faisais figure d'amateur.

Soupir. Je devais m'habiller pour la soirée. Pas le temps de me soucier d'Edward.

La lumière de mon répondeur clignotait. J'appuyai sur la touche «lecture». Un premier message de Ronnie, me rapportant la rumeur au sujet de HCV. Elle avait dû appeler ici avant de me joindre au bar de Dave. Puis…

—Anita, c'est Phillip. Je sais où la soirée aura lieu. Passe me prendre devant le *Plaisirs coupables* à six heures et demie. À plus.

Il n'y avait pas d'autre message.

Ça me laissait deux heures pour m'habiller et aller là-bas. Ce serait bien suffisant. Il ne me faut que quinze minutes pour me maquiller, et moins encore pour me coiffer, parce que je me contente d'un coup de brosse.

Je ne me maquille pas souvent, et j'ai toujours l'impression d'en faire trop, comme une gamine qui a piqué le rouge à lèvres de sa mère. Quand j'entends des compliments du genre: «Tu devrais mettre de l'ombre à paupières plus souvent; ça fait vraiment ressortir tes yeux», ou – mon préféré – «Tu as tellement meilleure mine aujourd'hui», j'ai envie de demander si je ressemble d'habitude à un épouvantail.

En revanche, je me refuse à utiliser du fond de teint. Me peinturlurer toute la figure, merci bien. J'ai une bouteille de vernis transparent, mais pas pour mes ongles: pour stopper les échelles sur mes collants. En principe, j'en bousille une paire par jour.

Debout devant le miroir en pied de ma chambre, j'enfilai le haut que je venais d'acheter. Il n'y avait pas de dos: seulement un nœud dans la nuque et un autre dans les reins. Pas mon genre, mais pas trop vilain non plus. Une jupe noire avec des poches. Je les avais fendues pour dégainer facilement les deux couteaux fixés à mes cuisses dans leur fourreau.

Je n'ai pas encore trouvé de moyen de porter un flingue au même endroit. Malgré ce qu'on essaie de faire croire dans les films, ça donne la démarche d'un canard emmailloté dans une couche-culotte.

Une paire de collants noirs et d'escarpins en satin compléta ma tenue. Les chaussures et les couteaux mis à part, tout était neuf. Acheté spécialement pour l'occasion. Comme le minuscule sac de soirée que je comptais porter en bandoulière pour garder les mains libres. J'y fourrai mon Firestar.

L'argent de mon crucifix se détachait joliment sur mon haut, mais je doutais que les vampires me permettent d'entrer avec. Tant pis, je le laisserais dans la voiture avec le fusil à pompe et les munitions. Edward avait gentiment déposé un étui près de la table.

Qu'avait-il raconté à Mme Pringle : un cadeau pour moi ?

Edward avait dit vingt-quatre heures, mais à partir de quand ? Serait-il là à l'aube, prêt à me torturer au saut du lit ? Non. Il n'était pas plus matinal que moi. Je serais en sécurité jusqu'au début de l'après-midi.

Enfin, je l'espérais.

CHAPITRE 24

Je me garai sur une zone de stationnement interdit, juste devant le *Plaisirs coupables*. Phillip était adossé au bâtiment, les bras ballants. Il portait un pantalon de cuir noir dont la seule vue me donna des démangeaisons, et un tee-shirt en résille qui dévoilait à la fois son bronzage et ses cicatrices. Le mot « racoleur » me vint à l'esprit. Il venait de franchir la ligne invisible entre séducteur et prostitué.

Quoi qu'il ait traversé pour en arriver là, Phillip était ce qu'il était, et je devrais faire avec. Je n'étais pas une psychiatre payée pour éprouver de la compassion. La pitié, voilà bien une émotion qui risque d'être fatale. La seule chose plus dangereuse, c'est la haine aveugle, et peut-être l'amour.

Phillip s'éloigna nonchalamment du mur et s'approcha de la voiture. Je déverrouillai la portière du passager et il entra. Il sentait le cuir, un parfum coûteux et la transpiration.

Je redémarrai.

— Un peu provocant comme tenue, non ?

Il se tourna vers moi, impassible, les yeux toujours dissimulés derrière ses putains de lunettes de soleil. Sa jambe droite était pressée contre la portière, la gauche à demi repliée sur son siège.

— Prends la 70ᵉ Ouest, dit-il d'une voix rauque.

Il y a toujours un moment, quand on se retrouve seule avec un homme, où on réalise simultanément les possibilités de la situation. Où on a une conscience presque douloureuse d'une présence qui, selon son tempérament et celui de l'autre, peut engendrer de la gêne ou déboucher sur un acte sexuel.

En ce qui me concernait, l'acte sexuel était hors de question. Je regardai Phillip. Il ôta ses lunettes de soleil. Ses lèvres étaient légèrement entrouvertes, ses yeux tout près de moi.

Nous étions sur l'autoroute. Je me concentrai sur la circulation et tentai de l'ignorer. Mais je sentais son regard posé sur moi. Il se laissa glisser sur le siège, et son pantalon de cuir produisit un grincement presque animal. Son bras se glissa autour de mes épaules.

—Qu'est-ce que tu fais?

—Je te mets mal à l'aise? souffla-t-il dans mon cou. Tu me trouves trop provocant?

Je ne pus m'empêcher de rire. Il se raidit.

—Je ne voulais pas t'insulter. Je ne suis pas fan de la résille et du cuir, c'est tout.

—Ah bon? Qu'est-ce que tu préfères?

Il était beaucoup trop près, à mon goût. Je frissonnai.

—Tu veux bien rester de ton côté?

—Seulement si tu me dis ce qui t'excite, répliqua-t-il sur un ton taquin.

J'en avais assez.

—Quel âge avais-tu la première fois que Valentin t'a attaqué?

Il sursauta et se rencogna contre sa portière.

—Va te faire foutre!

—Je te propose un marché: tu ne me demandes pas de répondre à ta question, et je ne te demanderai pas de répondre à la mienne.

—Quand as-tu vu Valentin? lança-t-il d'une voix étranglée. Sera-t-il à la soirée? On m'avait promis que non.

Jamais je n'avais vu quelqu'un aussi paniqué et terrifié. Et je ne voulais pas commencer aujourd'hui. Je ne pouvais pas me permettre d'éprouver de la compassion pour Phillip. Anita Blake la dure à cuire, impassible face à un homme qui pleure.

Mon œil!

—Je n'ai pas parlé de toi à Valentin, Phillip. Je te le jure.

—Dans ce cas, comment…?

Il s'interrompit. Je lui jetai un regard en coin. Il avait remis ses lunettes. Dessous, il avait l'air infiniment fragile. Ça cassait un peu son image.

—Comment ai-je découvert ce qu'il t'a fait? J'ai payé quelqu'un pour qu'il me renseigne sur toi. C'est ce type qui m'en a parlé. Je devais savoir si je pouvais te faire confiance.

—Et alors?

—Je ne sais toujours pas.

Il prit plusieurs inspirations. Les deux premières étaient tremblantes, mais il se ressaisit très vite. Je pensai à Rebecca Miles et à ses petites mains osseuses.

—Tu peux me faire confiance, Anita. Je ne te trahirai pas. Je le jure.

La voix d'un petit garçon qui a perdu ses illusions. Je ne voulais pas le blesser, mais je savais qu'il ferait tout ce que les vampires lui ordonneraient.

La dentelle métallique d'un pont enjambait le Missouri. Des arbres se pressaient sur le bas-côté. Le ciel estival était d'un bleu délavé par la chaleur et par l'éclat du soleil.

—Où allons-nous, Phillip?

—Quoi?

Je faillis demander si la question était trop compliquée pour lui, mais je me retins. Histoire de ne pas passer de nouveau pour une brute sans cœur.

—Quelle est notre destination?

— Prends la sortie de Zumbehl et tourne à droite.

J'obtempérai. Un peu après l'échangeur, je m'arrêtai à un feu rouge et m'engageai dans l'avenue. Sur notre gauche, je vis quelques boutiques, une résidence, un jardin public, puis un cimetière et une maison de retraite. Je me suis toujours demandé si les promoteurs ont fait exprès de la construire à proximité. Pour des raisons pratiques, peut-être ?

Le cimetière est là depuis beaucoup plus longtemps que la maison de retraite. Certaines pierres tombales datent du début du xixe siècle. Il faut vraiment être sadique pour forcer des petits vieux à contempler ce qui les attend par la fenêtre de leur chambre.

Ensuite venaient un club vidéo, un magasin de vêtements pour enfants, un antiquaire, une station-service et un énorme complexe d'habitation baptisé « Sun Valley Lake ». Avec un vrai lac assez grand pour faire du bateau dessus.

Quelques pâtés de maisons plus loin commençaient les faubourgs. De petites maisons individuelles avec des jardins minuscules s'alignaient le long de la route. Ici, la vitesse est limitée à cinquante kilomètres à l'heure. Et comme ça descend, il est impossible de ne pas la dépasser à moins de freiner tout le long.

Les flics étaient-ils assez retors pour avoir installé un radar au bas de la pente ? S'ils nous arrêtaient, prendraient-ils peur à la vue de Phillip, de son tee-shirt en résille et de ses cicatrices ? Où allez-vous comme ça, mademoiselle ? Désolée, nous sommes en retard pour une soirée d'esclaves de sang. Je freinai jusqu'au bas de la pente.

Évidemment, il n'y avait pas le moindre flic en vue. Mais les buissons en auraient été pleins si j'avais dépassé la vitesse autorisée. La loi de Murphy est la seule qui s'applique systématiquement à ma vie.

—C'est la grande bâtisse sur la gauche. Gare-toi dans l'allée.

La maison était en brique sombre. Deux étages, des tas de fenêtres, au moins deux porches. Une imitation d'architecture victorienne. Un grand jardin où poussaient des arbres très vieux et où les herbes hautes donnaient l'impression que l'endroit était abandonné. L'allée en gravier serpentait jusqu'à un garage moderne, qui ne choquait pourtant pas près de la maison. C'était presque réussi.

Il n'y avait que deux voitures pour le moment.

—Ne quitte pas le salon avec quelqu'un d'autre que moi, me recommanda Phillip. Sinon, je ne réponds de rien. J'ai raconté que c'était à cause de toi que j'avais manqué autant de soirées. J'ai laissé entendre que nous étions amants, et que je t'avais… (Il chercha l'expression juste.) … travaillée au corps jusqu'à ce que tu acceptes de venir.

—Travaillée au corps?

Je coupai le contact. Malgré ses lunettes, je sentais le poids de son regard posé sur moi.

—Tu as survécu à une attaque réelle. Tu n'es pas accro aux vampires, mais j'ai bon espoir de te convertir. D'où ta présence ce soir.

—Tu as déjà fait ça pour de vrai?

—Tu veux dire, livré mes petites amies?

—Oui.

—Tu n'as pas une très haute opinion de moi, pas vrai? Que pouvais-je répondre?

—Si nous sommes amants, ça signifie que nous devrons faire semblant toute la soirée.

Il sourit. Le séducteur revenait à l'assaut, comme si un interrupteur venait de basculer en lui.

—Salaud.

Il haussa les épaules.

—Je ne vais pas te jeter sur le canapé pour te violer, si c'est ce qui t'inquiète. Contente-toi de faire comme moi. Si quelque chose te gêne, nous en parlerons.

—Nous n'en parlerons pas, coupai-je fermement. Tu arrêteras, un point c'est tout.

—Tu risques de bousiller notre couverture et de nous faire tuer, dit-il.

J'ouvris ma portière. La chaleur m'enveloppa aussitôt comme une seconde peau. Dans les arbres, des cigales chantaient.

Phillip contourna la voiture, ses bottes crissant sur le gravier.

—Tu devrais laisser ta croix ici.

Je m'y attendais, mais ça ne me plaisait pas pour autant. J'ôtai la chaîne et la fourrai dans la boîte à gants en me penchant par-dessus les sièges. Après avoir verrouillé la portière, je ne pus m'empêcher de porter une main à mon cou. Sans mon crucifix, je me sentais toute nue.

Phillip me tendit la main, et je la pris après un instant d'hésitation. Sa paume était moite.

La porte de derrière était ombragée par une arche de treillis blanc sur laquelle foisonnait une clématite. Les fleurs violettes étaient aussi grosses que ma main.

Une femme se tenait sur le seuil, dissimulée à la vue des voisins et des passants. Elle était engoncée dans un porte-jarretelles noir avec des bas assortis. Un ensemble culotte et soutien-gorge pourpres complétait sa tenue. Ses talons aiguilles de douze centimètres flattaient ses longues jambes minces.

—Je me sens trop habillée tout à coup, murmurai-je à Phillip.

—Ça ne durera peut-être pas, répondit-il.

—À ta place, je ne parierais pas là-dessus.

Il eut le même sourire que celui que le serpent a dû adresser à Ève dans le jardin d'Éden. Tu n'as pas envie d'une belle pomme rouge, fillette ?

J'ignorais ce que Phillip essayait de me vendre, mais je n'étais pas acheteuse. Il passa un bras autour de ma taille, le bout de ses doigts effleurant le tissu cicatriciel de mon avant-bras. Il hoqueta de plaisir. Dieu du ciel, dans quel pétrin m'étais-je fourrée ?

La femme me sourit, mais ses yeux étaient rivés sur mes cicatrices. Elle passa la langue sur ses lèvres. Je vis sa poitrine se soulever d'émotion.

—« Viens dans ma chambre, propose l'araignée à la mouche. »

—Qu'est-ce que tu as dit ? demanda Phillip.

Je secouai la tête. Il ne devait sans doute pas connaître ce poème. Je ne me souvenais plus de la fin. La mouche s'en sortait-elle ? Mon estomac était noué.

La femme éclata d'un rire légèrement aviné. En montant les marches du perron, je chuchotai la réponse de la mouche.

—« C'est en vain que tu me supplies, car je sais que ceux qui s'aventurent dans ta tanière jamais n'en ressortent. »

Jamais n'en ressortent… Ça commençait mal.

CHAPITRE 25

L a femme se plaqua contre le mur pour nous laisser passer et referma la porte derrière nous. Je m'attendais qu'elle la verrouille pour nous empêcher de nous sauver, mais elle n'en fit rien.

J'écartai la main de Phillip de mes cicatrices ; il se colla contre moi et m'entraîna dans un long couloir.

Il faisait frais dans la maison. Le salon était meublé d'un canapé, de deux fauteuils et d'une bergère. Des plantes se doraient la pilule devant une baie vitrée, et la lumière du couchant projetait de longues ombres sur la moquette.

Un homme se tenait au centre de la pièce, un verre à la main. On eût dit qu'il venait de dévaliser un tanneur. Des bandelettes de cuir lui bardaient la poitrine et les bras, lui donnant l'air d'un gladiateur hollywoodien pour film un peu chaud.

Je devais des excuses à Phillip. Tout bien pesé, sa tenue était presque austère.

La maîtresse de maison lui posa une main sur le bras. Elle le griffa de ses longs ongles vernis, traçant des sillons ensanglantés dans sa chair. Phillip frissonna et resserra son étreinte sur moi. C'était ça qui l'excitait ? J'espérais bien que non.

Une grande Noire se leva du canapé. Ses seins généreux menaçaient de s'échapper de son soutien-gorge à armatures.

Une jupette rouge avec plus de trous que de tissu ondulait à chacun de ses gestes. J'aurais parié qu'elle était nue dessous.

Elle avait des cicatrices rosâtres sur le cou et sur un poignet. Une accro toute fraîche. Elle nous contourna en nous détaillant de la tête aux pieds, comme si nous étions à vendre. Sa main effleura mon omoplate et je lui fis face.

—Cette cicatrice dans votre dos… Qu'est-ce que c'est? s'enquit-elle, curieuse. Ça ne ressemble pas à une morsure de vampire.

—Un serviteur humain m'a frappée avec un pieu.

Je me gardai de préciser que c'était un des miens, et que j'avais tué le serviteur en question un peu plus tard.

—Je m'appelle Rochelle.

—Anita.

La maîtresse de maison fit courir ses ongles sur mon avant-bras. Je reculai en réprimant une folle envie de hurler. J'étais une chasseuse de vampires, une dure à cuire. De simples égratignures ne m'effrayaient pas.

Mais le regard de cette nana… Elle avait l'air de se demander quel goût j'avais, et combien de temps je durerais. Jamais une autre femme ne m'avait observée de la sorte. Ça ne me plaisait pas du tout.

—Je suis Madge, et voilà mon époux Harvey, dit-elle en désignant le gladiateur de pacotille, qui s'était rapproché de Rochelle. Bienvenue chez nous. Phillip nous a tellement parlé de vous, Anita…

Harvey voulut se glisser dans mon dos, mais je reculai vers le canapé. Ils essayaient de m'encercler comme des requins. Phillip me jeta un regard dur. Bien vu: j'étais censée m'amuser, pas me conduire comme s'ils avaient tous des maladies contagieuses.

Lequel était le moindre mal ? Une question judicieuse…

Madge se lécha les lèvres. Rochelle avança une jambe, et sa jupette s'entrouvrit sur le côté. J'avais raison : elle ne portait rien dessous. Plutôt mourir.

Ça me laissait Harvey, dont les doigts boudinés jouaient avec les clous garnissant le cuir de son kilt. Je lui adressai un sourire forcé, mais c'était toujours mieux que de faire la gueule. Il écarquilla les yeux et fit un pas en avant, une main tendue vers mon bras droit. Je me figeai et retins mon souffle.

Ses doigts effleurèrent l'intérieur de mon bras. Je frissonnai. Il dut prendre ça pour une invitation, car il se rapprocha. Nos deux corps se touchaient presque.

Je posai une main sur sa poitrine pour le tenir à distance. Ses poils étaient noirs et drus. J'ai toujours détesté les hommes façon moquette.

Son bras passa derrière mon dos. J'étais coincée. Si je reculais, je tomberais sur le canapé. Mauvaise idée. Si j'avançais, je lui tomberais dans les bras.

— Je mourais d'envie de faire votre connaissance, dit-il en souriant.

Il avait dit « mourais » comme si c'était un gros mot ou une plaisanterie que seuls de rares initiés pouvaient comprendre. Madge et Rochelle éclatèrent de rire.

Phillip n'eut pas l'air de trouver ça drôle. Il me prit par le bras et m'attira vers lui. Je me laissai aller contre sa poitrine et lui passai même les bras autour de la taille. La première fois que je me frottais contre un tee-shirt en résille. Une sensation intéressante.

— Souvenez-vous de ce que j'ai dit ! cria Phillip.

— Oui, oui. Elle est à toi, tu ne partages pas et tu n'échanges pas.

Madge s'approcha de lui en ondulant des hanches. Avec ses talons hauts, elle n'avait pas besoin de lever la tête pour le regarder.

— Tu peux bien nous la refuser, mais quand les caïds arriveront, ils te la prendront de gré ou de force.

Phillip soutint son regard jusqu'à ce qu'elle détourne la tête.

— C'est moi qui l'ai amenée, et c'est moi qui la ramènerai.

Madge leva un sourcil.

— Tu comptes te battre avec eux ? Phillip, elle est très appétissante, mais aucun hors-d'œuvre ne vaut la peine qu'on se mette les caïds à dos.

Je m'écartai de Phillip et la repoussai sans brutalité. Mais elle vacilla sur ses talons aiguilles et faillit tomber.

— Mettons les choses au clair tout de suite : je ne suis pas un hors-d'œuvre.

— Anita…, intervint Phillip.

— Mais c'est qu'elle a du caractère, railla Madge. Où l'as-tu dénichée ?

Si quelque chose me fout en rogne, c'est bien qu'on me trouve amusante quand je suis en colère. Je fis un pas vers elle.

— Quand vous souriez, ça fait ressortir les rides autour de votre bouche. Vous avez quoi : quarante-cinq ? Cinquante ans ?

— Petite garce !

— Ne me traitez plus jamais de hors-d'œuvre, Madge.

Rochelle riait sous cape, son ample poitrine tremblotant comme de la gelée au chocolat. Harvey n'avait pas bronché – Madge lui aurait arraché la tête, je suppose –, mais une lueur amusée brillait dans son regard.

Une porte s'ouvrit et se referma ailleurs dans la maison. Une femme entra. Elle devait avoir le même âge que Madge.

Des cheveux d'un blond artificiel qui sortait tout droit d'un flacon encadraient son visage bouffi. Ses petites mains grassouillettes étaient couvertes de bagues.

Elle portait un négligé noir qui balayait le sol et un peignoir en dentelle assorti, plutôt flatteur pour la silhouette. Mais pas encore assez, dans son cas. Rien n'aurait pu dissimuler son embonpoint. Elle ressemblait à une bonne maîtresse de maison. Le genre qui prépare des gâteaux et qui assiste aux réunions de parents d'élèves.

Quand elle aperçut Phillip, elle couina de plaisir et courut vers lui. J'eus à peine le temps de m'écarter pour ne pas être piétinée. Je crus que Phillip tomberait à la renverse sous le choc, mais ses jambes tinrent le coup.

— Voilà Crystal, dit Harvey.

Crystal couvrait la poitrine de Phillip de baisers et tentait de sortir son tee-shirt de son pantalon pour glisser ses mains potelées dessous. Elle ressemblait à une chienne en chaleur.

Phillip essaya de la décourager. Sans succès. Il me jeta un regard implorant, et je me souvins de ce qu'il m'avait dit.

Il ne fréquentait plus le circuit. Pourquoi avait-il arrêté ? À cause de Crystal et de femmes comme elle ? Ou de Madge aux ongles acérés ? Je l'avais forcé à m'emmener et à revenir.

Vu sous cet angle, c'était ma faute s'il était là. J'avais une dette envers lui.

Je tapotai doucement la joue de Crystal. Elle cligna des yeux, et je me demandai si elle était myope.

— Crystal, dis-je avec un sourire angélique, je ne voudrais pas être impolie, mais c'est mon petit ami que vous pelotez.

— Votre petit ami ? Il n'y a pas de petit ami qui tienne pendant nos soirées.

211

—C'est la première fois que je viens. Je ne connais pas encore les règles. Mais chez moi, il est très mal vu qu'une femme tripote le petit ami d'une autre. Attendez au moins que j'aie le dos tourné, d'accord ?

La lèvre inférieure de Crystal tremblait. Ses yeux se remplirent de larmes. J'avais été gentille, et elle allait pleurer quand même. Que faisait-elle en compagnie de ces gens ?

Madge s'approcha, lui passa un bras autour des épaules et l'entraîna un peu plus loin en lui tapotant le dos pour la réconforter.

—C'était cruel, lâcha Rochelle.

Elle s'approcha du minibar. Harvey la suivit sans me jeter un regard.

À croire que je venais de donner un coup de pied à un chiot. Phillip soupira et se laissa tomber sur le canapé. Il cacha ses mains entre ses genoux. Je m'assis près de lui en tirant sur ma jupe.

—Je ne tiendrai pas le coup, me chuchota-t-il.

Je lui posai une main sur le bras. Il tremblait de tout son corps. Je n'avais pas mesuré ce qu'il lui en coûterait de venir à cette soirée. Mais je commençais à m'en apercevoir.

—On peut y aller.

Il tourna lentement la tête vers moi.

—Que veux-tu dire ?

—Qu'on peut y aller.

—Tu partirais sans avoir rien trouvé, juste parce que je me sens mal ?

—Disons que je te préfère en séducteur impénitent. Quand tu agis comme une personne réelle, ça me met mal à l'aise.

Phillip prit une profonde inspiration et se secoua comme un chien qui sort de l'eau.

—Je peux le faire. Si j'ai le choix, je peux le faire.

—Pourquoi, tu ne l'avais pas, avant?

Il détourna le regard.

—Je me suis senti obligé de t'accompagner, puisque tu voulais venir.

—Non, ce n'est pas ça. Quelqu'un t'a donné l'ordre l'autre jour de venir me voir, pas vrai? Tu ne t'inquiétais pas vraiment pour Jean-Claude.

Il déglutit. Une petite veine battait sur sa tempe.

—De quoi as-tu peur, Phillip? Qui te manipule?

—Anita, s'il te plaît… Je n'ai pas le droit.

—Quels sont tes ordres? insistai-je.

—Je devais veiller à ta sécurité ce soir, voilà tout.

Il se passa nerveusement la langue sur les lèvres. Il mentait.

Les roucoulements de Madge résonnèrent dans le couloir. Une maîtresse de maison si accueillante…

Elle escorta deux personnes dans le salon. La première était une femme aux courts cheveux auburn qui avait forcé sur l'ombre à paupières verte. La seconde était… Edward. Souriant de toutes ses dents, il avait passé un bras autour de la taille de Madge. Il lui chuchota quelque chose dans l'oreille, et elle éclata d'un affreux rire de gorge.

C'était si inattendu! Si Edward avait dégainé un flingue, il aurait pu me tirer comme un vulgaire pigeon d'argile pendant que je le contemplai, bouche bée. Que diable faisait-il ici?

Madge les conduisit vers le bar. Par-dessus l'épaule de sa compagne, Edward m'adressa un sourire délicat qui laissa ses yeux bleu pâle aussi vides et froids que ceux d'une statue.

Je savais que mes vingt-quatre heures n'étaient pas écoulées. Edward n'était pas là pour moi, mais parce qu'il cherchait Nikolaos. Nous avait-il suivis? Avait-il écouté le message de Phillip sur mon répondeur?

— Qu'est-ce qui ne va pas ? demanda Phillip.

— Qu'est-ce qui ne va pas ? répétai-je. Tu reçois des ordres de quelqu'un, sans doute un vampire…

J'achevai dans ma tête : et la Mort vient de se lancer sur la piste de Nikolaos. Edward ne pouvait avoir qu'une raison de la chercher. Quelqu'un l'avait engagé pour la tuer.

Cette fois, l'assassin avait peut-être rencontré son égale. J'ai toujours voulu être là le jour où Edward tomberait sur une proie dont même la Mort ne pouvait venir à bout. Mais si Edward et Nikolaos se rencontraient, et si elle soupçonnait que j'y étais pour quelque chose… Et merde ! Merde, merde, merde !

Je pourrais dénoncer Edward. Il m'avait menacée, et je savais que ça n'était pas des paroles en l'air. Il était prêt à me torturer pour obtenir des informations. Je ne lui devais rien. Mais je ne pouvais pas faire ça. Un être humain ne doit jamais en livrer un autre aux monstres. Sous aucun prétexte.

Monica avait enfreint la règle, et je la méprisais pour ça. Je dois être ce qu'Edward a de plus proche d'une véritable amie : une personne qui sait qui vous êtes, et qui vous apprécie malgré tout. Bizarrement, je l'aime bien aussi. Même si je sais qu'il est prêt à me tuer en cas de besoin.

D'accord, ça n'a pas de sens. Mais la morale (ou l'absence de morale) d'Edward n'est pas mon problème. La seule personne dont je doive affronter le regard dans la glace tous les matins, c'est moi. Les seuls dilemmes que je puisse résoudre, ce sont les miens.

Je regardai Edward faire le joli cœur auprès de Madge. Bien meilleur acteur que moi. Bien meilleur menteur, aussi.

Je ne le trahirais pas, et il le savait. À sa façon, il me connaissait. Il avait misé sa vie sur mon intégrité, et ça me foutait en rogne. Je déteste qu'on se serve de moi. Qu'on transforme ma vertu en handicap.

Mais peut-être pouvais-je utiliser Edward. Retourner son manque d'honneur contre lui, comme il retournait mon honneur contre moi.

L'idée ne me déplaisait pas.

CHAPITRE 26

La compagne d'Edward s'approcha du canapé et s'installa sur les genoux de Phillip. Elle lui passa les bras autour du cou. Ses mains ne s'aventurèrent pas plus bas, et elle ne tenta pas de le déshabiller. Il y avait du progrès !

Edward la suivait comme une ombre blonde. Il tenait un verre et affichait un sourire innocent. Si je ne l'avais pas connu aussi bien, je n'aurais jamais pensé que c'était quelqu'un de dangereux. Edward le Caméléon. Il s'installa sur l'accoudoir du canapé et posa une main sur l'épaule de la femme.

—Anita, je te présente Darlene, dit Phillip.

La femme balançait ses petits pieds dans le vide.

—Voici Teddy. N'est-ce pas qu'il est chou.

Teddy ? Chou ? Je réussis à sourire, et Edward l'embrassa dans le cou. Elle se blottit contre sa poitrine en tortillant du popotin sur les genoux de Phillip. Bel exemple de coordination.

—Laisse-moi goûter, susurra Darlene.

Phillip se mordit la lèvre.

—Vas-y.

Quelque chose me disait que je n'allais pas aimer ça du tout.

Darlene lui prit le bras et le porta à sa bouche. Elle posa un baiser sur une cicatrice, puis se laissa glisser entre ses jambes jusqu'à ce qu'elle soit à genoux sur le sol, devant lui. Sa jupe avait remonté le long de ses cuisses, révélant une culotte de dentelle rouge et un porte-jarretelles assorti.

Phillip la regarda sans enthousiasme tandis qu'elle dardait une minuscule langue rose et léchait délicatement ses cicatrices, comme un chat qui lape de la crème.

Phillip frissonna. Il ferma les yeux. D'une main, Darlene souleva son tee-shirt en résille et caressa sa poitrine nue. Il se redressa et lui saisit le poignet en secouant la tête.

— Non, non, fit-il d'une voix rauque.

— Tu veux que j'arrête? chuchota Darlene, les yeux mi-clos et les lèvres entrouvertes.

— Je ne veux pas… laisser Anita seule. Ça ne serait pas juste. C'est sa première soirée.

Darlene me regarda véritablement pour la première fois.

— Avec des cicatrices pareilles?

— Elle s'est fait attaquer pour de bon. J'ai eu du mal à la convaincre de venir. Je ne peux pas l'abandonner. Elle ne connaît pas les règles.

Phillip semblait s'être repris. Il écarta la main de Darlene, qui posa sa tête sur sa cuisse.

— Oh, Phillip, je t'en prie… Tu m'as tellement manqué!

— Tu sais ce qu'ils lui feront.

— Teddy veillera sur elle. Il connaît les règles.

Je me tournai vers Edward.

— Vous avez déjà assisté à d'autres soirées?

— Oui.

Il soutint mon regard quelques secondes. Ainsi, c'était de là qu'il tenait ses informations sur les vampires.

— Non, répéta Phillip d'une voix ferme.

Il se leva et força Darlene à en faire autant. Puis il la lâcha et me tendit la main. Je la pris. Que pouvais-je faire d'autre?

Sa paume était tiède et gluante de transpiration. Il sortit du salon à grands pas, et je dus presque courir pour ne pas m'étaler derrière lui.

Il me conduisit jusqu'à la salle de bains. Nous entrâmes. Il verrouilla la porte et s'y adossa, les yeux clos, le visage inondé de sueur. Je voulus dégager ma main, et il ne chercha pas à m'en empêcher.

Avisant les sièges disponibles, je décidai de m'asseoir sur le bord de la baignoire. Ce n'était pas très confortable, mais ça valait largement mieux que le bidet.

Phillip respirait avec difficulté. Il s'approcha de l'évier, fit couler l'eau froide et s'en aspergea le visage. Puis il se redressa et, clignant des yeux, s'observa dans le miroir.

L'eau dégoulinait dans son cou et sur sa poitrine. Je me levai et lui tendis une serviette. Il ne réagit pas. Je l'essuyai moi-même avec le tissu-éponge qui sentait l'adoucissant.

Quand j'eus terminé, ses mèches mouillées étaient plaquées sur son front.

—J'ai réussi, souffla-t-il.

—C'est vrai.

—J'ai failli la laisser faire.

—Mais tu t'es repris. C'est tout ce qui compte.

—Je suppose que oui.

Il semblait toujours hors d'haleine.

—Nous ferions mieux d'y retourner, dis-je.

Il ne bougea pas.

—Phillip, tu vas bien?

Il hocha la tête, le regard dans le vague et la respiration trop rapide.

—Tu veux partir?

—C'est la deuxième fois que tu me le proposes. Pourquoi?

Je haussai les épaules.

— Parce que tu as l'air de souffrir. Parce que tu es un drogué qui essaie de se sevrer, et que je ne veux pas tout gâcher.

— C'est très… généreux de ta part.

Il avait prononcé «généreux» comme si c'était un mot qu'il n'avait pas souvent l'occasion d'employer.

— Tu veux partir? répétai-je.

— Oui, mais nous ne pouvons pas.

— Tu l'as déjà dit. Pourquoi ne le pouvons-nous pas?

— Parce que. C'est impossible.

— Bien sûr que non. Qui te donne des ordres, Phillip? Dis-le-moi. Que se passe-t-il?

Nos poitrines se touchaient presque. Je levai les yeux vers lui et le regardai sévèrement. Il est difficile de faire le mariole quand on doit se tordre le cou pour dévisager quelqu'un. Mais ayant toujours été petite, j'ai de l'entraînement.

Il passa un bras autour de mes épaules. Je voulus le repousser, mais ses mains se nouèrent dans mon dos.

— Arrête ça.

Je posai mes mains à plat sur sa poitrine pour le maintenir à distance. Sous le tee-shirt humide, son cœur battait la chamade.

— Tu es tout mouillé.

Il me lâcha si brusquement que je titubai en arrière. D'un mouvement fluide, il ôta son tee-shirt. Sa poitrine aurait été si appétissante, sans les cicatrices…

Il fit un pas vers moi.

— On ne bouge plus! criai-je. Qu'est-ce qui te prend?

— Tu me plais. Ça ne te suffit pas?

Je secouai la tête.

— Non.

Il laissa tomber son tee-shirt et se plaqua contre moi. Je

n'avais pas beaucoup de place pour esquiver. Alors, je fis la seule chose qui me vint à l'esprit : j'entrai dans la baignoire. Pas facile avec des talons hauts mais, au moins, je n'étais plus serrée contre lui.

—Quelqu'un nous regarde, dit-il.

Je me retournai au ralenti, comme dans un mauvais film d'horreur. Un visage était pressé contre la vitre, de l'autre côté du rideau en voile. Harvey ! La fenêtre était trop haute pour qu'il ait les pieds par terre. Il avait dû monter sur quelque chose pour admirer le spectacle.

Phillip me tendit la main pour m'aider à sortir de la baignoire.

—Tu crois qu'il nous a entendus ? chuchotai-je.

Il secoua la tête.

—Nous sommes censés être amants. Tu veux vendre la mèche ?

—C'est du chantage.

Il me fit un sourire ravageur, et mon estomac se noua. Quand il se pencha vers moi, je ne me débattis pas.

Ses lèvres se pressèrent sur les miennes, douces, humides et brûlantes. Ses mains me massèrent le dos jusqu'à ce que je me détende et me laisse aller contre lui.

Il embrassa le lobe de mon oreille, puis je sentis sa langue suivre le contour de ma mâchoire. Sa bouche se posa sur la veine de mon cou. Ses dents se refermèrent dessus.

—Aïe ! criai-je en le repoussant de toutes mes forces. Tu m'as mordue !

Son regard était flou. Du sang tachait sa lèvre inférieure. Il le lécha avec une obscure satisfaction. Furieuse, je portai une main à mon cou.

—Je crois que Harvey nous a crus. À présent, tu es marquée. (Il prit une inspiration tremblante.) Je n'aurai plus besoin de te toucher ce soir, et je veillerai à ce que personne d'autre ne le fasse. Je te le jure.

Mon cou me faisait mal.

— Sais-tu combien de germes contient la bouche humaine ? dis-je, hors de moi.

Il eut un vague sourire.

— Non.

Je le bousculai et m'approchai du lavabo pour rincer la plaie. On distinguait parfaitement la trace de ses dents.

— Ne refais jamais ça !

— Nous devons y retourner pour que tu puisses chercher des indices…

Il avait ramassé son tee-shirt. Avec sa poitrine nue, son pantalon en cuir et ses lèvres gonflées comme s'il venait de sucer quelque chose, il ressemblait à une pub pour un service d'escort boys.

Je voulais me mettre en colère contre lui, mais je n'y arrivais pas. J'avais peur de ce qu'il était… ou qu'il n'était pas. Je ne m'étais pas attendue à ça. Avait-il raison ? Serais-je en sécurité pour le reste de la soirée ? Ou voulait-il seulement savoir quel goût j'avais ?

Il ouvrit la porte et attendit. Je sortis.

Alors que nous revenions vers le salon, je m'avisai qu'il n'avait pas répondu à ma question. Pour qui travaillait-il ? Je l'ignorais toujours.

Je trouvais embarrassant que ma cervelle s'inscrive aux abonnés absents dès qu'il enlevait sa chemise. Mais c'était fini. Phillip aux multiples cicatrices venait de me donner son premier et son dernier baiser. À partir de maintenant, la tueuse de vampires dure à cuire ne se laisserait plus distraire par ses yeux ou par ses tablettes de chocolat.

Mes doigts effleurèrent la trace de morsure. C'était douloureux. S'il s'approchait encore de moi, j'allais lui faire vraiment mal. Mais le connaissant, il risquait d'aimer ça.

CHAPITRE 27

M adge nous intercepta dans le couloir. Elle tendit une main vers mon cou, mais je lui saisis le poignet.

—Chatouilleuse ? gloussa-t-elle. Vous n'avez pas aimé ? Ne me dites pas que vous êtes avec Phillip depuis plus d'un mois et qu'il ne vous avait jamais goûtée.

Elle baissa la bretelle de son soutien-gorge pour révéler le haut de son sein droit. Une trace de morsure se détachait sur sa chair pâle.

—C'est la marque de Phillip. Vous ne le saviez pas ?

—Non.

J'entrai dans le salon. Un homme que je ne connaissais pas tomba à mes pieds. À cheval sur lui, Crystal le clouait au sol. Il avait l'air jeune et légèrement effrayé.

Il leva les yeux vers moi. Je crus qu'il allait me demander de l'aide, mais Crystal l'embrassa goulûment, comme si elle voulait lui avaler la langue. L'homme souleva les plis soyeux de son déshabillé. Ses cuisses incroyablement blanches évoquaient des baleines échouées.

Je me détournai et avançai vers la porte, mes talons claquant sur le plancher de bois poli. On aurait dit que je courais. Alors que je marchais seulement très vite.

Phillip me rattrapa devant la porte et posa une main dessus pour m'empêcher de l'ouvrir, Je pris une profonde inspiration. Pas question de perdre mon sang-froid.

— Je suis désolé, Anita, mais c'est mieux ainsi. Les humains ne te toucheront plus.

Je secouai la tête.

— Tu ne comprends pas. J'ai besoin d'air. Je ne vais pas m'en aller, si c'est ce que tu crains.

— Je t'accompagne.

— Non. Ça ne servirait à rien, puisque tu es une des personnes dont je souhaite m'éloigner un moment.

Il laissa retomber son bras et recula, l'air blessé. Du diable si je savais pourquoi. Du diable si je voulais le savoir.

J'ouvris la porte, et la chaleur m'enveloppa comme un manteau de fourrure.

— Il fait nuit. Ils ne tarderont pas à arriver. Je ne peux pas t'aider si je ne suis pas avec toi.

— Très franchement, Phillip, je ne compte pas beaucoup sur ta protection. Au premier vampire qui te fera signe, tu oublieras tout le reste.

Son visage se plissa comme s'il allait se mettre à pleurer.

— Putain, Phillip, ressaisis-toi.

Je sortis sous le porche, résistant à l'envie de claquer la porte derrière moi. C'eût été puéril. Mieux valait économiser ma colère : je ne savais pas quand elle pourrait m'être utile.

Le chant des cigales et des criquets emplissait la nuit. Le vent agitait la cime des arbres mais ne descendait pas jusqu'au sol. À ma hauteur, l'air était aussi épais et gluant que du plastique.

J'effleurai la morsure dans mon cou, me sentant salie et trahie. Je ne découvrirais rien ici. Si quelqu'un éliminait les vampires qui participaient à ces soirées, ça ne me dérangeait pas vraiment. Mais Nikolaos attendait de moi que j'identifie ce tueur en série. Et il valait mieux ne pas la décevoir.

Je pris une profonde inspiration et sentis les premiers

frémissements de pouvoir. Comme une brise qui soufflerait entre les arbres, mais dont le contact ne rafraîchirait pas la peau. Mes cheveux se hérissèrent sur ma nuque. Quelqu'un de puissant relevait un mort.

Malgré la chaleur, il avait beaucoup plu, et mes talons s'enfonçaient dans l'herbe. Je dus marcher sur la pointe des pieds pour ne pas rester engluée.

Plus loin, le sol était jonché de glands. Je glissai et heurtai le tronc d'un arbre avec l'épaule qu'Aubrey avait si joliment couverte de bleus.

Un bêlement aigu paniqué résonna près de moi. Il s'acheva sur un gargouillis.

J'atteignis le bout de la rangée d'arbres. Au-delà, le jardin était dégagé et illuminé par le clair de lune. Il n'y avait personne.

J'ôtai un de mes escarpins et tâtai le sol du bout du pied. Froid et humide, mais ça pourrait aller. J'enlevai mon autre chaussure, les pris toutes les deux dans ma main et courus en direction de la haie négligée qui bordait la propriété. S'il y avait une tombe, elle devait être derrière.

Le rituel qui permet de relever les morts est assez court. Je sentais le pouvoir du réanimateur se déverser dans la nuit, m'attirant vers lui. Mais les arbustes n'avaient pas été taillés depuis longtemps ; ils étaient si denses que je ne pus pas me glisser entre eux.

Un homme cria. Puis une femme s'exclama :

—Où est-il ? Où est le zombie que tu nous avais promis ?

—Le corps est trop vieux, fit une voix masculine paniquée.

—Tu as dit qu'un poulet ne suffirait pas, alors nous t'avons apporté une chèvre. Mais, apparemment, ça ne suffit toujours pas. Je croyais que tu étais doué.

225

Je découvris un portillon de métal rouillé. Les gonds grincèrent quand je le poussai, appuyant dessus de tout mon poids.

Une dizaine de paires d'yeux se tournèrent vers moi. Des visages pâles et immobiles de morts-vivants. Des vampires. Ils étaient debout entre les pierres tombales d'un petit cimetière de famille.

Le plus près de moi était le Noir que j'avais rencontré dans l'antre de Nikolaos. Les battements de mon cœur s'accélérèrent, et je balayai la foule du regard. Dieu merci, elle n'était pas là.

— Tu es venue regarder… réanimatrice?

Il avait failli dire «Exécutrice». Était-ce un secret?

Il fit signe aux autres de reculer pour me laisser voir le spectacle.

Zachary gisait sur le sol, sa chemise imbibée de sang. Theresa le contemplait, les mains sur les hanches. Ses vêtements noirs dévoilaient sur son ventre une bande de peau blanche qui luisait doucement au clair de lune. Theresa, Maîtresse des Ténèbres. Elle me jeta un bref coup d'œil, puis se tourna vers Zachary.

— Alors? Où est notre zombie?

Il déglutit.

— Le corps est trop vieux, répéta-t-il. Il n'en reste pas assez.

— Un siècle à peine. Es-tu vraiment si minable?

Zachary enfonça ses doigts dans la terre meuble. Il leva les yeux vers moi, puis les baissa rapidement. Qu'essayait-il de me dire?

— À quoi sert un réanimateur incapable de relever les morts? continua Theresa.

Elle se laissa tomber à genoux près de lui et posa les mains sur ses épaules. Zachary frémit mais ne tenta pas de s'enfuir.

Derrière moi, je sentis les autres vampires se tendre, prêts à bondir. Ils allaient le tailler en pièces. Son échec n'était qu'un prétexte.

Theresa déchira la chemise de Zachary et la baissa le long de ses bras. La brise agita les pans de tissu toujours coincés dans sa ceinture. Un soupir d'anticipation collectif monta de l'assistance.

Une tresse de fils de chanvre ornée de petites perles était nouée autour du biceps de Zachary. Un grigri vaudou. J'ignorais à quoi il servait, mais il ne pourrait plus le sauver.

—Peut-être juste à nous nourrir? reprit Theresa assez fort pour que tout le monde l'entende.

Les vampires approchèrent en silence.

Je ne pouvais pas rester là les bras ballants. Zachary était un réanimateur, et surtout un être humain. Pas question que je le laisse mourir sous mes yeux.

—Attendez!

Personne ne parut m'entendre. Les vampires fermèrent le cercle, dissimulant Zachary. Si un seul d'entre eux le mordait, la vue et l'odeur de son sang les rendraient fous. J'avais déjà assisté à ce genre de scène. Une de plus, et j'étais condamnée aux cauchemars à perpétuité.

Je haussai la voix en espérant qu'ils m'écoutent.

—Attendez! N'appartient-il pas à Nikolaos? Il l'appelle « maîtresse »…

Ils hésitèrent, puis s'écartèrent pour laisser passer Theresa.

Elle s'approcha de moi.

—Ça ne te regarde pas.

Je soutins son regard sans frémir. Voilà un problème dont je n'avais plus à me soucier depuis que Jean-Claude m'avait marquée. C'était toujours ça de pris.

— Tu veux partager son sort?

Délaissant Zachary, les vampires se déployèrent autour de moi. Je les laissai faire. D'ailleurs, je ne voyais pas comment j'aurais pu les en empêcher. Ou je nous sortirais d'ici vivants tous les deux, ou je mourrais avec lui.

Il faut bien casser sa pipe un jour ou l'autre.

— Je veux lui parler. D'un professionnel à un autre.

— Pourquoi?

Je fis un pas en avant pour me planter devant Theresa. J'étais en train de la rabaisser devant les autres. Je le savais, et elle ne l'ignorait pas.

— Nikolaos vous a peut-être ordonné de le tuer, mais elle me veut vivante. Quelle serait votre punition si je mourais accidentellement ce soir? Voulez-vous passer le reste de votre éternité enfermée dans un cercueil bardé de croix?

Theresa grogna et recula comme si je l'avais frappée.

— Maudite sois-tu, mortelle! cracha-t-elle. Parle-lui si tu y tiens tant que ça. Mais, s'il ne parvient pas à relever ce zombie, il sera à nous. C'est Nikolaos qui l'a dit.

— S'il réussit, vous le laisserez partir sans lui faire de mal?

— Oui, mais il en est incapable. Il n'est pas assez fort.

— Nikolaos comptait là-dessus, pas vrai?

Theresa eut un rictus qui dévoila ses crocs.

— Ouiiii, grinça-t-elle.

Elle me tourna le dos et s'éloigna à grands pas furieux. Ses congénères s'écartèrent comme des pigeons apeurés. Moi, je venais de lui tenir tête. Parfois, la bravoure et la stupidité sont impossibles à distinguer l'une de l'autre.

Je m'agenouillai près de Zachary.

— Vous êtes blessé ?

Il secoua la tête.

— J'apprécie votre intervention, mais ils ont l'intention de me tuer. Et vous ne pourrez rien faire pour les en empêcher. Vous avez vos limites…

— Nous pouvons relever ce zombie si vous me faites confiance.

Il fronça les sourcils. Je n'arrivais pas à déchiffrer son expression. De l'étonnement, mais aussi quelque chose d'autre.

— Pourquoi ?

Que pouvais-je répondre ? Que je ne voulais pas le voir mourir ? Il avait regardé Nikolaos torturer un homme sans lever le petit doigt.

— Mon bon cœur me perdra, grommelai-je.

— Je ne vous comprends pas, Anita.

— Moi non plus. Vous pouvez vous lever ?

— Oui. Que mijotez-vous ?

— Nous allons partager nos dons.

— Vous pouvez servir de focus ?

— Je l'ai déjà fait deux fois.

Deux fois avec la même personne. Celle qui m'avait enseigné le métier. Jamais avec un étranger.

Il baissa la voix.

— Vous êtes certaine de vouloir faire ça ? murmura-t-il, incrédule.

— Faire quoi : vous sauver ?

— Non. Partager votre pouvoir.

Theresa s'approcha de nous.

— Assez, réanimatrice ! Il a échoué, et il en paiera le prix. Va-t'en… À moins que tu veuilles participer à notre festin.

—Il n'a pas encore échoué. Il réussira, et vous serez forcés d'aller vous nourrir ailleurs.

—Tu es folle.

—On me l'a déjà dit. Je ne fais plus attention.

—Veux-tu vraiment mourir?

Je me relevai très lentement, furieuse.

—Quelqu'un me tuera peut-être avant la fin de cette histoire, Theresa… (Je marchai sur elle, les poings serrés. Elle recula.) Mais ça ne sera pas vous.

Était-il possible qu'elle ait peur de moi? Je venais de tenir tête à une vampire vieille de plus d'un siècle, et c'était elle qui avait cédé. La tête me tournait. Je me sentais désorientée, comme si on venait de modifier sans m'en avertir toutes les lois qui gouvernent la réalité.

Theresa me tourna le dos.

—S'il échoue, je boirai votre sang à tous les deux, menaça-t-elle.

Elle avait l'air sincère.

Je m'ébrouai comme un chien qui sort de l'eau. J'étais cernée par des vampires – treize à la douzaine – et j'avais un cadavre d'une centaine d'années à relever. Je peux jongler avec un million de problèmes à la fois. Un million plus un, ça commence à faire beaucoup.

—Relevez-vous, Zachary. Il est temps de se mettre au boulot.

Il obéit.

—C'est la première fois que je travaille avec un focus. Il faudra me dire ce que je dois faire.

Chapitre 28

L a chèvre gisait sur le flanc, la blancheur nue de sa colonne vertébrale scintillant sous le clair de lune et du sang suintant encore de la plaie béante. Ses yeux vitreux avaient roulé dans leurs orbites, et sa langue pendait hors de sa gueule.

Plus un zombie est ancien, plus il faut une mort importante pour le relever. C'est pour ça que j'évite les gens décédés depuis plus d'un siècle. Après si longtemps, il ne reste de leur corps que de la poussière et quelques fragments d'os, si on a de la chance. Ils se reforment pour sortir de la tombe. À condition de disposer du pouvoir nécessaire.

La plupart des réanimateurs ne l'ont pas. Moi, si. Mais j'ai choisi de ne pas l'utiliser, au grand dam de Bert. Plus un zombie est ancien, plus la boîte peut établir une facture élevée. Ce boulot-là aurait dû me rapporter au moins vingt mille dollars. Mais je doutais fort d'être payée ce soir, sauf si on considère que rester en vie pour voir le soleil se lever est un salaire suffisant.

Zachary se rapprocha de moi. Il avait arraché les lambeaux de sa chemise. Au-dessus de son torse mince et pâle, son visage n'était qu'ombres et chair blanche, ses pommettes hautes se découpant comme l'entrée de deux grottes jumelles.

— Et maintenant ? demanda-t-il.

La carcasse de la chèvre gisait dans le cercle de sang qu'il avait tracé un peu plus tôt. Bon.

— Apportez tout ce qu'il nous faudra dans le cercle.

Il revint avec un long couteau de chasse et un pot de confiture plein d'un onguent légèrement phosphorescent. Moi, je préfère les machettes. Mais le couteau était énorme, avec une lame dentelée et une pointe scintillante. Propre et bien aiguisé. Zachary prenait soin de ses outils. Un bon point pour lui.

— Nous ne pouvons pas tuer cette chèvre deux fois. Qu'allons-nous utiliser ?

— Nous.

— Comment ?

— Nous allons nous couper pour avoir du sang frais…

— Ça nous affaiblira, et nous ne pourrons plus continuer, dit Zachary.

Je secouai la tête.

— Nous avons déjà le cercle. Il suffit d'en refaire le tour. Inutile de le redessiner.

— Je ne comprends pas.

— Je n'ai pas le temps de vous expliquer les principes métaphysiques de la réanimation. Chaque blessure est une petite mort. Nous offrirons au cercle une mort mineure pour le réactiver.

— Je ne comprends toujours pas, avoua Zachary.

Je pris une profonde inspiration et m'avisai que c'était impossible à expliquer. Comme le mécanisme de la respiration. On a beau le décomposer en étapes, on n'arrive pas à exprimer la sensation qu'on ressent quand l'air pénètre dans les poumons.

— Je vais vous montrer.

Je tendis la main. Il hésita et me présenta le couteau, manche en premier. L'arme n'était pas bien équilibrée, mais elle n'avait pas été conçue pour être lancée.

J'appuyai le tranchant de la lame sur mon bras gauche, au-dessous de ma cicatrice en forme de croix. Du sang rouge foncé coula. Ça brûlait. J'expirai lentement et rendis le couteau à Zachary.

— Faites la même chose. Au bras droit, pour que chacun de nous soit comme le reflet de l'autre dans un miroir.

Il s'entailla rapidement le bras.

— Agenouillez-vous avec moi.

Il obtempéra. Un homme capable de suivre des instructions. Ce n'était déjà pas si mal.

Je pliai mon bras gauche et le levai pour que le bout de mes doigts soit à la hauteur de ma tête et le coude à celle de mon épaule. Zachary m'imita.

— Maintenant, nous allons poser nos mains l'une contre l'autre pour que nos sangs se mélangent.

Immobile, il hésita.

— Que se passe-t-il ?

Il secoua la tête et me prit la main. Son avant-bras était plus long, mais ça irait quand même.

Sa peau était désagréablement froide. Je levai les yeux vers son visage mais ne pus deviner à quoi il pensait. Je pris une inspiration purificatrice et me lançai.

— Nous offrons notre sang à la terre. La vie pour la mort, la mort pour la vie. Relève les morts pour qu'ils boivent notre sang. Laisse-nous les nourrir ; laisse-les nous obéir.

Zachary écarquilla les yeux. Il venait de comprendre. Un souci de moins.

Je me relevai et l'invitai à en faire autant. Puis je le guidai le long du cercle.

Le pouvoir était comme un courant électrique remontant vers ma nuque. Je fixai Zachary dans les yeux. Au clair de lune, ils étaient presque argentés. Le tour du cercle achevé, nous nous retrouvâmes à l'endroit d'où nous étions partis.

Nous nous assîmes dans l'herbe imbibée de sang. Je frottai ma main droite dans celui de la chèvre et en barbouillai le visage de Zachary : son front, ses joues, son menton. Puis je laissai une empreinte sombre sur son cœur.

Le grigri vaudou ressemblait à un anneau de ténèbres passé autour de son biceps. Je sentais qu'il avait besoin de sang, mais pas de celui d'une chèvre. Je m'en soucierais plus tard. Le moment était mal choisi pour m'interroger sur les petites habitudes de Zachary.

Il me barbouilla la figure du bout des doigts comme s'il craignait de me toucher. Je sentis sa main trembler tandis qu'il effleurait mes joues, puis mon sein gauche.

Il ouvrit le pot de confiture. L'onguent était blanc avec des particules verdâtres : de la moisissure extraite d'une tombe. Fait maison. J'en passai sur le visage de Zachary, par-dessus le sang. Sa peau l'absorba.

Quand il m'enduisit la figure à son tour, je distinguai l'odeur du romarin pour la mémoire, de la cannelle et des clous de girofle pour la préservation, de la sauge pour la sagesse, et d'une herbe au parfum entêtant – peut-être du thym – pour lier le tout.

La crème était épaisse comme de la cire. Zachary ayant trop forcé sur la cannelle, l'air embauma soudain la tarte aux pommes.

Ensemble, nous barbouillâmes la pierre tombale d'onguent et de sang. Les lettres étaient à demi effacées sur la surface de marbre. Je les suivis du bout du doigt. Estelle Hewitt, née en 1800 quelque chose, morte en 1866. Il y avait une inscription sous le nom et les dates, mais le passage des ans l'avait rendue illisible. Qui était cette femme de son vivant ? Je n'avais jamais relevé de zombie dont je ne savais rien. Ce n'était pas une bonne idée.

Zachary se plaça au pied de la tombe et je restai de l'autre côté. Il me semblait qu'un lien invisible était tendu entre nous. Nous entamâmes l'incantation.

— Entends-nous, Estelle Hewitt. Sors de ta tombe. Par le sang, par la magie et par l'acier, nous t'appelons. Relève-toi, Estelle. Viens à nous.

Le regard de Zachary croisa le mien et je sentis une sorte de traction sur le fil invisible qui nous reliait. Il était très puissant. Pourquoi n'avait-il pas réussi à la relever seul ?

— Viens à nous, Estelle. Éveille-toi et viens à nous.

Nous psalmodiâmes son nom de plus en plus fort.

La terre frémit. La chèvre glissa sur le côté tandis que le sol se soulevait et qu'une main en jaillissait, griffant l'air. La femme émergea lentement de sa tombe.

Alors, je compris ce qui clochait et pourquoi Zachary n'avait pas réussi seul. Je me rappelais où je l'avais déjà vu : à ses funérailles ! Les réanimateurs sont peu nombreux. Lorsque l'un d'entre eux décède, tous vont à son enterrement. Par courtoisie professionnelle.

Je me rappelais son visage anguleux exagérément maquillé. Sur le coup, je m'étais dit qu'il ressemblait à un travelo.

Le zombie était presque sorti de sa tombe. Il s'assit par terre, haletant, les jambes toujours prisonnières du sol.

Zachary et moi nous regardions par-dessus sa tête. Bouche bée, je devais avoir l'air d'une débile profonde. Il était mort, mais ce n'était ni un zombie ni une des autres créatures dont j'avais déjà entendu parler. J'aurais parié ma vie qu'il était humain. Je venais peut-être de le faire, d'ailleurs.

Le grigri vaudou autour de son bras… Celui auquel le sang de chèvre ne suffisait pas. Que devait faire Zachary pour rester «vivant»? J'avais entendu parler de rituels capables de tromper la mort. Jusque-là, je les avais pris pour des légendes.

Estelle Hewitt avait peut-être été jolie autrefois. Mais un siècle passé sous terre, c'est très mauvais pour le teint. Sa peau était d'un blanc grisâtre hideux. Des gants maculés de boue dissimulaient ses mains. Elle portait une robe blanche en dentelle. Sans doute celle de son mariage. Doux Jésus.

Quelques mèches de cheveux noirs s'étaient échappées de son chignon pour se coller sur son visage squelettique. Tous les os saillaient, comme si sa peau n'était qu'une couche d'argile plaquée sur une charpente. Ses yeux fous étaient à demi révulsés. Au moins, ils ne s'étaient pas ratatinés comme des raisins secs. Je déteste ça.

Estelle tentait de retrouver ses esprits. Ça risquait de lui prendre un moment. Les morts récents ont souvent besoin de quelques minutes pour s'orienter, et elle était enterrée depuis plus d'un siècle.

Je contournai la tombe en prenant garde à ne pas sortir du cercle. Zachary me regarda approcher. Il n'avait pas pu relever Estelle Hewitt parce qu'il était lui-même un cadavre. Mais ça me perturbait qu'il réussisse à se débrouiller avec les morts récents. Un défunt en tirant d'autres de la tombe… Brrr.

Je levai les yeux vers lui et vis sa main se contracter sur le manche du couteau. Je connaissais son secret. Qui d'autre, à part moi? Celui qui avait fabriqué le grigri, évidemment. Et Nikolaos?

Je pressai sur les bords de ma coupure et tendis mes doigts ensanglantés vers le grigri. Zachary me saisit le poignet. Sa respiration s'était accélérée.

—Pas votre sang, dit-il.

— Celui de qui, alors?

— De gens qui ne manqueront à personne.

Dans un frou-frou de jupons, la femme que nous venions de relever s'approcha de nous.

— J'aurais dû les laisser vous tuer.

Zachary sourit.

— Peut-on tuer quelqu'un qui est déjà mort?

Je dégageai mon poignet.

— Je fais ça tout le temps.

Le zombie tendit ses doigts osseux vers moi.

— Nourrissez-le vous-même, fils de pute, grognai-je.

Zachary lui donna son bras. Estelle Hewitt s'en saisit avidement. Elle le renifla, puis le lâcha sans l'avoir goûté.

— Je ne crois pas que ce soit possible, Anita.

Bien sûr que non! Il fallait du sang frais pour achever le rituel. Zachary était mort, donc pas qualifié pour le fournir.

— Allez vous faire foutre!

Il me regarda en silence.

Une sorte de miaulement monta de la gorge du zombie. Dieu du ciel!

Je lui offris mon bras gauche. Ses doigts s'enfoncèrent dans ma chair et sa bouche se colla à la plaie comme une ventouse. Il aspira mon sang. Je réprimai un haut-le-cœur. C'était moi qui avais conclu le marché et choisi le rituel. Je ne pouvais pas reculer.

Je foudroyai Zachary du regard pendant que la créature se nourrissait. Notre zombie. Une œuvre à quatre mains. Et merde!

— Combien de gens avez-vous tués pour vous maintenir en vie? demandai-je.

— Vous n'avez pas envie de le savoir.

—Combien?

—Suffisamment.

Je me raidis et arrachai mon bras au zombie. Il lâcha un cri pitoyable, pareil à celui d'un chaton nouveau-né, et tituba en arrière. Du sang coulait sur son menton décharné et maculait ses dents. Je détournai la tête.

—Le cercle est ouvert. Le zombie vous appartient, dit Zachary.

Un instant, je crus qu'il me parlait. Puis je me souvins des vampires. Dans le noir, ils étaient tellement immobiles que je les avais oubliés. Seule créature vivante du cimetière, je devais filer de là.

Je ramassai mes chaussures et sortis du cercle. Les vampires s'écartèrent pour me laisser passer.

Seule Theresa s'avança pour me barrer le chemin.

—Pourquoi l'as-tu laissé boire ton sang? Les zombies n'en ont pas besoin.

Je secouai la tête. Ce serait plus facile de lui expliquer que de jouer à la mauvaise tête.

—Le rituel avait échoué. Nous ne pouvions pas recommencer sans offrir un autre sacrifice. Comme je n'en avais pas sous la main, j'ai utilisé mon propre sang.

Elle fronça les sourcils.

—C'était indispensable. À présent, ôtez-vous de mon chemin.

Fatiguée et nauséeuse, je n'avais plus qu'une seule idée en tête: filer. Peut-être l'entendit-elle dans ma voix. Ou avait-elle trop hâte de jouer avec le zombie pour se soucier de moi? Quoi qu'il en soit, elle s'écarta et disparut comme si le vent l'avait emportée.

Un cri étranglé résonnait derrière moi. Le zombie gardait juste assez de souvenirs pour avoir peur.

Je continuai à marcher. Un rire de gorge s'éleva, me rappelant celui de Jean-Claude. Qu'était-il donc devenu ?

Je jetai un coup d'œil par-dessus mon épaule. Les vampires avaient refermé le cercle autour d'Estelle Hewitt. Affolée, elle tentait de s'enfuir en trébuchant. Mais elle n'avait nulle part où aller.

Je franchis le portillon rouillé. Le vent s'était enfin levé. Un autre cri retentit derrière la haie. Je pris mes jambes à mon cou.

CHAPITRE 29

J e glissai sur l'herbe mouillée. Les collants ne sont pas faits pour courir.

Assise sur mon postérieur meurtri, je tentai de ne pas penser à ce que je venais de faire. J'avais relevé un zombie pour sauver la vie d'un être humain… qui était déjà mort. À présent, le zombie était torturé par des vampires. Et il n'était même pas minuit.

—Salutations, réanimatrice. Tu as une nuit très chargée, à ce que je vois, dit une voix musicale non loin de moi.

Nikolaos était debout dans l'ombre des arbres. Willie McCoy restait un peu en retrait, comme un garde du corps ou un serviteur. Plutôt un serviteur, vu sa carrure.

—Tu sembles bien agitée. Que t'arrive-t-il ? demanda Nikolaos sur un ton chantant.

La petite fille psychotique était de retour.

—Zachary a relevé le zombie. Vous ne pouvez pas invoquer ce prétexte pour le tuer.

À mon avis, elle ignorait qu'il était déjà mort. Elle ne pouvait pas lire dans les esprits, seulement leur arracher la vérité. Elle n'avait pas dû penser à demander à Zachary s'il était vivant.

J'éclatai d'un rire qui, à mes propres oreilles, ressemblait à un aboiement.

—Anita, tu vas bien ? demanda Willie.

Je hochai la tête.

— Je ne vois pas ce que la situation a de drôle, dit Nikolaos, l'air vaguement menaçant. Tu as aidé Zachary à relever ce zombie.

Dans sa bouche, ça sonnait comme une accusation.

— Oui.

J'entendis un mouvement sur l'herbe. Le bruit des pas de Willie, et rien d'autre.

Nikolaos avançait vers moi aussi silencieusement qu'un chat. Avec le sourire innocent d'une enfant sage. Mais alors qu'elle se rapprochait, je vis son masque de perfection se craqueler. Son visage semblait un peu trop long. Étais-je sur le point de découvrir sa véritable apparence ?

— Tu me fixes, réanimatrice. (Nikolaos éclata d'un rire argentin.) On dirait que tu viens de voir un fantôme.

Elle s'agenouilla en lissant son pantalon sous ses genoux, comme s'il s'agissait d'une jupe.

— As-tu vu un fantôme, réanimatrice ? Ou autre chose de plus effrayant ?

En tendant le bras, j'aurais pu la toucher.

Je retins mon souffle et mes doigts s'enfoncèrent dans la terre meuble. La peur me submergea. Son visage était si affable, si souriant. Il ne lui manquait vraiment que des fossettes.

Je me raclai la gorge.

— C'est moi qui ai relevé le zombie. Je ne veux pas qu'on lui fasse de mal.

— Les zombies n'ont pas d'esprit, dit Nikolaos.

Je la regardai, trop effrayée pour soutenir son regard, et trop effrayée pour la quitter des yeux. Je mourais d'envie de détaler.

— C'était un être humain. Je ne supporte pas qu'on le torture.

—Ils ne lui feront guère de mal. Mes pauvres petits vampires seront bien déçus. Les morts ne peuvent pas se nourrir des morts.

—Les goules, si.

—Mais qu'est-ce qu'une goule, réanimatrice? Est-ce vraiment une créature morte?

—Oui.

—Et moi?

—Aussi.

—En es-tu certaine?

Elle avait une petite cicatrice sur la lèvre supérieure. Sans doute faite avant sa transformation.

—Oui, j'en suis certaine.

Elle éclata d'un rire adorable, du genre à vous mettre le cœur en joie. Mon estomac se convulsa. Je ne pourrais plus jamais regarder les films de Shirley Temple du même œil.

—Je pense que tu mens, dit-elle en se relevant d'un mouvement fluide.

—Je veux que le zombie retourne dans sa tombe. Ce soir même.

—Tu n'es pas en position d'exiger!

À présent, sa voix était froide et très adulte. Aucun enfant n'aurait su flageller quelqu'un verbalement de cette façon.

—Je ne veux pas qu'on le torture.

—C'est bien dommage.

Que pouvais-je dire d'autre?

—Je vous en prie…

Elle baissa les yeux vers moi.

—Pourquoi est-ce si important?

Je doutais qu'elle puisse comprendre.

—Ça l'est, c'est tout.

—À quel point?

—Je ne vois pas de quoi vous voulez parler.

—Que serais-tu prête à endurer pour ton zombie?

Une boule de terreur se forma dans mon ventre.

—Je ne vois pas de quoi vous voulez parler…

—Bien sûr que si.

Je me levai à mon tour, comme si ça pouvait m'aider. J'étais plus grande que cette délicate enfant-fée. Mais plus puissante, certainement pas.

—Qu'exigez-vous de moi?

—Ne le fais pas, Anita.

Willie restait à bonne distance de nous. Plus malin mort que vivant!

—La ferme, Willie, lança négligemment Nikolaos.

Sa voix n'était pas menaçante; pourtant, il se tut comme un chien bien dressé.

Nikolaos dut surprendre mon regard, car elle expliqua:

—J'ai puni Willie pour n'avoir pas réussi à t'engager la première fois.

—Puni?

—Phillip t'a certainement parlé de nos méthodes…

—Le cercueil bardé de croix…

Elle m'adressa un sourire radieux que les ombres transformèrent en grimace.

—Willie avait très peur que je ne l'y laisse pendant des mois, voire des années.

—Les vampires ne peuvent pas mourir de faim. Je comprends le principe.

Salope! ajoutai-je dans ma tête. Chez moi, la terreur se transforme rapidement en colère. Et j'en rends grâce au Ciel.

—Tu sens le sang frais. Laisse-moi te goûter, et je sauverai ton zombie.

—Goûter, ça veut dire mordre ?

Elle éclata de rire. Ça commençait à m'énerver.

—Oui, humaine, ça veut dire mordre.

Soudain, elle fut à côté de moi. Je fis un bond en arrière.

—Mais on dirait que Phillip m'a précédée, constata-t-elle.

Un instant, je ne compris pas de quoi elle parlait. Puis je portai la main à mon cou. Sans savoir pourquoi, je me sentais mal à l'aise, comme si elle m'avait surprise nue.

—Plus personne ne me goûtera.

—Dans ce cas, laisse-moi entrer dans ton esprit. Une autre façon de se nourrir.

Je secouai la tête un peu trop vigoureusement. Plutôt mourir que subir ça. Si j'avais le choix.

Un cri résonna de l'autre côté de la haie. Estelle avait retrouvé sa voix. Je frémis comme si on l'avait giflée.

—Laisse-moi goûter ton sang, réanimatrice. Je te promets de ne pas mettre les dents. (Elle découvrit ses crocs.) Tu te laisses faire, et je me contente de sucer la plaie encore fraîche, sur ton cou.

—Le sang l'a déjà refermée en se coagulant.

Nikolaos eut un sourire angélique.

—Je la nettoierai avec ma langue.

Je déglutis. J'ignorais si je pouvais faire ça.

Un cri perçant déchira la nuit. Mon Dieu…

—Anita…, commença Willie.

—Tais-toi, ou subis mon courroux, grogna Nikolaos.

Willie se recroquevilla sur lui-même. Son visage n'était qu'un triangle blanc sous ses cheveux noirs.

—Ne t'inquiète pas pour moi. Je suis une grande fille.

Il me regardait d'un air paumé. Pauvre Willie !

—À quoi cela va-t-il vous servir ? demandai-je à Nikolaos.

—À rien, répondit-elle en tendant une petite main pâle vers moi. Sauf si tu considères que la peur est une forme de nourriture.

Ses doigts glacés se refermèrent autour de mon poignet. Je me raidis mais ne me dégageai pas. J'allais la laisser faire. Mon Dieu, ayez pitié de moi.

—Le sang et la peur sont également précieux, peu importe la manière dont on les obtient.

Elle fit un pas vers moi et huma ma peau. Je voulus reculer, mais elle me tenait d'une main d'acier.

—Attendez. Je veux d'abord qu'on libère le zombie.

Elle hésita un peu.

—Très bien.

Son regard se porta bien au-delà de moi. Ses yeux pâles voyaient-ils des choses qui n'étaient pas là, ou que je ne pouvais percevoir ? Je sentis la tension de son corps.

—Theresa va les renvoyer et Zachary fera regagner sa tombe au zombie.

J'ignorais que les vampires étaient télépathes. La veille encore, je ne savais pas qu'ils pouvaient léviter. J'étais en train d'en apprendre des choses.

—Comment puis-je en être sûre ? demandai-je, méfiante.

—Tu es obligée de me faire confiance.

C'était presque drôle. Si elle avait le sens de l'humour, nous finirions peut-être par nous entendre.

Non, aucune chance !

Nikolaos me tira vers elle en me prenant par le poignet. Sa main était un étau de chair. Je ne pouvais pas me dégager. Avec une torche, peut-être… Mais j'étais à court de matos pour le moment.

Le sommet de son crâne m'arrivait sous le menton. Elle dut se dresser sur la pointe des pieds pour souffler dans mon cou. Ça aurait pu la rendre moins intimidante, mais mon œil!

Ses lèvres se posèrent sur ma peau. Je sursautai.

—Je te promets d'être très douce, gloussa-t-elle.

Je luttai contre l'envie de la repousser. J'aurais donné cher pour la frapper de toutes mes forces, rien qu'une fois. Mais je ne voulais pas mourir et, de toute façon, j'avais conclu un marché.

—Pauvre chérie, tu trembles. (Elle posa une main sur mon épaule.) Tu as froid?

—Cessez vos petits jeux. Dépêchez-vous de le faire, et qu'on n'en parle plus! criai-je.

Surprise, elle se raidit.

—Tu n'aimes pas que je te touche?

Elle était folle, ou quoi? Non, pas la peine de répondre.

—Où est ma cicatrice? demanda-t-elle lentement.

—Sur votre lèvre, dis-je sans réfléchir.

—Et comment le sais-tu?

Mon cœur fit un bond dans ma poitrine. Et merde! Je venais de l'informer que la manipulation mentale ne fonctionnait pas sur moi. Alors qu'elle aurait dû.

Ses doigts se raidirent sur mon épaule. Je réprimai un cri.

—Qu'as-tu fait, réanimatrice?

Je n'en avais pas la moindre idée, mais je doutais fort qu'elle gobe cette réponse.

—Fichez-lui la paix! cria Phillip en surgissant entre les arbres. Vous m'aviez promis de ne pas lui faire de mal ce soir!

Nikolaos ne se retourna pas.

—Willie.

Elle n'avait qu'à prononcer son nom. Comme tous les bons serviteurs, il savait ce que sa maîtresse attendait de lui.

Il fit un pas en avant et tendit un bras pour arrêter Phillip, qui le bouscula. Willie n'a jamais été un guerrier. La force vampirique ne sert à rien si on n'a pas un minimum de sens de l'équilibre.

Nikolaos me prit par le menton et me força à tourner la tête vers elle.

—Ne m'oblige pas à retenir ton attention, réanimatrice. Tu risquerais de ne pas apprécier mes méthodes.

Je déglutis avec peine. Elle avait sans doute raison.

—Vous avez toute mon attention. Parole, chuchotai-je d'une voix étranglée par la peur.

Je n'osai pas me racler la gorge de peur de lui postillonner à la figure. Ce qui n'aurait pas été une bonne idée…

De nouveau, un bruit de pas dans l'herbe. Je luttai pour ne pas détacher mon regard de Nikolaos.

Mais elle se détourna. Je la vis à peine bouger tant elle était rapide. Pourtant, elle n'avait pas utilisé ses pouvoirs de manipulation mentale.

Phillip se campa devant elle. Willie le rattrapa et le saisit par le bras, mais il n'avait pas l'air de savoir quoi en faire. Avait-il conscience qu'il pouvait le lui broyer d'un simple geste? J'en doutais fort…

Nikolaos, elle, y avait pensé.

—Lâche-le. S'il veut vraiment se frotter à moi, laisse-le faire, dit-elle.

Willie fit un pas en arrière. Phillip resta planté là, me fixant par-dessus la tête de Nikolaos.

—Tu vas bien, Anita?

—Retourne à l'intérieur! ordonnai-je. J'apprécie ton inquiétude, mais nous avons passé un accord. Elle ne me mordra pas.

—Vous m'aviez promis qu'il ne lui serait fait aucun mal.

Vous m'aviez promis, répéta Phillip en évitant de croiser le regard de Nikolaos.

— Et je tiendrai ma promesse. Comme la plupart du temps…

— Tout va bien, ajoutai-je. Ne te mets pas en danger à cause de moi.

Il hésitait. Son courage semblait l'avoir abandonné; pourtant, il ne recula pas. Un bon point pour lui. Moi, j'aurais peut-être battu en retraite.

— Retourne à l'intérieur! répétai-je.

Je ne voulais pas le voir mourir pour moi.

— Non! s'écria Nikolaos. S'il se sent d'humeur audacieuse, qu'il essaie donc de m'arrêter.

Les mains de Phillip se contractèrent comme s'il voulait agripper quelque chose.

Nikolaos apparut près de lui. Cette fois, je ne l'avais pas vue bouger. Phillip non plus, car il fixait toujours l'endroit où elle se tenait la seconde d'avant.

D'un coup de pied, elle lui faucha les jambes. Il tomba dans l'herbe et leva un regard incrédule vers elle, comme si elle venait de jaillir de nulle part.

— Ne lui faites pas de mal! hurlai-je.

Une petite main pâle se tendit vers Phillip et l'effleura à peine. Projeté en arrière, il roula sur le côté, le visage en sang.

— Nikolaos, je vous en prie!

J'avais fait deux pas vers elle. Volontairement. Je pouvais toujours sortir mon flingue. Ça ne la tuerait pas, mais ça donnerait à Phillip le temps de s'enfuir. S'il consentait à le faire.

Des cris s'élevèrent, venant de la direction de la maison. Une voix masculine brailla:

— Pervers !

— Qu'est-ce que c'est ? demandai-je.

— L'Église de la Vie éternelle nous a envoyé une délégation, répondit Nikolaos, l'air amusé. Malheureusement, je dois vous laisser. (Elle se tourna vers moi.) Comment as-tu vu ma cicatrice ?

— Je ne sais pas.

— Menteuse. Nous en reparlerons plus tard.

Puis elle s'en fut, disparaissant entre les arbres. Au moins, elle ne s'était pas envolée. Ce soir, mon cerveau n'aurait pas été en état de le supporter.

Je m'agenouillai près de Phillip. Il saignait là où elle l'avait frappé.

— Tu m'entends ?

— Oui. (Il parvint à s'asseoir.) Nous devons filer d'ici. Les fidèles sont toujours armés.

Je l'aidai à se lever.

— Ils font souvent irruption dans vos soirées ?

— Chaque fois qu'ils le peuvent.

Il ne titubait pas. Dieu merci, parce que j'aurais été incapable de le porter.

— Je vous aiderai à regagner votre voiture, dit Willie. Je sais que j'ai du culot de demander ça, mais ça vous ennuierait de me déposer ?

Je ne pus m'empêcher de sourire.

— Tu ne peux pas disparaître comme les autres ?

Il haussa les épaules.

— Je ne sais pas encore le faire.

Je soupirai.

— Oh, Willie ! Viens. Fichons le camp !

À force de le regarder dans les yeux, j'avais le sentiment qu'il était un humain comme les autres.

Phillip ne souleva pas d'objection. Alors, pourquoi avais-je l'impression que ça le dérangeait qu'un vampire nous accompagne?

Les cris redoublèrent d'intensité.

—Quelqu'un va finir par appeler les flics, dit Willie.

Bien vu! Je n'arriverais jamais à expliquer les raisons de ma présence. Prenant la main de Phillip pour garder l'équilibre, j'enfilai mes chaussures.

—Si j'avais su que je devrais fuir devant des fanatiques, j'aurais porté des baskets…

Je glissai mon bras sous celui de Phillip pour ne pas trébucher sur les glands qui jonchaient le sol. Pas le moment de me fouler une cheville.

Nous avions presque atteint l'allée de gravier quand trois silhouettes émergèrent de la maison. La première tenait une massue. Les deux autres étaient des vampires, et n'avaient pas besoin d'armes.

J'ouvris mon sac et en sortis mon flingue, que je planquai le long de ma cuisse.

—Démarre la caisse, ordonnai-je à Phillip en lui remettant mes clés. Je vais couvrir nos arrières.

—Je ne sais pas conduire, me rappela-t-il.

J'avais oublié.

—Et merde!

—Je vais le faire, proposa Willie.

Il prit les clés.

Un des vampires courut vers nous, bras écartés et sifflant entre ses crocs. Peut-être voulait-il seulement nous effrayer. Mais j'avais eu mon compte pour la nuit. J'engageai une balle dans le canon et tirai dans l'herbe, à ses pieds.

Il hésita.

—Les balles ne peuvent pas me blesser, humaine.

Il y avait du mouvement sous les arbres. Ami ou ennemi ? Je l'ignorais, et je ne savais pas si ça faisait une grosse différence.

Le vampire approchait. Nous étions dans un quartier résidentiel, et les balles peuvent parcourir une grande distance avant de toucher quoi que ce soit. Je ne voulais pas courir ce risque.

Je levai le bras, visai et tirai. Le projectile l'atteignit à l'estomac. Il sursauta et se plia en deux, l'air stupéfait.

— Des balles plaquées argent, expliquai-je aimablement.

Willie approcha de la voiture. Phillip hésitait à venir m'aider.

— Vas-y ! criai-je.

Le second vampire essayait de me prendre à revers.

— On ne bouge plus ! ordonnai-je. (Il se figea.) Le premier qui fait un geste reçoit une balle dans le cerveau.

— Ça ne nous tuera pas, grogna le premier vampire.

— Non, mais ça ne vous fera pas de bien non plus.

L'humain à la massue fit un petit pas en avant.

— Restez où vous êtes !

La voiture démarra. Sans oser regarder par-dessus mon épaule, je reculai, espérant ne pas trébucher avec mes maudites godasses. Si je tombais, ils se rueraient sur moi. Et quelqu'un mourrait.

— Viens, Anita, appela Phillip, penché par la portière du passager.

— Pousse-toi !

Il obtempéra, et je me glissai près de lui. L'humain s'élança.

— Willie !

Du gravier jaillit sous les roues de ma Nova quand elle fit un bond en avant. L'humain leva les bras pour se protéger le visage. Je claquai la portière.

Je n'avais vraiment pas envie de tuer quelqu'un ce soir…

Nous faillîmes percuter un arbre.

—Tu peux ralentir, dis-je à Willie. Nous sommes en sécurité.

Il leva le pied et tourna la tête vers moi.

—Nous avons réussi !

Je n'en étais pas si sûre.

Du sang coulait sur le visage de Phillip.

—Nous sommes en sécurité, mais pour combien de temps ? murmura-t-il.

Exactement ce que je me demandais. Je lui tapotai le bras.

—Tout ira bien.

Il leva vers moi un regard las.

—Tu n'y crois pas plus que moi.

Que pouvais-je répondre ? Il avait raison.

CHAPITRE 30

J e me tortillai pour boucler ma ceinture de sécurité.
Phillip soupira et ferma les yeux.

—Où on va? demanda Willie.

Bonne question. Je voulais rentrer me coucher, mais…

—Phillip a besoin de points de suture.

—Tu veux l'emmener à l'hôpital?

—Je vais bien, grogna Phillip.

—C'est faux, dis-je.

Il rouvrit un œil pour me regarder. Le sang avait coulé
dans son cou, laissant une trace sombre qui luisait sous la
lumière des lampadaires.

—Tu as été blessée beaucoup plus gravement hier soir.

Je tournai la tête vers la vitre, ne sachant que dire.

—Ça va mieux, maintenant.

—Moi aussi.

Je le dévisageai, perplexe.

—À quoi penses-tu?

—Je pense que j'ai tenu tête à ma maîtresse. Que j'ai
réussi. Que j'ai réussi, répéta-t-il avec une fierté mêlée de
férocité.

—Tu as été très courageux.

—Tu trouves?

Je souris.

—Oui.

— Navré de vous interrompre, mais ça ne me dit pas où nous allons, marmonna Willie.

— Déposez-moi au *Plaisirs coupables*.

— Tu devrais voir un médecin.

— Ils s'occuperont de moi, là-bas.

— Tu en es sûr ?

Phillip hocha la tête et se tourna vers moi.

— Tu voulais savoir de qui je recevais mes ordres ? De Nikolaos. Tu avais raison, le premier jour. Elle voulait que je te séduise. Je suppose que je n'ai pas été à la hauteur…

— Phillip…

— Non, ce n'est pas grave. Tu as vu juste. Je suis cinglé. Pas étonnant que tu n'aies pas voulu de moi.

Willie se concentrait sur la route comme si sa vie en dépendait. Décidément, il était beaucoup plus futé mort que vivant.

Je pris une profonde inspiration et cherchai que répondre.

— Phillip… Quand tu m'as embrassée, avant de me mordre… C'était bien.

— Vraiment ?

— Oui.

Un silence gêné tomba dans la voiture. Le seul bruit était celui des roues sur le bitume, la seule lumière, celle des lampadaires qui défilaient de chaque côté de la route.

— Tenir tête à Nikolaos est la chose la plus brave que j'aie jamais vu faire à quelqu'un. La plus stupide, aussi.

Phillip éclata de rire.

— Ne recommence pas. Je ne veux pas avoir ta mort sur la conscience.

— C'était ma décision !

— Ne joue plus les héros, d'accord ?

—Ça t'ennuierait que je meure? demanda-t-il en me jetant un regard en coin.

—Oui.

—Je suppose que c'est déjà ça.

Que voulait-il que je dise? Que je lui jure un amour éternel? Qu'attendait-il de moi? Je faillis le lui demander, mais je m'abstins. Pas assez courageuse.

Chapitre 31

Il était presque 3 heures quand je montai l'escalier de mon immeuble.

Tout mon corps me faisait mal. J'avais envie d'une douche brûlante et de me laisser tomber sur mon lit comme une masse. Avec un peu de bol, j'arriverais à dormir huit heures d'affilée sans que personne me réveille. Mais je n'aurais pas parié là-dessus.

J'avais mes clés dans une main et mon flingue dans l'autre, plaqué le long de ma cuisse, au cas où un de mes voisins serait sorti dans le couloir sans crier gare.

Pour la première fois depuis bien longtemps, ma porte était dans l'état où je l'avais laissée : fermée. Merci, mon Dieu. À cette heure de la nuit, je n'étais pas d'humeur à jouer aux gendarmes et aux voleurs.

Dès que j'eus refermé la porte, je me débarrassai de mes chaussures et titubai vers la chambre. La lumière de mon répondeur clignotait. Je posai mon flingue sur le lit, appuyai sur le bouton « lecture » et commençai à me déshabiller.

« Salut, Anita. C'est Ronnie. J'ai rendez-vous demain avec le type de HCV. À 11 heures dans mon bureau. Si ça ne te convient pas, laisse-moi un message, et je te rappellerai. Sois prudente. »

Clic.

« L'heure tourne, Anita. »

La voix d'Edward.

— Toi et tes petits jeux, vous commencez à me courir sur le haricot, grommelai-je.

De très mauvais poil, je ne voyais pas ce que j'allais faire au sujet d'Edward. Ou de Nikolaos, de Zachary, de Valentin et d'Aubrey. Tout ce que je savais, c'était que j'avais besoin d'une douche. Autant commencer par là. Peut-être une idée brillante me viendrait-elle pendant que je frotterais le sang de chèvre séché.

Je fermai la porte de la salle de bains et posai mon flingue sur l'abattant des toilettes. J'étais en train de devenir parano. Ou peut-être seulement réaliste.

Je tournai le robinet d'eau chaude à fond. Quand de la vapeur envahit la cabine, j'entrai dedans avec délectation. En vingt-quatre heures, je n'avais pas progressé d'un pouce dans l'enquête sur les assassinats de vampires.

Même si je trouvais le coupable, il me resterait pas mal de problèmes sur les bras. Aubrey et Valentin essaieraient de me tuer dès que je ne bénéficierais plus de la protection de Nikolaos. Et Zachary massacrerait des gens pour alimenter son grigri vaudou.

J'avais déjà entendu parler de charmes, exigeant des sacrifices humains. Mais ils n'accordaient rien d'aussi important que l'immortalité : juste la richesse, le pouvoir ou le sexe. En général, il leur fallait du sang spécifique : de bébés, de vierges ou de vieilles dames avec les cheveux teints en bleu et une jambe de bois.

Enfin, peut-être pas à ce point… Mais il existe toujours un lien entre les victimes. Si Zachary avait abandonné les cadavres, les journaux en auraient déjà parlé.

Je devais l'arrêter. Si je n'étais pas intervenue, les vampires se seraient chargés de lui ce soir. Moralité, aucune bonne action ne reste impunie.

Je posai les paumes sur les carreaux de la douche, laissant l'eau brûlante ruisseler le long de mon dos. D'accord. Je devais tuer Valentin avant qu'il me tue. Je disposais d'un mandat d'exécution valide, puisqu'il n'avait jamais été révoqué. Il ne restait plus qu'à trouver ce maudit vampire.

Aubrey était dangereux aussi, mais il ne me gênerait pas tant que Nikolaos le garderait enfermé dans son cercueil bardé de croix.

Je pourrais dénoncer Zachary à la police. Dolph m'écouterait.

Hélas, je n'avais pas l'ombre d'une preuve. Je ne savais même pas quel genre de magie il utilisait.

Quant à Nikolaos… Me laisserait-elle vivre après que j'eus résolu le mystère des assassinats de vampires ? Je n'en étais pas certaine.

Edward allait venir réclamer des informations. Si je ne lui donnais pas Nikolaos, ça barderait pour mon matricule. Si je parlais et qu'il ne réussisse pas à la buter, elle chercherait à se venger.

Je ne voulais même pas y penser…

Je me séchai et brossai mes cheveux. Puis j'essayai de convaincre mon estomac que j'étais trop crevée pour manger, mais il fit la sourde oreille.

Il était 4 heures quand je me couchai enfin, mon crucifix autour du cou et mon flingue dans son holster spécial, à la tête de mon lit.

Je rêvai de nouveau de Jean-Claude. Assis à une table, il mangeait des mûres.

—Les vampires ne consomment pas de solides, dis-je.

—Absolument.

Il sourit et poussa le bol de baies vers moi.

—Je déteste les mûres.

—Moi, je les ai toujours adorées. Je n'en avais pas goûté depuis des siècles, dit-il sur un ton nostalgique.

Je pris le bol. Il était glacé. Les mûres flottaient dans du sang. Je le lâchai et une quantité de sang incroyable se déversa sur le sol.

Jean-Claude m'observait par-dessus la table dégoulinante.

—Nikolaos nous tuera tous les deux. Nous devons frapper les premiers, ma petite.

—Comment ça, «nous»?

Il recueillit du sang dans ses mains en coupe et les tendit vers moi.

—Bois. Ça te rendra plus forte.

Je m'éveillai en sursaut, les yeux grands ouverts dans le noir.

—Maudit soyez-vous, Jean-Claude! Que m'avez-vous fait?

Les ténèbres ne répondirent pas. C'était toujours ça de pris.

Le réveil indiquait 6h03. Je me pelotonnai sous les couvertures. Le bourdonnement de l'air conditionné ne parvenait pas à couvrir les premiers bruits matinaux de mon immeuble.

J'allumai la radio. Un concerto de Mozart emplit la pièce. Beaucoup trop allègre, pour une berceuse. Pourtant je me rendormis presque aussitôt.

CHAPITRE 32

L e réveil hurla comme une alarme de voiture. Beaucoup trop fort. Du plat de la main, je flanquai un coup rageur sur les boutons.

Le silence revint. Je clignai des yeux en tentant de lire l'affichage numérique. Neuf heures du matin. Misère. J'avais oublié de régler le réveil.

J'avais le temps de m'habiller pour aller à l'église. Mais pas l'envie. Dieu me pardonnerait de manquer la messe, pour une fois.

Évidemment, j'avais besoin de toute l'aide possible. Peut-être aurais-je une révélation. Toutes les pièces du puzzle s'assembleraient… Pas de ricanement, c'est déjà arrivé. Je ne compte pas spécialement sur une aide d'en haut, mais je réfléchis mieux dans les églises.

Quand le monde est plein de vampires et de méchants, et que seul un crucifix vous sépare de la mort, la foi apparaît sous un jour différent.

Façon de parler…

Je m'extirpai des couvertures en grognant. Le téléphone sonna. Assise au bord du lit, j'attendis que le répondeur se déclenche.

—Anita, c'est Dolph. Nous avons découvert un autre cadavre de vampire.

Je décrochai.

— Salut, Dolph.

— Ravi de t'attraper avant la messe.

— Il est dans le même état que les autres?

— On dirait. Tu pourrais venir jeter un coup d'œil?

— Quand?

— Maintenant…

— D'accord. Donne-moi l'adresse.

Je saisis le bloc-notes et le stylo que je gardais sur ma table de nuit.

Le cadavre avait été retrouvé à un bloc du *Cirque des Damnés*.

— C'est à la limite du District. Aucun autre meurtre n'a eu lieu si loin du bord du fleuve.

— Exact, confirma Dolph.

— Il y a autre chose de différent, cette fois?

— Tu le verras sur place.

— Très bien. Je serai là dans une demi-heure.

Il raccrocha.

— À tout à l'heure, grommelai-je pour le seul bénéfice de la tonalité.

Dolph ne doit pas être du matin non plus.

Mes mains guérissaient déjà. J'avais enlevé les pansements la veille parce qu'ils étaient couverts de sang de chèvre. Comme j'avais de belles croûtes, je ne jugeai pas utile d'en remettre d'autres.

Un bandage couvrait l'entaille que je m'étais faite au couteau sur le bras gauche. J'avais un beau bleu à l'endroit où Phillip m'avait mordue. On aurait dit un suçon. Si Zerbrowski le voyait, j'en entendrais des vertes et des pas mûres. Je collai un pansement dessus. Maintenant, j'avais l'air de m'être fait sucer par un vampire. Tant pis. Que les gens s'interrogent. De toute façon, ça ne les regarde pas.

J'enfilai un polo rouge que je rentrai dans mon jean. Une paire de Nike, un holster d'épaule avec deux chargeurs de rechange, et je fus prête. J'emportai un coupe-vent jaune, pour l'enfiler au cas où la vue de mon flingue rendrait les passants nerveux. Les flics ont le droit de porter une arme bien en vue, et je bosse avec eux. Injuste que je doive me cacher!

Il y a toujours trop de gens sur les lieux d'un crime.

Je ne parle pas des curieux : je sais bien que la mort d'autrui a quelque chose de fascinant. Mais l'endroit grouille toujours de flics, en uniforme ou non. Cette fois, nous avions même droit à une camionnette de la télé, avec une énorme antenne satellite fixée sur le toit qui me fit penser à un pistolet laser géant dans un film de science-fiction des années quarante.

Jusque-là, la police était restée discrète. Mais il finit toujours par y avoir des fuites. Des assassinats de vampires, quelle aubaine pour la presse à sensation! Pas besoin de déformer l'histoire pour la rendre bizarre.

Je m'arrangeai pour maintenir la foule entre le cameraman et moi. Une journaliste aux courts cheveux blonds, vêtue d'un tailleur très classe, avait fourré un micro sous le nez de Dolph. Tant que je restais près du cadavre, j'étais en sécurité. Ils pourraient me filmer, mais pas montrer les images à la télé. Pour des raisons de décence…

Un badge plastifié avec ma photo me donne accès aux zones réservées à la police. Quand je l'épingle à mon col, je me sens très professionnelle.

Un flic en uniforme m'arrêta devant le ruban jaune et étudia mon badge quelques secondes, comme s'il doutait de son authenticité. Allait-il me laisser passer, ou appellerait-il un inspecteur pour lui demander le feu vert ?

Les bras ballants, je fis de mon mieux pour avoir l'air inoffensif. Ce n'est pas très difficile avec mon mètre cinquante-huit. Le flic souleva le ruban et me fit signe de passer. Je résistai à l'envie de le féliciter : « Brave petit gars. »

Le cadavre gisait au pied d'un lampadaire. Les jambes écartées, un bras sans doute cassé replié sous le corps. Un morceau du dos avait disparu, comme si quelqu'un y avait plongé une cuiller à glace géante pour extraire une boule de chair. Le cœur aussi devait manquer à l'appel, du moins si nous avions affaire au même meurtrier que les fois précédentes.

L'inspecteur Clive Perry était debout près du cadavre. Ce grand Noir mince est la dernière recrue de la Brigade régionale d'Investigations surnaturelles. Il parle d'une voix douce, et il est toujours si poli que j'ai du mal à comprendre comment il a pu foutre un de ses supérieurs en rogne au point qu'on l'affecte à la BRIS.

Il leva les yeux de son calepin.

— Bonjour, mademoiselle Blake.

— Bonjour, inspecteur Perry.

Il sourit.

— Le divisionnaire Storr nous a prévenus que vous passeriez.

— Les autres en ont terminé avec le cadavre ?

— Il est tout à vous.

Une flaque de sang noir s'étendait sous le corps. Je m'agenouillai pour l'examiner. Il s'était coagulé, prenant une consistance gélatineuse. Pas de rigidité cadavérique. Les vampires ne réagissent pas à la « mort » de la même façon que les humains. Du coup, il est plus difficile d'estimer l'heure ou ils ont cassé leur pipe. Mais c'est le problème du médecin légiste, pas le mien.

À en juger par sa silhouette et son tailleur pantalon noir, le cadavre était celui d'une femme. Pas évident à déterminer, vu qu'il était allongé sur le ventre avec la poitrine enfoncée et la tête en moins. Le sang avait coulé de son cou comme du vin hors d'une bouteille au goulot brisé. La peau était déchirée. On aurait dit que quelqu'un lui avait arraché la tête à mains nues.

Je déglutis. Ça faisait des mois que je n'avais pas vomi sur les lieux d'un crime. Je me relevai pour mettre un peu de distance entre le cadavre et moi.

Un être humain pouvait-il avoir fait ça? Non. Peut-être. Misère! Si c'était un être humain, il se donnait beaucoup de mal pour ne pas en avoir l'air. Sur tous les cadavres précédents, le légiste avait découvert des marques de couteau. La question: ont-elles été faites avant ou après la mort? Avions-nous affaire à un humain qui se faisait passer pour un monstre, ou à un monstre qui se faisait passer pour un humain?

—Où est la tête?

—Vous êtes sûre que ça va?

Je levai les yeux vers Perry. Je devais être toute pâle.

—Ça ira, lui assurai-je.

Moi grande chasseuse de vampires. Moi dure à cuire. Moi pas vomir à la vue de cadavres décapités.

Ouais, c'est ça!

Perry fronça les sourcils, mais il était trop bien élevé pour insister.

Il m'entraîna un peu plus loin sur le trottoir. Quelqu'un avait jeté une bâche en plastique sur la tête. Une seconde flaque de sang suintait par-dessous.

Perry s'accroupit.

— Vous êtes prête ?

Je me contentai de hocher la tête, ne voulant pas que ma voix me trahisse.

De longs cheveux noirs poisseux de sang encadraient un visage au teint pâle qui avait dû être séduisant autrefois, mais avait perdu toute expression. Mon cerveau mit quelques secondes à réagir.

— Et merde !

— Qu'y a-t-il ?

Je m'éloignai de deux pas. Perry me rejoignit.

— Vous êtes sûre que ça va ? répéta-t-il.

Je baissai les yeux sur la bâche de plastique. Non, ça n'allait pas du tout. Je savais à qui appartenait ce corps.

C'était celui de Theresa.

Chapitre 33

J'arrivai au bureau de Ronnie avec quelques minutes d'avance.

Je m'immobilisai, la main sur la poignée de la porte. Pas moyen de me débarrasser de l'image de la tête de Theresa gisant sur le trottoir. C'était une créature cruelle, qui avait sans doute tué des centaines d'humains. Pourquoi éprouvais-je de la pitié pour elle ? Parce que j'étais une imbécile, sans doute. Je respirai un grand coup et poussai la porte.

Le bureau de Ronnie est à l'angle de l'immeuble. Le soleil y pénètre par le sud et l'ouest. Dans l'après-midi, c'est une vraie fournaise malgré l'air conditionné. Les fenêtres surplombent le District.

Dans la clarté presque aveuglante, Ronnie me fit un signe de la main pour m'inviter à entrer.

Une femme d'allure délicate était assise en face d'elle. Une Asiatique aux cheveux noirs et brillants, soigneusement coiffés en arrière pour dégager son visage. Une veste pourpre assortie à sa jupe était posée sur l'accoudoir. Sa chemise de soie mauve faisait ressortir ses yeux bridés et son ombre à paupières lavande. Elle avait les jambes croisées et les mains posées sur sa poitrine. Malgré la chaleur, elle ne transpirait pas.

Je fus désarçonnée de la revoir après toutes ces années. Enfin, je fermai la bouche et m'avançai vers elle en tendant la main.

—Beverly… Ça faisait longtemps.

—Trois ans, dit-elle en se levant pour me serrer la main.

—Vous vous connaissez ? s'étonna Ronnie.

Je me tournai vers elle.

—Bev ne te l'a pas dit ?

Ronnie secoua la tête.

—Je ne l'ai pas jugé nécessaire, dit Beverly en levant les yeux vers moi.

Très peu de gens sont plus petits que moi, et ça me fait toujours bizarre de les regarder de haut. J'ai presque envie de plier les genoux pour être à leur niveau.

—Vous me dites où vous vous êtes rencontrées ? lança Ronnie.

Elle s'appuya contre le dossier de son fauteuil, qui bascula légèrement en arrière.

—Ça vous ennuie que je lui en parle ?

Bev s'était rassise d'un mouvement élégant, comme une vraie lady. Sa dignité à toute épreuve m'a toujours impressionnée.

—Si vous pensez que c'est nécessaire, je n'y vois pas d'objection.

Pas une invitation très enthousiaste, mais ça me suffisait.

Je me laissai tomber sur la chaise voisine, péniblement consciente de mon jean et de mes baskets. À côté de Bev, j'avais l'air d'une gamine mal fagotée. Je me repris. Souviens-toi, ma fille : personne ne peut te donner l'impression d'être inférieure sans ton consentement. C'est Eleanor Roosevelt qui l'a dit.

—La famille de Bev a été victime d'une meute de vampires. Elle est la seule survivante. Je faisais partie des gens qui ont détruit cette meute.

—Ce qu'Anita omet de mentionner, précisa Bev de sa

voix nette, c'est qu'elle m'a sauvé la vie et qu'elle a failli y laisser la sienne.

Je me souvins de la première fois que j'avais vu Beverly Chin. Une jambe blanche qui s'agitait sur le sol. L'éclat des crocs alors que le vampire s'apprêtait à mordre.

Un cri de terreur. Ma main plongeant un couteau à lame d'argent dans l'épaule du monstre.

Il s'était relevé d'un bond pour se jeter sur moi. Je lui avais fait face avec ma dernière arme.

Mais j'avais vidé mon chargeur depuis longtemps, et j'étais seule.

Pendant qu'il était accroupi au-dessus de moi, Beverly Chin lui avait abattu un chandelier en argent sur le crâne. Encore et encore, jusqu'à ce que le plancher soit imbibé de sang et de cervelle.

Tout cela repassa entre nous sans qu'un mot soit échangé. Chacune avait sauvé la vie de l'autre. Un lien indéfectible, bien plus que l'amitié qui peut s'estomper au fil du temps. Celui du sang, de la terreur et de la violence partagés.

—Quelqu'un veut boire quelque chose? demanda Ronnie, brisant le silence gêné.

Beverly et moi répondîmes en même temps:

—Pas d'alcool pour moi.

Nous éclatâmes de rire et la gêne se dissipa. Nous ne serions jamais vraiment proches, mais nous pouvions cesser d'être des fantômes l'une pour l'autre.

Ronnie nous apporta deux Coca Light. Je fis la grimace mais ne dis rien. Je sais très bien ce qu'elle stocke dans son mini-frigo. Nous nous disputons souvent au sujet des boissons allégées. Elle me soutient qu'elle adore leur goût. Quelle hérésie!

Bev prit le Coca et remercia d'un sourire. Peut-être était-ce ce qu'elle buvait chez elle. Moi, je préfère les trucs sucrés et caloriques.

— Ronnie m'a parlé d'un escadron de la mort rattaché à HCV, attaquai-je.

Bev baissa les yeux sur sa canette.

— Je ne suis pas certaine qu'il existe, mais je le crois.

— Vous pouvez me raconter ce que vous avez entendu ?

— Un moment, il était question de former un groupe de chasseurs pour retrouver les vampires qui ont massacré nos familles et pour les tuer comme ils le méritent. Bien entendu, le président a opposé son veto. Nous n'enfreignons pas la loi. Nous ne sommes pas des vengeurs.

Sa dernière phrase était presque une question, comme si elle tentait de s'en convaincre. Elle était ébranlée. De nouveau, son petit monde bien ordonné s'écroulait autour d'elle.

— Mais ces derniers temps… Des rumeurs ont circulé au sein de notre organisation. Certaines personnes se vantent d'avoir tué des vampires.

— Comment ?

Elle hésita.

— Je ne sais pas.

— Vous n'en avez aucune idée ? insistai-je.

Elle secoua la tête.

— Mais si c'est important, je devrais pouvoir le découvrir.

— La police a dissimulé certains détails aux médias. Des détails que seul le meurtrier doit connaître.

— Je vois. (Elle baissa les yeux, puis les releva vers moi.) Je doute que ce soit un meurtre, même s'ils ont vraiment fait ce que disent les journaux. Tuer des animaux dangereux ne devrait pas être un crime.

D'une certaine façon, j'étais d'accord avec elle.

— Dans ce cas, pourquoi avoir accepté de nous parler ?

— Parce que j'ai une dette envers vous.

— Vous m'avez sauvé la vie, vous aussi. Vous ne me devez rien.

— Il y aura toujours une dette entre nous. Toujours.

Trois ans plus tôt, Bev m'avait suppliée de ne dire à personne qu'elle avait fait éclater la tête du vampire. Même en état de légitime défense, elle était horrifiée de se savoir capable d'une telle violence. J'avais raconté aux flics qu'elle avait distrait le vampire pour me permettre de le tuer.

Ce petit mensonge me valait sa gratitude éternelle. Si personne ne savait, elle pouvait faire comme s'il ne s'était rien passé.

Elle se leva en lissant sa jupe et posa sa canette sur le bord du bureau.

— Je laisserai un message à Mlle Sims quand j'en saurai davantage.

Je hochai la tête.

— J'apprécie ce que vous faites.

Elle était peut-être en train de trahir sa cause pour moi.

Elle posa sa veste sur son bras et prit son petit sac.

— La violence n'est pas une solution. Nous devons respecter les lois. Humains Contre Vampires veut l'ordre et la justice, pas la vengeance.

Ça ressemblait à un discours appris par cœur. Mais je ne relevai pas : tout le monde a besoin de croire en quelque chose.

Elle nous serra la main. La sienne était fraîche et sèche. Puis elle sortit, les épaules très droites. À la voir, on n'aurait pas cru qu'elle avait été victime d'une violence aussi extrême. La porte se referma en silence derrière elle.

— Raconte ! me lança Ronnie. Qu'as-tu découvert ?

—Comment sais-tu que j'ai découvert quelque chose ?

—Tu étais verdâtre à ton arrivée.

—Et moi qui pensais que je le dissimulais bien…

Elle me tapota le bras.

—Ne t'inquiète pas. Je te connais, c'est tout.

Je lui racontai tout jusqu'à la mort de Theresa, n'omettant que mes rêves avec Jean-Claude. Ça, c'était privé.

Elle émit un long sifflement.

—Dis donc, tu n'as pas chômé ! Tu crois vraiment que c'est l'œuvre d'un escadron de la mort ?

—Je ne sais pas trop. Il faut une force surhumaine pour arracher une tête à mains nues.

L'image des muscles saillants de Winter s'imposa à mon esprit.

—Sous le coup du stress, il est arrivé que de petites vieilles soulèvent des voitures, dit Ronnie.

Elle n'avait pas tort.

—Ça te plairait de rendre visite à l'Église de la Vie éternelle ?

—Pourquoi, tu comptes t'y inscrire ?

Je me rembrunis. Ronnie éclata de rire.

—Je plaisantais. Pourquoi veux-tu y aller ?

—La nuit dernière, les fidèles ont débarqué dans une soirée privée avec des massues. Je ne dis pas qu'ils voulaient tuer quelqu'un, mais quand on commence à taper sur les gens… (Je haussai les épaules.) Les accidents, ça arrive.

—Tu crois que l'Église est derrière tout ça ?

—C'est une possibilité. S'ils détestent suffisamment les esclaves de sang pour les rosser, ils les haïssent peut-être assez pour les tuer.

—La plupart des membres de l'Église sont des vampires, me rappela Ronnie.

—Absolument. Donc dotés d'une force surhumaine et pouvant approcher leurs victimes sans éveiller les soupçons.

Elle sourit.

—Pas mal, mademoiselle Blake. Pas mal.

J'inclinai la tête modestement.

—Reste à le prouver…

—À moins qu'ils y soient pour rien, objecta Ronnie, les yeux pétillants de malice.

—Oh, la ferme ! Ça fait toujours une piste à explorer.

Elle écarta les mains.

—Je ne me plains pas ! Mon père m'a toujours dit qu'on ne critiquait pas les gens, à moins d'être capable de faire mieux qu'eux.

—Autrement dit, toi non plus, tu n'as pas la moindre idée de ce qui se passe, déduisis-je.

Son visage s'assombrit.

—J'aimerais bien.

Et moi donc.

Chapitre 34

L e siège de l'Église de la Vie éternelle est un peu en retrait de Page Avenue, loin du District. Les fidèles n'aiment pas qu'on les associe à la racaille. Clubs de strip-tease, *Cirque des Damnés*… Un peu choquant pour eux. Ils se considèrent comme des morts-vivants de bon goût.

L'église proprement dite se dresse sur une étendue de terrain nue. Même les mauvaises herbes ne poussent pas sur cette argile rouge. Quelques arbres maigrichons luttent pour croître et ombrager ses murs d'une blancheur étincelante dans la lumière estivale.

Je me garai sur l'asphalte noir et brillant du parking.

— Très joli, commenta Ronnie en désignant le bâtiment d'un signe de tête.

Je haussai les épaules.

— Si tu le dis. Franchement, je ne m'habitue pas à l'effet générique.

— L'effet générique ?

— Les vitraux abstraits. Pas de représentation du Christ, pas de saints, pas de symboles sacrés. Tout est propre et immaculé comme une robe de mariée à peine sortie de sa housse en plastique.

Elle sortit de la voiture en faisant glisser ses lunettes sur son nez. Les bras croisés, elle observa l'église.

—On dirait qu'ils viennent de la déballer et qu'ils n'ont pas encore eu le temps de la décorer.

—Une église sans Dieu. Moi, ça me perturbe.

—Tu crois qu'il y aura quelqu'un à cette heure de la journée ?

—Oh, oui. C'est là qu'ils recrutent.

—Recrutent ?

—Tu sais bien. Ils font du porte-à-porte comme les Mormons et les Témoins de Jéhovah.

—Tu plaisantes ? lança Ronnie.

—J'en ai l'air ?

Elle secoua la tête.

—Le vampirisme vendu au porte-à-porte… Comme c'est pratique.

Des marches blanches conduisaient à une double porte massive. Un des battants était ouvert. Sur l'autre, une pancarte clamait : « Entre, ami, et va en paix ». Je luttai contre une furieuse envie de l'arracher pour la piétiner.

Ces gens jouaient sur la peur la plus fondamentale de l'homme : celle de la mort. Tout le monde la craint. Les non-croyants ont du mal à accepter qu'il n'y ait rien après. Qu'ils cesseront simplement d'exister.

Mais l'Église de la Vie éternelle promet l'immortalité, et elle peut prouver qu'elle ne ment pas. Pas besoin d'avoir la foi. Ni d'attendre. Et pas non plus de questions sans réponses. Ça ressemble à quoi, d'être mort ? Demandez donc à votre voisin.

La vie éternelle… Et la jeunesse, aussi. Pas de lifting, pas d'affaissement général… Si on ne croit pas à l'âme, c'est plutôt une bonne affaire.

Mais si on pense que l'âme est emprisonnée dans le corps du vampire et ne peut jamais atteindre le Ciel… Ou pis encore, que les vampires sont intrinsèquement mauvais et qu'en devenir un condamne à l'enfer…

L'Église catholique considère le vampirisme volontaire comme une forme de suicide. Je suis assez d'accord. Bien que le pape ait excommunié tous les réanimateurs pratiquants. Du coup, je suis devenue épiscopalienne.

Deux rangées de bancs de bois poli montaient vers une sorte de chaire. Pas d'autel ; juste un mur bleu et nu entouré par des murs blancs et nus. Filtrant à travers les vitraux bleus et rouges, le soleil dessinait des motifs colorés sur le sol.

—C'est très paisible, fit remarquer Ronnie.

—Les cimetières aussi.

—J'étais certaine que tu dirais ça.

Je fronçai les sourcils.

—Pas de blagues. Nous sommes là pour affaires.

—Que veux-tu que je fasse exactement ?

—Juste que tu me couvres. Prends un air menaçant si tu y arrives. Cherche des indices.

—Des indices ?

—Ben oui. Des tickets de cinéma, des messages à moitié brûlés… Tu vois le genre.

—Je vois.

—Et arrête de sourire bêtement !

Elle rajusta ses lunettes de soleil et se composa une expression sévère.

Une petite porte se dressait derrière la chaire. Elle ouvrait sur un couloir moquetté. Le souffle de la clim nous enveloppa. Il y avait des toilettes sur la gauche, et une grande salle sur la droite. Peut-être l'endroit où les fidèles se réunissaient pour boire… le café… après le service.

« Services administratifs », proclamait une pancarte un peu plus loin. Nous entrâmes dans un hall de réception.

Derrière le bureau, un secrétaire aux courts cheveux bruns leva les yeux vers nous. Il portait de petites lunettes à monture métallique et arborait une trace de morsure dans le cou. Il se leva et contourna son bureau pour nous accueillir.

—Bienvenue, mes amies. Je suis Bruce. Comment puis-je vous aider ?

Sa poignée de main était ferme mais pas trop, amicale mais pas ambiguë. Comme celle d'un vendeur de voitures ou d'un agent immobilier. J'ai une petite âme à vous vendre. Elle a à peine servi. Une excellente occasion, à un prix imbattable. Faites-moi confiance. Si ses yeux avaient paru plus sincères, je lui aurais donné un biscuit pour chien et une tape sur la tête.

—J'aimerais prendre rendez-vous avec Malcolm.

Il cligna des yeux.

—Asseyez-vous.

J'obtempérai. Ronnie s'adossa au mur, près de la porte. Les mains croisées sur le bas-ventre comme un garde du corps.

Bruce nous offrit du café et regagna son siège.

—À présent, mademoiselle…

—Blake.

Il ne frémit pas. Il n'avait pas entendu parler de moi. La célébrité est éphémère.

—Mademoiselle Blake, pourquoi souhaitez-vous vous entretenir avec le chef de notre Église ? De nombreux conseillers très compétents pourront vous aider à prendre votre décision.

Je n'en doutais pas…

—Je pense que Malcolm voudra me rencontrer. J'ai des informations au sujet des assassinats de vampires.

Le sourire de Bruce se figea.

— C'est à la police que vous devriez en parler.

— Même si j'ai la preuve que les coupables font partie de vos fidèles ?

Un léger bluff ; également connu sous le nom de mensonge.

Il déglutit.

— Je ne comprends pas. Je…

— Allons, Bruce, fis-je sur un ton bienveillant. Vous n'avez pas été formé pour traiter les histoires de meurtre, je me trompe ?

— Non, mais…

— Dans ce cas, fixez-moi un rendez-vous avec Malcolm.

— Je ne sais pas. Je…

— Ne vous inquiétez pas. Malcolm est votre chef. Il se chargera de tout.

Le regard de Bruce passa de Ronnie à moi. Il feuilleta l'agenda relié cuir posé sur son bureau.

— À 21 heures, ce soir, proposa-t-il. (Il saisit un stylo et se prépara à écrire.) Votre prénom ?

— Anita. Anita Blake.

Il ne sut toujours pas qui j'étais. Et moi qui croyais être la terreur de tous les vampires de l'État et de leurs associés !

— Voilà, c'est noté, dit-il l'air troublé.

— Parfait. À ce soir.

Ronnie m'ouvrit la porte et me laissa passer. Lorsque nous eûmes regagné l'église, elle éclata de rire.

— Je crois que tu l'as perturbé.

— Pauvre chéri. Et ça veut devenir un grand méchant vampire !

Après la pénombre de l'intérieur, la lumière m'aveugla presque. Je plissai les yeux et mis une main en visière.

Du coin de l'œil, je perçus un mouvement.

—Anita! cria Ronnie.

Tout parut ralentir. J'eus le temps de détailler l'homme qui tenait un flingue dans les mains. Puis Ronnie me tira en arrière. Les balles s'enfoncèrent dans le battant, à l'endroit où je me tenais un instant plus tôt.

Ronnie se plaqua d'un côté de la porte, moi de l'autre. Mon cœur battait la chamade. J'avais conscience du moindre bruit : le frottement électrique de mon coupe-vent, les pas de l'homme qui montait les marches.

Je dégainai mon flingue. L'ombre du type se découpa sur le sol. Il n'essayait même pas de se cacher. Peut-être croyait-il que je n'étais pas armée. Il n'allait pas tarder à s'apercevoir de son erreur.

—Qu'est-ce qui se passe ici ? cria la voix de Bruce.

—N'approchez pas ! hurla Ronnie.

Je gardai les yeux rivés sur la porte ouverte. Pas question de me laisser distraire par Bruce.

L'homme entra, un revolver à la main, ses yeux sondant la pénombre. Amateur ! J'aurais pu le toucher avec le canon de mon flingue.

—Ne bougez pas, ordonnai-je.

Il tourna lentement la tête vers moi.

—Vous êtes l'Exécutrice ? demanda-t-il, hésitant.

Étais-je censée nier ? Peut-être. Sûrement, s'il était venu descendre l'Exécutrice.

—Non.

Il se tourna vers Ronnie. Et merde !

—Dans ce cas, ce doit être vous.

Il leva le bras pour viser.

—Non ! cria Ronnie.

Je tirai à bout portant dans la poitrine du type. La détonation du flingue de Ronnie fit écho à la mienne.

L'impact souleva l'homme de terre et le projeta en arrière. Une fleur de sang déploya ses pétales sur sa chemise. Il percuta la porte entrouverte et retomba sur le dos, en haut des marches. Je ne voyais plus que ses jambes.

Je tendis l'oreille. Pas de bruit à l'extérieur. Je jetai un coup d'œil de l'autre côté du battant. L'homme ne bougeait plus, mais il serrait toujours son revolver. Je visai et m'approchai de lui, prête à tirer au moindre mouvement.

Je le désarmai d'un coup de pied avant de m'accroupir pour chercher son pouls. *Nada*. Il était mort.

J'utilise des munitions capables de tuer un vampire, si j'ai de la chance et s'il n'est pas trop ancien. La balle avait fait un petit trou sur le côté de sa poitrine en entrant, mais complètement explosé l'autre côté en ressortant. Ce qui restait de son cœur aurait pu passer par le chas d'une aiguille.

L'homme avait des traces de morsure dans le cou.

Je levai les yeux vers Ronnie. Très pâle, elle s'était adossée au chambranle. La main qui tenait son flingue tremblait. Elle eut un sourire crispé.

— D'habitude, je ne me balade pas armée la journée. Mais comme on devait se voir…

— C'est une insulte ?

— Juste la réalité.

Je ne pouvais pas la contredire. Mes genoux se dérobèrent et je m'assis sur les marches de pierre froide.

Bruce apparut sur le seuil. Il était livide.

— Il… il a essayé de vous tuer, balbutia-t-il.

— Vous le connaissez ?

Il secoua très vite la tête.

— Vous en êtes certain ? insistai-je.

— Nous n'approuvons pas la violence. (Il déglutit.) Je ne l'ai jamais vu de ma vie.

Il semblait réellement effrayé. Même s'il disait la vérité, il ne devait pas connaître tous les fidèles de l'EVE.

— Appelez la police! ordonnai-je.

Il resta immobile, fixant le cadavre.

— Appelez la police, répétai-je.

Il leva vers moi des yeux vitreux. Je n'étais pas sûre qu'il m'ait entendue, mais il battit en retraite à l'intérieur.

Ronnie s'assit près de moi. De minuscules filets de sang dégoulinaient le long des marches blanches.

— Doux Jésus, chuchota-t-elle.

— Ouais. Merci de m'avoir poussée tout à l'heure.

— De rien. (Elle prit une inspiration tremblante.) Merci de l'avoir plombé avant qu'il me descende.

— Tu l'as eu aussi.

— Ne m'en parle pas.

Je la dévisageai.

— Tu vas bien?

— Non. Je crève de trouille.

— Je comprends.

Tout ce qu'elle avait à faire pour être en sécurité, c'était de ne plus traîner avec moi. J'attire les balles et les ennuis de toutes sortes. Une menace ambulante pour mes amis et mes collègues.

Ronnie aurait pu mourir aujourd'hui. Elle avait tiré une ou deux secondes après moi. Ça aurait pu lui coûter la vie. Et si elle n'avait pas été là, je serais morte. Avec une balle dans la poitrine, mon flingue ne m'aurait pas servi à grand-chose.

Au loin, j'entendis le hurlement d'une sirène de police. Les flics devaient être tout près, à moins qu'il y ait eu un autre meurtre dans les parages. Croiraient-ils qu'il s'agissait d'un fanatique obsédé par l'idée de tuer l'Exécutrice? Dolph ne goberait jamais ça.

Nous attendîmes en silence.

Que restait-il à dire?

Je me sentais vide, presque sereine. Ou engourdie. Je devais me rapprocher de la vérité, puisque des gens essayaient de me tuer. Un bon signe. En quelque sorte… Ça voulait dire que je savais un truc assez important pour justifier un meurtre.

Le problème, c'est que je ne voyais pas quoi.

CHAPITRE 35

Ce soir-là, à 20 h 45, j'étais de retour à l'église. Le ciel avait viré au pourpre. Des nuages roses s'effilochaient à l'horizon comme de la barbe à papa dans les mains de gamins impatients. La nuit tomberait dans quelques minutes. Les goules devaient déjà vaquer à leurs répugnantes occupations. Mais les vampires attendraient encore un peu.

Debout sur les marches de l'église, j'admirais le coucher de soleil. Il ne restait pas une trace de sang. La pierre était aussi blanche et immaculée que si j'avais rêvé la scène de l'après-midi.

J'avais décidé de transpirer dans la chaleur de ce mois de juillet pour pouvoir emporter tout mon arsenal. Le coupe-vent dissimulait mon 9 mm et ses chargeurs de rechange, plus un couteau le long de chacun de mes avant-bras. Mon Firestar était rangé dans son holster de cuisse, prêt à être dégainé. Je portais même un poignard à la cheville gauche.

Évidemment, rien de tout ça ne me permettrait d'arrêter Malcolm, un des maîtres vampires les plus puissants de Saint Louis. Après avoir vu Nikolaos et Jean-Claude à l'œuvre, j'aurais dit qu'il arrivait en troisième position. Pas mal du tout, vu le niveau de la concurrence. Alors, pourquoi prendre le risque d'une confrontation avec lui ? Parce que je ne voyais pas quoi faire d'autre.

Dans mon coffre-fort, j'avais enfermé une lettre exposant mes soupçons sur l'Église de la Vie éternelle. Ronnie connaissait son existence, et j'avais déposé une seconde lettre au secrétariat de Réanimateurs Inc. Sauf contrordre de ma part, elle devait être remise à Dolph le lundi matin.

Une malheureuse tentative d'assassinat contre ma petite personne et je virais parano. Ridicule !

Le parking était plein. De petits groupes de gens entraient dans l'église. Quelques-uns étaient venus à pied. Je les dévisageai avec attention. Des vampires avant la nuit ? Non, seulement des humains. De futurs convertis.

Je remontai à demi la fermeture Éclair de mon coupe-vent. Inutile d'effrayer les ouailles de Malcolm.

Une jeune femme aux cheveux bruns coiffés en vague-lettes à grand renfort de gel distribuait des imprimés sur le seuil. Un guide du service, supposai-je.

— Bienvenue, me dit-elle en souriant. C'est la première fois que vous venez ?

Je lui rendis aimablement son sourire, comme si je ne transportais pas de quoi buter la moitié de sa congrégation.

— J'ai rendez-vous avec Malcolm.

Son sourire s'élargit, creusant une fossette sur le côté de sa bouche. Elle ne devait pas savoir que j'avais tué quelqu'un aujourd'hui. Dans ces cas-là, les gens ne se montrent pas aussi chaleureux.

— Une minute. Je vais chercher quelqu'un pour finir la distribution.

Elle s'approcha d'un jeune homme, lui tapa sur l'épaule pour attirer son attention, lui chuchota quelque chose à l'oreille et lui fourra les imprimés dans les mains. Puis elle revint vers moi en lissant sa robe bordeaux.

— Si vous voulez bien me suivre…

Je déteste cette expression. Comment aurait-elle réagi si j'avais dit non ?

Le jeune homme salua un couple qui venait d'entrer. Malgré la chaleur, le mari portait un costume, la femme, un chemisier, une jupe, des sandales et un collant. Ils ressemblaient aux fidèles de n'importe quelle Église inoffensive.

Alors que je suivais mon hôtesse vers la porte du fond, j'aperçus deux punks. La fille avait des cheveux vert et rose, le type plus de tifs du tout. Il les rasait si court qu'on aurait dit qu'il avait une barbe de trois jours sur la tête.

Décidément, l'Église de la Vie éternelle attirait des gens de tous horizons. La diversité faisait sa force. Elle plaisait aux agnostiques, aux athées, aux catholiques désabusés, et à tous ceux qui ne s'étaient jamais demandé s'ils croyaient en quelque chose.

L'église était pleine à craquer, et il ne faisait pas encore nuit. Je n'en avais pas vu d'aussi remplie depuis des années, à part pour Pâques ou pour Noël. Et les vampires n'étaient pas encore là.

Un frisson courut le long de mon échine. Le véritable danger, ce n'était peut-être pas le tueur en série, mais ce qui se passait dans ce bâtiment.

Je secouai la tête et suivis la femme dans le couloir. Une table avait été dressée dans la grande salle. Plusieurs cafetières voisinaient avec un énorme saladier de punch un peu trop rouge et épais à mon goût.

— Puis-je vous offrir un café ? demanda la femme.

— Non, merci.

Elle me sourit et ouvrit la porte marquée « Services administratifs ». J'entrai. Il n'y avait personne.

— Malcolm vous rejoindra dès son réveil. Si vous le désirez, je peux attendre avec vous, dit-elle en regardant la porte.

— Je ne voudrais pas vous faire manquer le service.

De nouveau, la fossette se creusa.

— Merci. Je suis certaine que ça ne sera pas long.

Elle disparut, me laissant seule avec le bureau de Bruce et l'agenda relié de cuir. Presque trop beau pour être vrai.

J'ouvris l'agenda à la semaine précédant le premier assassinat de vampire. Bruce avait une écriture très nette. Pour chaque rendez-vous, il notait l'heure, le nom et la raison de la visite. Neuf heures, Jason McDonald, interview pour un magazine. Dix heures, entretien avec le maire sur la délinquance. Rien que de très normal pour le Billy Graham du vampirisme.

Deux jours avant le premier meurtre figurait une inscription d'une main différente. Trois heures, Ned. Pas de nom de famille ni d'explication. Je tenais enfin une piste.

Ned était un diminutif d'Edward, comme Teddy. Malcolm avait-il rencontré l'assassin des morts-vivants ? Peut-être. Ou peut-être pas. Il pouvait s'agir d'une rencontre clandestine avec un autre Ned. À moins que Bruce ait été absent et que quelqu'un d'autre ait noté le rendez-vous à sa place.

Je parcourus le reste de l'agenda aussi vite que possible. Rien de plus ne sortait de l'ordinaire.

Supposons qu'il s'agisse bien d'Edward. Malcolm l'avait reçu deux jours avant le premier meurtre.

L'avait-il engagé pour tuer d'autres vampires ? Ça paraissait logique, et pourtant… Si Edward avait voulu ma mort, il s'en serait chargé lui-même. Il ne m'aurait pas envoyé un amateur. À moins que Malcolm ait paniqué et m'ait envoyé un de ses fidèles. C'était possible.

J'étais assise sur une chaise contre le mur, en train de feuilleter un magazine, lorsque la porte s'ouvrit.

Malcolm est grand, d'une maigreur presque squelettique, avec de larges mains osseuses qui devraient appartenir à quelqu'un de plus costaud. Ses courts cheveux bouclés sont plutôt d'un blond terne. Voilà ce qui arrive quand on a passé trois siècles dans les ténèbres.

La dernière fois que je l'avais rencontré, il m'avait semblé d'une beauté parfaite. À présent, je le trouvais presque ordinaire, comme Nikolaos et sa cicatrice. Jean-Claude m'avait-il conféré le pouvoir de voir les maîtres vampires sous leur forme véritable ?

La présence de Malcolm emplissait la petite pièce comme un torrent glacial dont le niveau ne cesserait jamais de monter. D'ici neuf siècles, il pourrait rivaliser avec Nikolaos. Mais je ne serais plus là pour le voir.

Je me levai. Il portait un costume bleu marine avec une chemise bleu clair et une cravate en soie qui faisait ressortir ses yeux comme deux œufs de rouge-gorge. Il me sourit sans essayer de manipuler mon esprit. Sa crédibilité repose sur le fait qu'il ne triche pas.

— Mademoiselle Blake. Quel plaisir de vous revoir !

Il ne me tendit pas la main, certain que je refuserais.

— Bruce m'a laissé un message très confus. Quelque chose au sujet des assassinats de vampires ?

Sa voix était basse et apaisante comme le ressac de l'océan.

— J'ai dit à Bruce que je détenais la preuve que votre Église était impliquée dans cette affaire.

— C'est vrai ?

— Oui.

J'y croyais. S'il avait rencontré Edward, je tenais mon assassin.

— Vous dites la vérité. Et pourtant, je sais que c'est faux.

Je secouai la tête.

—Ce n'est pas un jeu. Utiliser vos pouvoirs pour sonder mon esprit…

Il haussa les épaules en écartant les mains.

—Je contrôle mes fidèles, mademoiselle Blake. ils n'auraient pas fait ce dont vous les accusez.

—La nuit dernière, ils ont attaqué les invités d'une soirée d'esclaves de sang. Des gens ont été blessés.

Là, je m'avançais peut-être un peu.

Malcolm fronça les sourcils.

—Une faction minoritaire de ma congrégation persiste à employer la violence. Ces soirées sont une abomination à laquelle il faut mettre un terme, mais par des moyens légaux. Je leur ai fait part de mon point de vue.

—Comment les punissez-vous quand ils vous désobéissent?

—Je ne suis ni un policier ni un prêtre pour infliger des sanctions. Mes fidèles ne sont pas des enfants. Ils disposent de leur libre arbitre.

—Ben voyons.

—Qu'insinuez-vous?

—Que vous êtes un maître vampire! Aucun ne peut s'opposer à vous. Ils font tout ce que vous leur dites de faire.

—Je n'utilise pas mes pouvoirs sur les membres de ma congrégation.

Je secouai la tête. Sa puissance glissait sur moi comme une vague. Il ne le faisait pas exprès; ça débordait juste de tous les côtés. S'en rendait-il compte?

—Vous avez eu un rendez-vous deux jours avant le premier meurtre.

Malcolm sourit sans dévoiler ses crocs.

—J'ai des tas de rendez-vous.

—Je sais que vous êtes très populaire. Mais vous devriez vous souvenir de celui-là. Vous avez engagé un assassin pour tuer des vampires.

Je sondai son visage, mais il était trop bon. Une brève lueur dansa dans ses yeux, et fut aussitôt remplacée par son inébranlable assurance.

—Mademoiselle Blake, pourquoi me regardez-vous dans les yeux ?

Je haussai les épaules.

—Si vous n'essayez pas de me manipuler, je ne risque rien.

—J'ai déjà tenté de vous en convaincre à plusieurs reprises, mais vous avez toujours joué la sécurité. Qu'est-ce qui a changé ?

Il approcha de moi si rapidement que sa silhouette se brouilla. Sans que j'aie besoin de réfléchir, mon flingue se matérialisa dans ma main.

—Ça alors, murmura-t-il.

Je le foudroyai du regard, prête à lui loger une balle dans la poitrine s'il approchait davantage.

—Vous portez au moins la première marque, mademoiselle Blake. Un maître vampire vous a touchée. Lequel ?

J'expirai lentement. Je ne m'étais pas aperçue que je retenais mon souffle.

—C'est une longue histoire.

—Je vous crois.

Soudain, il fut de nouveau debout près de la porte, comme s'il n'avait jamais bougé. Misère ! Il était vraiment doué.

—Vous avez engagé un assassin pour tuer les vampires esclaves de sang, l'accusai-je.

—Non.

Quand on pointe un flingue sur quelqu'un, et qu'il reste aussi cool, on a tendance à s'énerver.

—Vous avez engagé un assassin, répétai-je.

Malcolm sourit.

—Vous ne vous attendez pas que je le confesse ?

—Je suppose que non. Êtes-vous lié aux assassinats de vampires ?

Il faillit éclater de rire. Je ne pouvais pas l'en blâmer. Aucune personne saine d'esprit n'aurait répondu « oui ». Mais parfois, on déduit beaucoup de choses de la façon dont les gens nient. La manière dont ils mentent est presque aussi révélatrice que la vérité.

—Non, mademoiselle Blake.

—Vous avez engagé un assassin.

Cette fois, ce n'était pas une question.

Son sourire s'évanouit. Il me fixa, son pouvoir rampant sur ma peau comme un million d'insectes grouillants.

—Mademoiselle Blake, je crois qu'il est temps pour vous de partir.

—Un homme a tenté de me tuer aujourd'hui.

—Quel rapport avec moi ?

—Il avait deux morsures de vampire dans le cou.

De nouveau cette lueur dans son regard…

—Il m'attendait devant votre église. J'ai dû le tuer sur les marches.

Ce n'était pas tout à fait exact, mais je préférais éviter de mentionner Ronnie.

Malcolm se rembrunit et sa colère déferla sur moi telle une onde brûlante.

—Je n'étais pas au courant, mademoiselle Blake. Je mènerai mon enquête.

Je baissai mon flingue mais ne rengainai pas. On ne peut pas viser quelqu'un trop longtemps. D'abord, ça fait mal au bras. Ensuite, s'il n'a pas peur et nullement l'intention de vous sauter dessus, ça donne l'air plutôt crétin.

— Ne soyez pas trop dur avec Bruce. Il n'a pas l'habitude de la violence.

Malcolm se raidit et tira sur les revers de sa veste. J'avais touché un point sensible.

— Je mènerai mon enquête, mademoiselle Blake, répéta-t-il. Si c'était un membre de notre congrégation, nous vous devrons des excuses.

Je le regardai sans rien dire. Que pouvais-je bien répondre ? Merci beaucoup, c'est très aimable à vous ?

— Je sais que vous avez engagé un assassin. Ça ne ferait pas vraiment de la bonne publicité à votre Église. Je pense que vous êtes à l'origine des meurtres. Vous n'avez pas répandu le sang vous-même, mais vous en avez donné l'ordre.

— Allez-vous-en, mademoiselle Blake !

Il ouvrit la porte pour me mettre dehors.

Je sortis, le flingue toujours à la main.

— Je m'en vais… Pour le moment.

Il baissa sur moi un regard furieux.

— Vous savez ce que ça signifie d'être marquée par un maître vampire ?

Je réfléchis quelques instants et décidai de dire la vérité.

— Non.

Il eut un sourire qui me glaça le cœur.

— Vous le découvrirez très bientôt, mademoiselle Blake. Et si vous ne le supportez pas, souvenez-vous que notre Église est là pour vous aider.

Il me referma la porte au nez. Mais doucement.

— Et c'est censé vouloir dire quoi ? chuchotai-je.

Personne ne me répondit.

Rengainant mon flingue, j'avisai une petite porte marquée «Sortie». Je la pris.

Une douce lueur baignait l'église. Des bougies, peut-être? L'air nocturne charriait des voix qui chantaient sur l'air de *Bringing in the Sheaves*: «Nous vivrons pour toujours; jamais nous ne mourrons.»

Je regagnai ma voiture d'un pas rapide en m'efforçant de ne pas écouter la suite. Il y avait quelque chose d'effrayant chez ces gens qui vénéraient… Quoi? Eux-mêmes? La jeunesse éternelle? Le sang? Encore une question à laquelle je n'avais pas de réponse.

Edward était mon assassin. Mais pouvais-je le livrer à Nikolaos? Donner un humain aux monstres, même pour sauver ma peau? Deux jours plus tôt, j'aurais dit «non».

À présent, je n'en étais plus si sûre.

CHAPITRE 36

J e ne voulais pas rentrer chez moi. Edward allait venir ce soir. Si je ne lui révélais pas la cachette diurne de Nikolaos, il me torturerait pour m'arracher l'information. C'était déjà assez dur. Et maintenant, voilà que je le soupçonnais d'être mon tueur en série.

Mieux valait l'éviter. Ça ne marcherait pas éternellement, mais si je gagnais du temps, qui sait ? J'aurais sans doute un éclair de génie qui me permettrait de tout résoudre d'un coup.

D'accord, c'était peu probable. Mais espérer ne coûte rien.

Ronnie avait peut-être trouvé quelque chose d'utile. J'en avais besoin.

Je me garai dans le parking d'une station-service et me dirigeai vers une cabine téléphonique à pièces. Si je passais la nuit à l'hôtel, je parviendrais peut-être à éviter Edward.

Soupir. Si j'avais eu une preuve concrète, j'aurais appelé les flics. Mais là…

Mon répondeur se mit en marche.

«Anita, c'est Willie. Ils tiennent Phillip ! Le gars avec qui tu étais cette nuit. Et lui font passer un sale quart d'heure. Il faut que tu viennes… »

La communication s'était interrompue brutalement. Mon estomac se noua.

Clic.

« Ici tu sais qui. Tu as dû avoir le message de Willie. Viens le chercher, réanimatrice. Viens sauver ton bel amant. »

Le rire de Nikolaos emplit le combiné.

Clic.

La voix d'Edward résonna à mes oreilles quand il décrocha.

— Anita, dis-moi où tu es. Je peux t'aider.

— Ils tiennent Phillip. Et souviens-toi que nous ne sommes pas du même côté, cette fois.

— Je suis pour ainsi dire un allié.

— Dans ce cas, que Dieu me vienne en aide !

Je lui raccrochai au nez. Phillip avait voulu me défendre, et à présent, il en payait le prix.

— Et merde ! hurlai-je.

Un homme qui faisait le plein me dévisagea.

— Vous voulez ma photo ?

Il baissa les yeux et se concentra sur son réservoir.

Je me rassis au volant de ma voiture, tellement furieuse que j'en tremblais. Tellement furieuse que mes dents grinçaient. Tellement furieuse que je ne me jugeais pas en état de conduire. Je ne pourrais pas aider Phillip si j'avais un accident.

Je tentai de prendre de profondes inspirations, mais ça ne m'aida pas. Je tournai la clé de contact.

— Pas d'excès de vitesse, Anita. Tu ne peux pas te permettre de te faire arrêter par les flics. Mollo sur l'accélérateur.

De temps en temps, je me parle toute seule. Pour me donner de bons conseils. Qu'il m'arrive parfois de suivre.

Je démarrai et m'engageai sur la route, les épaules raidies et les mains serrant le volant. Mes coupures n'étaient pas guéries et ça me faisait mal, mais pas assez pour que la douleur chasse la colère.

Phillip souffrait à cause de moi. Comme Catherine et Ronnie.

Ça suffisait! J'allais sauver Phillip d'une façon ou d'une autre et remettre l'affaire entre les mains de la police. Je n'avais toujours pas de preuves, mais mieux valait me défiler avant que d'autres innocents soient blessés.

Ma colère était presque assez forte pour voiler la peur qui se cachait derrière. Si Nikolaos torturait Phillip pour le punir de son comportement de la nuit dernière, elle ne devait pas non plus être dans de très bonnes dispositions à mon égard. J'allais volontairement m'introduire dans son antre. Et en pleine nuit, encore.

Je sais, ça n'a pas l'air très intelligent, formulé ainsi.

Je frissonnai.

—Non!

Pas question de laisser la peur prendre le dessus! Je m'accrochai à ma colère. Voilà longtemps que je n'avais pas été aussi proche de la haine. Le genre d'émotion qui vous réchauffe de la tête aux pieds!

En général, la haine est basée sur la peur. Au centre, on trouve toujours un noyau glacial de terreur à l'état pur.

Chapitre 37

Le *Cirque des Damnés* occupe l'intérieur d'un vieil entrepôt. Son nom s'étale sur le toit en lettres multicolores, autour desquelles dansent des clowns géants. En les observant attentivement, on remarque qu'ils ont des canines pointues.

Sur les côtés du bâtiment sont pendues d'énormes bâches de plastique peintes à l'ancienne, chacune annonçant des attractions. L'une d'elles montre un pendu : « Le Comte Alcourt Défie la Mort. » Une autre, des zombies en train de ramper dans un cimetière : « Venez Voir les Morts Sortir de Leur Tombe ! » Un dessin maladroit représente un lycanthrope en pleine transformation : Fabien le Loup-Garou. Bref, rien de très conventionnel.

Le *Plaisirs coupables* est à la limite entre le divertissement et le sadisme. Le *Cirque des Damnés* la franchit allégrement pour plonger dans l'abysse.

Le bruit est assourdissant avant même qu'on ait franchi le seuil. Un vacarme de fête foraine, musique criarde et piétinement de centaines de gens entassés dans un endroit clos. Les lumières multicolores aveuglent à moitié. Cette fois, elles me donnèrent envie de vomir. Peut-être parce que j'étais nerveuse…

L'odeur traditionnelle de barbe à papa, d'épis de maïs grillés, de beignets, de glaces à l'italienne et de transpiration ne parvenait pas tout à fait à masquer celle du sang et de la violence. Même si la plupart des gens n'y faisaient pas attention.

Le sang a la même odeur que les pièces d'un penny en cuivre. Quant au parfum de la violence… j'aurais du mal à le définir. Imaginons une pièce qui sent le renfermé et le tissu pourrissant.

Les seules fois où j'étais venue, ce n'était pas pour m'amuser, mais pour enquêter avec la BRIS. Que n'aurais-je donné pour la compagnie de deux ou trois flics en uniforme…

La foule s'écarta comme les flots devant la proue d'un navire. Winter s'avançait vers moi. Je me serais bien esquivée pour l'éviter, mais je doutais qu'il m'en laisse l'occasion.

Il portait un costume genre Monsieur Muscle : une sorte de combinaison en fausse peau de zèbre qui dénudait la moitié de son torse et moulait ses cuisses comme une seconde peau. Même relâchés, ses biceps étaient plus gros que mes bras mis ensemble. Il s'immobilisa devant moi. Je lançai :

—Tout le monde est d'une taille aussi obscène dans votre famille, ou seulement vous ?

Il plissa les yeux.

—Suivez-moi.

Il se détourna et repartit dans l'autre sens en fendant la foule.

Une grande tente bleue occupait un coin de l'entrepôt. Des gens faisaient la queue à l'entrée.

—Mesdames et messieurs, le spectacle va bientôt commencer ! beugla un homme. Prenez vos tickets ! Venez voir le pendu ! Le Comte Alcourt sera exécuté sous vos yeux ébahis !

Je m'étais arrêtée pour écouter. Winter, lui, avait continué sans se soucier de moi. Heureusement qu'il n'était pas difficile à repérer, même de loin.

Je dus courir pour le rattraper. Je déteste ça. Ça me donne l'impression d'être une gamine qui trottine pour ne pas se laisser distancer par un adulte. Mais si c'était la pire chose qui m'arrivait ce soir, je m'en tirerais à bon compte.

Nous passâmes devant la Grande Roue dont le sommet touchait presque le plafond. Un homme me tendit une balle de base-ball.

— Tentez votre chance, ma petite dame.

Je l'ignorai. Je déteste aussi qu'on m'appelle « ma petite dame ».

J'étudiai les prix à gagner des poupées très laides et des animaux en peluche. Panthères, ours, serpents tachetés, chauves-souris… Même pas un pingouin.

Un chauve au maquillage d'Auguste vendait des tickets pour le Labyrinthe aux Miroirs. Il fixait les enfants qui entraient d'un regard pesant, comme s'il mémorisait leur silhouette. Rien au monde n'aurait pu me convaincre d'entrer là-dedans.

Venait ensuite la Maison du Rire. Le tapis roulant qui permettait d'y accéder tressautait sous les pieds. Un petit garçon faillit tomber ; sa mère lui tira sur le bras pour l'aider à se redresser. Je ne comprends pas que des parents sains d'esprit emmènent leurs enfants dans cet endroit effrayant.

Il y avait même une Maison Hantée, ce que je trouvais un peu redondant.

Winter s'était arrêté devant la petite porte qui conduisait à la zone réservée au personnel. Les bras croisés sur son impressionnante poitrine, il m'observait, l'air renfrogné.

Il ouvrit et j'entrai.

Le grand chauve qui était avec Nikolaos la première fois se tenait au garde-à-vous contre le mur. Sur son visage étroit et séduisant, ses yeux me foudroyaient comme ceux d'une maîtresse d'école confrontée à un garnement. Ça mérite une punition, jeune fille ! Mais qu'avais-je fait de mal ?

— Fouille-la, ordonna-t-il d'une voix de basse, avec un léger accent anglais.

Winter hocha la tête. À quoi bon gaspiller sa salive quand un geste suffit ?

Ses mains soulevèrent mon coupe-vent et me délestèrent de mon 9 mm. Puis de mon second flingue. Pensais-je vraiment qu'ils me laisseraient mes armes ? Je suppose que oui. Ce que je peux être naïve, parfois...

— N'oublie pas les bras, au cas où elle aurait des couteaux.

Et merde.

Winter saisit les manches de mon coupe-vent comme s'il avait l'intention de les arracher.

— Attendez ! Je vais l'enlever. Comme ça, vous pourrez le fouiller aussi.

Il prit mes lames pendant que le chauve tâtait les poches de mon coupe-vent sans rien trouver. Puis il me palpa les jambes, mais sans descendre jusqu'aux chevilles. Ainsi, il manqua mon poignard.

Nous descendîmes l'escalier et entrâmes dans la salle du trône déserte.

— La maîtresse nous attend avec votre ami, annonça le chauve, qui ouvrait la marche.

Winter se tenait derrière moi, comme s'il craignait que je ne tente de m'enfuir. Mais pour aller où ?

Comme je m'en doutais, nous nous dirigeâmes vers la porte du donjon. Le chauve frappa deux fois. Un rire aigu retentit de l'autre côté du battant. J'en eus la chair de poule. Je ne voulais pas revoir Nikolaos. Ni me retrouver dans une cellule.

Je voulais rentrer chez moi !

La porte s'ouvrit et Valentin nous invita à entrer. Cette fois, il portait un masque argenté. Une mèche de cheveux auburn poisseuse de sang y était collée.

Mon cœur battait la chamade. Phillip, es-tu toujours vivant ? Je me retins de hurler.

Valentin s'effaça pour nous laisser passer. Je regardai le chauve, qui me fit signe de le précéder. Que pouvais-je faire ? J'obtempérai.

Le spectacle qui s'offrit à moi me paralysa en haut des marches. Je ne pouvais pas aller plus loin. Vraiment.

Adossé contre le mur du fond, Aubrey me fixait en grimaçant. Ses cheveux étaient toujours dorés ; son visage, toujours bestial.

Nikolaos portait une longue robe blanche qui faisait ressortir la pâleur crayeuse de son teint. Elle était éclaboussée de sang, comme si quelqu'un l'avait aspergée avec une cartouche d'encre rouge. Elle leva ses yeux bleu-gris vers moi et éclata de nouveau d'un rire dément.

De sa petite main, elle caressa la poitrine nue de Phillip, s'attardant sur ses mamelons.

Il était enchaîné au mur par les chevilles et les poignets. Ses longs cheveux bruns lui tombaient sur la figure, dissimulant un de ses yeux. Son corps était couvert de traces de morsure. Des filets de sang écarlates se détachaient sur sa peau bronzée.

Il leva la tête vers moi. Dans son seul œil visible, je lus du désespoir. Il savait qu'on l'avait amené dans ce donjon pour mourir, et qu'il ne pouvait rien y faire. Mais moi, je pouvais faire quelque chose. Mon Dieu, faites que je puisse !

Quand le chauve me posa une main sur l'épaule, je sursautai. Les vampires éclatèrent de rire. Je descendis les marches et m'immobilisai en face de Phillip.

Nikolaos fit remonter sa main le long de sa cuisse nue. Son corps se raidit et il serra les poings.

— Si tu savais comme nous nous amusons avec ton amant, dit-elle de sa voix flûtée.

Petite garce.

— Ce n'est pas mon amant.

Elle fit la moue.

— Ce n'est pas bien de mentir, Anita.

Elle avança vers moi d'un pas guilleret. Je reculai et heurtai Winter.

— Réanimatrice… Quand comprendras-tu que tu ne peux pas lutter contre moi ?

Je crois qu'elle n'attendait pas vraiment de réponse.

De nouveau, elle tendit sa petite main ensanglantée vers moi.

— Winter peut te tenir, si tu préfères.

Tiens-toi tranquille, ou nous t'y obligerons. Pas génial, comme alternative.

Je regardai ses doigts pâles approcher de mon visage et enfonçai mes ongles dans les paumes de mes mains. Je ne bougerais pas. Je ne bougerais pas.

Sa main se posa sur mon front, glissa le long de ma joue et effleura mes lèvres. Je retins mon souffle.

— Lèche le sang, ordonna-t-elle.

— Non.

— Comme tu es têtue ! C'est Jean-Claude qui te communique son courage ?

—De quoi parlez-vous?

Son visage s'assombrit, et son regard se voila.

—Ne joue pas à la plus maligne, Anita. Ça ne te sied pas. Je connais ton petit secret.

Sa voix était redevenue très adulte.

—J'ignore de quoi vous parlez…

Et j'étais sincère. Je ne comprenais pas la raison de sa colère.

—Si ça t'amuse, nous pouvons jouer encore un peu.

Soudain, elle apparut en face de Phillip. Je ne l'avais pas vue bouger.

—Surprise, Anita? Je suis toujours la reine de la ville. J'ai des pouvoirs que toi et ton maître ne pouvez même pas imaginer.

Mon maître? Je comprenais de moins en moins.

Nikolaos caressa le flanc de Phillip, nettoyant le sang pour révéler un morceau de peau intacte. Il avait fermé les yeux.

Elle inclina la tête. Ses lèvres se retroussèrent et je vis briller ses crocs.

—Non.

Je fis un pas vers eux. Les mains de Winter s'abattirent sur mes épaules pour m'immobiliser. Le message était clair: je ne devais pas intervenir.

Nikolaos planta ses crocs dans le flanc de Phillip. Les chaînes tintèrent quand il tira dessus.

—Fichez-lui la paix!

J'enfonçai un coude dans l'estomac de Winter. Il grogna. Ses mains se contractèrent sur mes épaules. Ses bras s'enroulèrent autour de moi, et il me plaqua contre sa poitrine pour m'empêcher de bouger.

Nikolaos releva la tête. Du sang coulait sur son menton. Elle se lécha les lèvres avec sa minuscule langue rose.

—Comme c'est ironique, dit-elle d'une voix plus âgée que son corps ne le paraîtrait jamais. J'ai envoyé Phillip te séduire, et c'est le contraire qui s'est produit.

—Nous ne sommes pas amants.

Dans l'étreinte de Winter, je me sentais franchement ridicule.

—Tes dénégations ne lui seront d'aucun secours.

—Qu'est-ce qui pourrait l'être, alors ?

Nikolaos fit un geste et Winter me relâcha. Je m'écartai de lui, me rapprochant de sa maîtresse. De Charybde en Scylla…

—Discutons de ton avenir et de celui de ton amant, dit Nikolaos en se dirigeant vers l'escalier.

Cette fois, je ne la corrigeai pas.

Le chauve me fit signe de la suivre. Aubrey se rapprocha de Phillip. Il allait rester seul avec lui ? Impensable !

—Nikolaos, s'il vous plaît.

Elle se tourna vers moi.

—Oui ?

—Puis-je réclamer deux faveurs ?

Elle me sourit comme un adulte face à un enfant qui vient d'employer un mot nouveau. Je me moquais de ce qu'elle pensait de moi, si elle m'accordait ce que je demandais.

—Tu peux.

—Quand nous quitterons cette pièce, je veux que tous les vampires en sortent aussi. Mais avant, je dois parler avec Phillip en privé.

Elle éclata d'un rire argentin.

—Tu es audacieuse, mortelle ! Je te l'accorde. Et je commence à comprendre ce que Jean-Claude te trouve.

Je ne relevai pas, doutant d'avoir tout saisi.

—Alors ?

—Appelle-moi « maîtresse », et tu auras ce que tu veux.

Je déglutis.

—S'il vous plaît… maîtresse.

Super ! Je ne m'étais même pas étranglée en le disant.

—C'est très bien, réanimatrice. Vraiment très bien.

Sans qu'elle ait besoin de le leur ordonner, Valentin et Aubrey remontèrent l'escalier et sortirent du donjon.

—Je vais poster Burchard en faction en haut des marches. C'est un humain. Si vous chuchotez, il ne vous entendra pas.

—Burchard ?

—Oui, réanimatrice. Burchard, mon serviteur humain.

Elle me regarda comme si elle venait de dire quelque chose de très important. Mon expression étonnée n'eut pas l'air de la satisfaire. Elle se rembrunit puis se détourna dans un frou-frou de jupons blancs. Winter la suivit comme un chiot obéissant nourri aux stéroïdes.

Le chauve se planta devant la porte fermée et fixa un point invisible, droit devant lui. C'était le maximum d'intimité que nous pourrions obtenir.

Je m'approchai de Phillip. Il avait baissé la tête, et ses cheveux faisaient comme un rideau entre nous.

—Que s'est-il passé ?

Sa voix n'était plus qu'un murmure. Ça arrive quand on a trop crié. Je dus me dresser sur la pointe des pieds pour l'entendre.

—Ils m'ont… enlevé au *Plaisirs coupables*.

—Robert n'a pas tenté de les en empêcher ?

Pour une raison que j'ignorais, ça me semblait important. Je n'avais rencontré Robert qu'une fois, mais je lui en voulais de ne pas avoir protégé Phillip. C'était lui qui dirigeait la boîte en l'absence de Jean-Claude. Il était responsable de son contenu. Phillip inclus.

—Il n'était pas… assez fort.

Je perdis l'équilibre, posai les mains sur sa poitrine pour me retenir et les retirai maculées de sang poisseux.

Phillip s'affaissa contre le mur. Il avait du mal à déglutir. Deux traces de morsure fraîches se détachaient dans son cou. Ils le saigneraient à mort s'ils continuaient comme ça. À moins que l'un d'eux se laisse emporter…

De la main, j'écartai les cheveux de son visage. Les mèches retombèrent aussitôt. Je les lissai en arrière jusqu'à ce qu'elles restent en place.

Phillip eut un pauvre sourire.

—Il y a quelques mois, j'aurais donné cher pour ça, souffla-t-il d'une voix brisée.

Ma gorge se serra.

—C'est bientôt fini? appela Burchard.

Je sondai les yeux de Phillip, qui reflétaient la lumière des torches comme deux miroirs.

—Je ne t'abandonnerai pas, promis-je.

Il leva la tête vers le chauve, en haut de l'escalier, puis la baissa vers moi. La terreur lui donnait un air très jeune et impuissant.

—À tout à l'heure, alors, dit-il avec difficulté.

Je reculai sans le quitter du regard.

—Tu peux compter sur moi.

—La faire attendre n'est pas une bonne idée, me pressa Burchard.

Il avait sans doute raison.

Phillip et moi nous regardâmes quelques secondes. Une veine battait follement dans son cou, comme si elle essayait de s'échapper. J'avais le cœur et la gorge serrés. Mes yeux s'embuèrent.

Je me détournai et avançai vers l'escalier. Les chasseurs

de vampires sont des marioles. Ils ne pleurent pas. Enfin, pas en public. Quand ils peuvent s'en empêcher.

Burchard m'ouvrit la porte. Par-dessus mon épaule, je jetai un coup d'œil à Phillip. Il me regarda sortir, les yeux écarquillés comme ceux d'un enfant qui voit ses parents quitter sa chambre avant que tous les monstres soient partis.

Mon Dieu, protégez-le !

CHAPITRE 38

Nikolaos était assise dans son fauteuil de bois sculpté, ses petits pieds se balançant dans le vide. Une ravissante poupée blonde.

Poupée, mon œil !

Adossé au mur, Aubrey se passait la langue sur les crocs pour lécher les dernières traces de sang. Près de lui, Valentin ne me quittait pas des yeux.

Winter se tenait derrière moi, comme un bon geôlier.

Burchard alla se placer derrière Nikolaos et posa une main sur le dossier de son fauteuil.

—Alors, réanimatrice, on ne plaisante plus ? lança-t-elle de sa voix d'adulte.

À croire qu'elle en avait deux différentes et qu'elle pouvait en changer à volonté.

Je secouai la tête, pas d'humeur à lancer des vannes.

—Aurions-nous brisé ton esprit ? Détruit ta combativité ?

Je la foudroyai du regard.

—Que voulez-vous, Nikolaos ?

—Ah, je préfère ça.

De nouveau sa voix chantante de petite fille.

Je ne regarderais plus jamais les enfants du même œil…

—Jean-Claude devrait s'affaiblir dans son cercueil. Il devrait commencer à souffrir de la faim. Au lieu de ça, il est toujours aussi fort et bien nourri. Comment est-ce possible ?

Je n'en avais pas la moindre idée…

— Réponds-moi, Anita ! cria Nikolaos.

— Je l'ignore.

— Bien sûr que non !

Je disais la vérité, mais elle ne me croyait pas.

— Pourquoi faites-vous du mal à Phillip ?

— Il avait besoin d'une bonne leçon, après ce qui s'est passé la nuit dernière.

— Parce qu'il vous a tenu tête ?

— Oui, parce qu'il m'a tenu tête.

Nikolaos se laissa glisser à terre et s'approcha de moi en sautillant.

— Et parce que j'étais en colère contre toi. Sans compter que cette petite démonstration t'incitera à retrouver le tueur de vampires.

Elle leva vers moi son visage rayonnant. Ses yeux clairs pétillaient de bonne humeur. Putain de merde ! Elle était sacrément forte.

Je déglutis et posai la question logique.

— Pourquoi étiez-vous en colère contre moi ?

Elle inclina la tête. Si elle n'avait pas eu du sang sur le menton, elle aurait vraiment été adorable.

— Est-il possible que tu ne le saches pas ? (Elle se tourna vers Burchard.) Qu'en penses-tu, mon ami ? Se peut-il qu'elle ignore tout ?

— Je le crois…

— Oooh, gloussa Nikolaos. Jean-Claude a été très vilain. Infliger la seconde marque à une humaine qui ne se doute de rien…

Je me souvenais des deux flammes bleues dans l'escalier, et de la voix de Jean-Claude dans ma tête. Mais je ne comprenais toujours pas ce que ça signifiait.

—Que signifie « seconde marque »?

Nikolaos se passa la langue sur les lèvres comme un chaton qui se lèche les babines.

—Devons-nous le lui expliquer, Burchard? Lui révéler ce que nous savons?

—Si elle l'ignore vraiment, il faut le lui apprendre, maîtresse.

—Je suis d'accord.

Elle se rassit dans son fauteuil.

—Burchard, dis-lui quel âge tu as.

—Six cent trois ans.

J'étudiai son visage lisse et secouai la tête.

—Vous êtes un humain, pas un vampire.

—J'ai reçu la quatrième marque. Je vivrai aussi long-temps que ma maîtresse aura besoin de moi.

—Non, dis-je. Jean-Claude ne m'aurait pas fait ça.

Nikolaos haussa les épaules.

—Je ne lui ai pas laissé le choix. Je savais qu'il t'avait fait la première pour te guérir. Mais cette fois-là, il devait être désespéré. Il pensait surtout à sauver sa peau.

Pardonne-moi. Je n'ai pas eu le choix.

Bien sûr que si! On a toujours le choix.

—Depuis, il vient dans mes rêves chaque nuit. Qu'est-ce que ça signifie?

—Il communique avec toi, réanimatrice. La troisième marque permettra un contact mental plus direct.

Je secouai la tête.

—Non.

—Quoi, non? «Non, je ne veux pas de la troisième marque», ou «Non, je ne vous crois pas»?

—Je ne veux être la servante de personne.

—Manges-tu plus que d'habitude en ce moment?

Une question si bizarre que je ne percutai pas tout de suite.

—Oui. C'est important?

Nikolaos se rembrunit.

—Il siphonne ton énergie, Anita. Il se nourrit par l'intermédiaire de ton corps. C'est grâce à toi qu'il reste fort.

—Je n'ai jamais voulu que ça se produise.

—Je m'en rends compte, à présent… La nuit dernière, quand j'ai compris ce que Jean-Claude avait fait, j'étais folle de rage. Voilà pourquoi j'ai enlevé ton amant.

—Croyez-moi, il n'y a rien entre Phillip et moi.

—Dans ce cas, pourquoi a-t-il risqué ma colère pour te sauver? Par amitié? Par principe? Ça m'étonnerait beaucoup.

Et puis merde! Qu'elle pense ce qu'elle voulait, pourvu qu'elle nous laisse repartir vivants. Rien d'autre ne comptait.

—Que pouvons-nous faire pour nous racheter, Phillip et moi?

—De la politesse. J'aime ça, me félicita Nikolaos. (Elle leva les yeux vers Burchard.) Et si nous lui montrions à quoi elle peut s'attendre?

Il se raidit.

—Vos désirs sont des ordres, maîtresse.

Il s'agenouilla devant elle. Nikolaos me dévisagea par-dessus sa tête.

—Ceci, dit-elle, est la quatrième marque.

Elle défit les minuscules boutons de nacre qui fermaient sa robe blanche, révélant ses petits seins à demi formés. De l'ongle, elle traça un sillon écarlate au-dessus du gauche. Le sang coula sur sa poitrine et sur son estomac.

Je ne vis pas l'expression de Burchard tandis qu'il se penchait vers elle. Il lui entoura la taille et enfouit son visage entre ses seins. Nikolaos se tendit. De petits bruits de succion emplirent la pièce.

Je détournai la tête, comme si j'avais surpris un couple en train de faire l'amour. Mais j'étais clouée sur place.

Valentin me dévisageait. Je soutins son regard. Il ôta un chapeau imaginaire et découvrit ses crocs. Je l'ignorai.

Burchard soupira de plaisir et s'arracha à Nikolaos. Ses épaules s'affaissèrent. Ses joues étaient rouges. Sa poitrine s'abaissait et se soulevait comme s'il haletait. D'une main tremblante, il s'essuya la bouche.

La tête en arrière, les yeux clos, Nikolaos restait immobile. Le sexe était une bonne analogie, tout bien considéré. D'une voix pâteuse, elle annonça :

— Ton ami Willie est de retour dans son cercueil. Il avait pitié de Phillip. Nous devons le guérir de cette mauvaise habitude.

Elle leva la tête et ouvrit les paupières. Ses yeux brillaient.

— Vois-tu ma cicatrice, aujourd'hui ?

Je secouai la tête. Elle était redevenue l'image de la perfection enfantine.

— Sais-tu pourquoi ? Parce que je dépense de l'énergie pour ça. Il faut que je me concentre.

Sa voix était basse et dangereuse, comme le grondement du tonnerre.

— Jean-Claude a ses propres fidèles, Anita. Si je le tue, ils feront de lui un martyr. Mais si je prouve qu'il est faible et impuissant, ils se désintéresseront de lui.

Elle se leva en reboutonnant sa robe. Ses cheveux ondulaient comme si une brise invisible les agitait.

— Je vais détruire une créature à qui Jean-Claude a accordé sa protection.

Réussirais-je à dégainer le poignard fixé à ma cheville ? Et à quoi pourrait-il me servir ?

— Je prouverai que Jean-Claude ne peut rien protéger. Que je suis le maître suprême de cette ville.

Salope égocentrique !

Winter me saisit le bras avant que je puisse réagir. J'étais trop occupée à surveiller les vampires pour me soucier des humains.

—Allez-y, ordonna Nikolaos. Tuez-le.

Aubrey et Valentin s'écartèrent du mur et s'inclinèrent. Puis ils disparurent comme s'ils s'étaient volatilisés.

Je me tournai vers Nikolaos. Elle sourit.

—Exact : j'ai embrumé ton esprit pour que tu ne les voies pas partir.

—Où vont-ils ? demandai-je.

Mais je craignais de connaître la réponse.

—Jean-Claude a accordé sa protection à Phillip. Donc, Phillip doit mourir.

—Non !

—Si.

Un hurlement retentit dans le couloir.

—Non !

Mes genoux se dérobèrent. Seule la main de Winter m'empêcha de tomber. Je fis semblant de m'évanouir. Quand il me lâcha, je dégainai discrètement mon poignard.

Winter et moi étions tout près de la porte, loin de Nikolaos et de son serviteur humain. Peut-être même assez loin. Winter regardait sa maîtresse comme s'il attendait des ordres. Je me relevai d'un bond et lui plongeai mon couteau dans le bas-ventre.

Lorsque je retirai la lame, le sang jaillit. Je m'élançai vers la porte.

Je venais de l'ouvrir quand la première rafale de vent m'atteignit dans le dos. Je ne me retournai pas.

Phillip s'était affaissé au bout de ses chaînes. Du sang coulait à gros bouillons de sa poitrine et la lumière des torches se reflétait sur sa moelle épinière. Quelqu'un lui avait arraché la gorge.

Je titubai comme si on venait de me frapper. Je manquai d'air. J'entendis une voix chuchoter : « Oh mon Dieu. Oh, mon Dieu » comme une litanie, et je compris que c'était la mienne. Je descendis l'escalier, le dos pressé contre le mur. Je n'arrivais pas à détacher mes yeux de lui. Ni à respirer. Ni à pleurer. La lueur qui dansait dans ses yeux produisait une illusion de vie. Un cri enfla dans ma gorge et jaillit de mes lèvres.

—Phillip !

Aubrey s'interposa entre nous. Il était couvert de sang.

—J'ai hâte de rendre visite à ta délicieuse amie Catherine.

J'eus envie de me jeter sur lui pour lui arracher les yeux. Mais je m'adossai au mur, le poignard plaqué contre ma cuisse pour qu'il ne puisse pas le voir. Mon but n'était plus de sortir d'ici vivante, mais de tuer Aubrey.

—Fils de pute ! crachai-je.

Je n'avais plus peur. Je ne ressentais plus rien.

Le visage d'Aubrey se tordit sous son masque de sang.

—Ne me parle pas sur ce ton.

—Espèce d'enculé !

Comme je l'escomptais, il s'approcha de moi et posa une main sur mon épaule.

Je lui plongeai mon poignard entre les côtes. La lame fine et acérée pénétra jusqu'à la garde. Il se raidit et bascula vers moi, les yeux arrondis de surprise. Sa bouche s'ouvrit et se referma sans qu'un son en sorte. Puis il s'effondra, ses doigts griffant l'air en vain.

Valentin s'agenouilla près du cadavre.

—Qu'as-tu fait ?

Il ne voyait pas le couteau, dissimulé par le corps d'Aubrey.

—Je l'ai tué, fils de pute, et je vais te faire la même chose.

Le vampire se redressa d'un bond et voulut dire quelque chose.

Au même moment, la porte, arrachée à ses gonds, alla se briser en mille morceaux contre le mur du fond. Une tornade s'engouffra dans la pièce.

Valentin se laissa tomber à quatre pattes, tête baissée en signe de soumission. Je m'aplatis contre le mur. Le vent me griffait le visage, et j'y voyais à peine entre mes cheveux qui flottaient devant mes yeux.

Nikolaos lévitait au-dessus de la dernière marche. Ses mèches blondes se hérissaient autour de sa tête comme les fils d'une toile d'araignée. Sa peau semblait avoir rétréci pour se plaquer sur ses os. Ses yeux brillaient d'un feu bleu pâle.

Les mains tendues, elle flotta vers nous. Je distinguais les veines qui couraient sous sa peau.

Je m'élançai vers le tunnel des hommes-rats.

Le vent me projeta contre le mur. Je tombai et rampai vers l'entrée du tunnel à quatre pattes. L'ouverture était large et sombre. Une bouffée d'air froid me caressa le visage. Quelque chose saisit ma cheville.

Je hurlai.

Nikolaos me tira en arrière, me plaqua contre le mur du fond et m'immobilisa les poignets d'une main griffue. Son corps squelettique se pressa contre mes jambes.

—Tu vas apprendre l'obéissance, humaine! siffla-t-elle.

Ses lèvres retroussées exhibaient ses crocs.

Je criai comme un animal pris au piège. Mon cœur battait à tout rompre, et je ne pouvais plus respirer.

—Regarde-moi!

J'obéis et basculai dans la flamme bleue de ses yeux. Le feu ravagea mon esprit. Ses pensées me lacérèrent comme des couteaux, puis me découpèrent en tranches. Sa rage m'ébouillanta jusqu'à ce que j'aie l'impression que la peau de mon visage tombait en lambeaux. Des griffes raclèrent l'intérieur de mon crâne, réduisant mes os en poussière.

Lorsque je recouvrai la vue, j'étais pelotonnée au pied du mur, et je tremblais si fort que mes dents s'entrechoquaient. J'avais tellement froid.

Nikolaos ne me touchait plus. Elle n'en avait pas besoin.

— Un jour, réanimatrice, tu m'appelleras « maîtresse ». Et tu seras sincère.

Elle s'agenouilla près de moi. Ses mains plaquèrent mes épaules sur le sol. Impossible de bouger.

La ravissante fillette colla son visage contre le mien et me chuchota à l'oreille :

— À présent, je vais te planter mes crocs dans le cou, et tu ne pourras rien faire pour m'en empêcher.

Son oreille délicate effleurait mes lèvres. Je la mordis jusqu'au sang. Elle cria et se jeta en arrière, du sang coulant sur sa joue.

Des griffes me déchiquetèrent le cerveau. Sa douleur et sa rage transformèrent mon esprit en pâte à modeler.

Je devais hurler, mais je ne m'entendais plus. Je n'entendais plus rien du tout.

Les ténèbres s'abattirent sur moi. Elles engloutirent Nikolaos et me laissèrent seule, flottant dans le noir.

CHAPITRE 39

J e me réveillai… ce qui était déjà une surprise en soi. L'ampoule électrique fixée au plafond me fit cligner des yeux. J'étais vivante, et plus dans le donjon. Deux bonnes nouvelles d'un coup. Youpi!

Pourquoi étais-je si surprise d'être encore en vie? Mes doigts caressèrent le tissu rugueux du canapé sur lequel j'étais allongée. Au-dessus de moi, un tableau était accroché au mur. Je distinguai des gens au bord d'un fleuve, des bateaux à fond plat.

Quelqu'un s'approcha. De longs cheveux blonds, une mâchoire carrée, un visage séduisant. Pas d'une beauté aussi inhumaine que dans mon souvenir, mais quand même. Un strip-teaseur laid, ça ne se fait pas.

— Robert, croassai-je.

Il s'accroupit près de moi.

— Je craignais que tu ne te réveilles pas avant l'aube. Tu es blessée?

— Où…? (Je me raclai la gorge.) Où suis-je?

— Dans le bureau de Jean-Claude, au *Plaisirs coupables*.

— Comment y suis-je arrivée?

— C'est Nikolaos qui t'a amenée. Elle a dit: « Voilà la catin de ton maître. »

Je le vis déglutir. Ça me rappelait quelque chose; mais diable si je savais quoi.

—Vous savez ce qu'a fait Jean-Claude?

—Mon maître t'a marquée par deux fois. Quand je te parle, c'est à lui que je parle.

Au propre ou au figuré? eus-je envie de demander. Sauf que je ne voulais pas réellement le savoir.

—Comment te sens-tu?

Quelque chose dans la façon dont il avait posé la question me laissa penser que je n'aurais pas dû aller bien. Ma gorge me faisait mal. Je portai une main à mon cou. Du sang séché.

Je fermai les yeux. Ce qui n'arrangea rien.

Un gémissement s'échappa de mes lèvres. L'image de Phillip était gravée dans mon esprit. Le sang coulant de sa chair rosâtre déchiquetée… Je secouai la tête et respirai profondément pour m'éclaircir les idées. Ça ne marcha pas non plus.

—Les toilettes…, dis-je.

Robert me montra où elles étaient. Je m'agenouillai sur les carreaux glacés et vomis dans la cuvette jusqu'à ce que je n'aie plus que de la bile dans l'estomac. Puis je me relevai, m'appuyai contre le bord de l'évier et m'aspergeai le visage d'eau fraîche.

Je levai les yeux vers le miroir. Mes yeux semblaient plus noirs que marron, et ma peau livide était couverte d'une sueur gluante. Bref, j'avais l'air beaucoup plus en forme que je ne le pensais.

Et sur le côté droit de mon cou… Des marques de crocs… Des crocs minuscules, mais des crocs quand même. Rien à voir avec les dents de Phillip.

Nikolaos m'avait contaminée. Pour prouver qu'elle pouvait blesser la servante humaine de Jean-Claude.

Et Phillip était mort.

Je froissai la serviette de papier brun et la fourrai dans la poubelle métallique. Puis, cédant à la rage, je flanquai un coup de pied dedans.

Robert apparut sur le seuil.

—Ça va ?

—Ça a l'air d'aller.

Il hésita.

—Je peux faire quelque chose pour t'aider ?

—Vous n'avez pas pu les empêcher d'enlever Phillip !

Il frémit comme si je l'avais frappé.

—J'ai fait de mon mieux.

—Apparemment, ça n'a pas suffi.

Je hurlais comme une possédée. Étouffée par ma colère, je me laissai tomber à genoux.

—Foutez le camp ?

—Tu es sûre ?

—Sortez !

Il referma la porte derrière lui.

Les genoux serrés contre la poitrine, je me balançai d'avant en arrière en sanglotant.

Bientôt, mon cœur fut aussi vide que mon estomac.

Nikolaos avait tué Phillip et m'avait mordue pour montrer sa puissance. Elle devait me croire morte de trouille. Et elle avait raison. Mais je passe le plus clair de mon temps à affronter et à liquider des créatures qui me font peur.

Un maître vampire vieux de plus de mille ans était un gros morceau. Ça tombait bien : je n'avais jamais eu autant d'appétit.

CHAPITRE 40

Le club était sombre et silencieux. Il n'y avait personne à part moi. Donc, le soleil devait déjà être levé.

Il ne restait plus qu'à rentrer chez moi afin d'essayer de dormir. Et à prier pour ne pas faire de cauchemars.

Un Post-it jaune était collé sur la porte. « Tes armes sont derrière le comptoir. Elle les a rapportées. Robert. »

Il manquait le poignard que j'avais utilisé contre Winter et Aubrey. Winter était-il mort ? Peut-être. Et Aubrey ? Avec un peu de chance. En général, seul un maître vampire peut survivre à un coup au cœur, mais je n'ai jamais essayé sur un cadavre ambulant de plus de cinq siècles. Si quelqu'un retirait le poignard, il serait peut-être assez résistant pour survivre.

Il fallait que j'appelle Catherine. Pour lui dire quoi ? Quitte la ville au plus vite, un vampire est à tes trousses ? Pas sûr qu'elle me croie. Et merde.

Je sortis dans la lumière pâle de l'aube. La rue était déserte et encore agréablement fraîche. J'avais fait quelques pas quand une voix ordonna :

— Ne bouge pas ! J'ai un flingue pointé sur ton dos.

Je croisai les mains sur ma tête.

— Salut, Edward.

— Salut, Anita. Tiens-toi tranquille, s'il te plaît.

Il était juste derrière moi, le canon de son arme enfoncé dans le creux de mes reins. Il me palpa rapidement, avec des gestes précis et efficaces. Edward ne laisse jamais rien au hasard ; c'est pour ça qu'il est toujours en vie.

Il recula.

— Tu peux te retourner.

Mon Firestar était glissé à sa ceinture. Il tenait le Browning dans sa main gauche. Je ne vis pas ce qu'il avait fait des couteaux.

Sans cesser de viser ma poitrine, il eut un sourire charmeur.

— La partie de cache-cache est terminée. Où puis-je trouver Nikolaos ?

Je pris une profonde inspiration et expirai lentement. J'aurais voulu l'accuser d'être le tueur en série, mais le moment me semblait mal choisi. Peut-être plus tard, quand il aurait cessé de me menacer.

— Je peux baisser les bras ?

— Oui.

— Une chose doit être claire entre nous, Edward. Je vais te le dire, mais pas parce que j'ai peur de toi. Je veux sa peau !

Son sourire s'élargit.

— Que s'est-il passé la nuit dernière ?

Je baissai les yeux vers le trottoir, puis les relevai et les plantai dans ceux d'Edward.

— Elle a fait tuer Phillip.

— Continue.

— Et elle m'a mordue. Je crois qu'elle veut faire de moi sa servante.

Il rengaina son flingue, me prit le menton et me fit tourner la tête pour examiner mon cou.

— Il faut nettoyer la plaie. Ça va faire un mal de chien.

— Je sais. Tu veux bien m'aider ?

— Pas de problème. (Une lueur amusée pétilla dans son regard.) J'allais te faire mal pour te soutirer des informations. Et maintenant, tu me demandes de te verser de l'acide dessus.

— De l'eau bénite, corrigeai-je.

— Ça fera le même effet.

Malheureusement, il avait raison.

Chapitre 41

J'étais assise par terre, dos à la baignoire. Ma chemise trempée me collait à la peau. Agenouillé près de moi, Edward tenait une bouteille d'eau bénite à moitié vide. Nous en étions à la troisième, et je n'avais vomi qu'une fois. Pas mal.

J'avais commencé par poser mes fesses sur le rebord du lavabo, mais sans pouvoir rester longtemps dans cette position. Dès la première aspersion, j'avais sursauté, hurlé, gémi et traité Edward de fils de pute. Il ne m'en avait pas voulu.

— Comment te sens-tu ? demanda-t-il.

Impossible de dire s'il s'éclatait ou s'il détestait ça.

— Comme si quelqu'un m'appliquait un couteau chauffé à blanc sur le cou.

— On arrête un moment pour que tu te reposes ?

— Non. Je veux en finir tout de suite.

— D'habitude, le traitement dure plusieurs jours…

— Je sais.

— Mais tu préfères une session marathon.

— Je n'ai pas plusieurs jours. Cette plaie doit être nettoyée avant la tombée de la nuit.

— Parce que tu penses que Nikolaos viendra te chercher.

— C'est ça.

— Et qu'elle aura une certaine emprise sur toi si tu n'es pas purifiée.

—Oui.

—Si elle est aussi puissante que tu le dis, nettoyer la plaie risque d'être inutile.

—Elle est aussi puissante, et bien plus encore. (Je m'essuyai les mains sur mon jean.) Tu crois qu'elle peut me retourner contre toi ?

—Les chasseurs de vampires aiment vivre dangereusement.

—Ce n'était pas un « non ».

—Ce n'était pas un « oui » non plus.

Doux Jésus. Il n'en savait rien.

—Continue avant que je n'aie plus le courage.

—Tu ne perdras jamais ton courage. Ta vie, peut-être. Mais pas ton courage.

—Merci.

Il posa une main sur mon épaule et je tournai la tête de l'autre côté. Mon cœur battait si fort qu'il m'assourdissait. J'avais envie de m'enfuir en hurlant, mais j'allais rester là et le laisser me faire du mal. Gamine, il fallait toujours deux personnes pour me faire une piqûre : une pour manier la seringue, et une pour me maintenir en place...

Là, je n'avais pas le choix. Il fallait que je serre les dents. Si Nikolaos me mordait une deuxième fois, je ferais tout ce qu'elle m'ordonnerait. Y compris tuer des gens. J'avais déjà vu ça, et le vampire coupable n'arrivait pas à la cheville de Nikolaos en termes de pouvoir.

L'eau bénite coula le long de mon cou comme de l'or fondu. Rongeant ma peau et ma chair. Me dévorant de l'intérieur.

Je hurlai. Plus la force de me retenir. La douleur était trop intense.

Je gisais sur le sol, la joue contre l'agréable fraîcheur des carreaux. Mon souffle était court et superficiel.

—Respire moins vite, Anita. Tu hyperventiles. Si tu ne te calmes pas, tu t'évanouiras.

J'ouvris la bouche pour prendre une inspiration plus profonde, qui me brûla la gorge. Je toussai.

Le temps que je retrouve mon souffle, la tête me tournait, et je me sentais vaguement nauséeuse. Mais je n'étais pas tombée dans les pommes. Un tas de bons points pour moi.

Edward dut presque s'allonger pour approcher son visage du mien.

—Tu m'entends ?

—Oui…

—Tant mieux. Je voudrais essayer de poser une croix sur la plaie. Tu es d'accord, ou tu trouves que c'est trop tôt ?

Si je n'étais pas purifiée, la croix me brûlerait, et j'aurais une cicatrice de plus. Ayant supporté plus de souffrance qu'on était en droit d'en attendre de moi, je n'avais plus envie de jouer au brave petit soldat.

J'ouvris la bouche pour refuser.

—Vas-y, fais-le, m'entendis-je dire.

Et merde !

Edward poussa mes cheveux en arrière. Je serrai les poings et me raidis. Comment se détendre quand quelqu'un s'apprête à vous marquer au fer rouge ?

La chaîne glissa dans les mains d'Edward.

—Tu es prête ?

—Non. Mais fais-le quand même.

Il appuya le crucifix contre ma peau. Une sensation de métal froid. Pas de brûlure, pas de fumée ni d'odeur de chair rôtie. Pas de douleur.

Des larmes perlèrent au coin de mes yeux. Je ne pleurais pas vraiment : j'étais juste épuisée et folle de soulagement.

—Tu peux t'asseoir ? demanda Edward.

Je hochai la tête et me redressai.

—Et te lever?

Je réfléchis un instant et décidai que non. Je tremblais de tous mes membres, et je me sentais si faible…

—Pas sans aide.

Il s'agenouilla près de moi, passa un bras sous mes aisselles, un autre sous mes genoux, et se releva d'un mouvement fluide, comme si je ne pesais pas plus lourd qu'une plume.

—Pose-moi.

Il fronça les sourcils.

—Pourquoi?

—Je ne suis pas une gamine. Je ne veux pas qu'on me porte.

—Très bien.

Il me posa sur mes pieds et me lâcha. Je titubai jusqu'au mur et glissai de nouveau à terre. Les larmes coulèrent enfin. Je n'étais plus capable de me traîner de ma salle de bains jusqu'à mon lit. Dieu du ciel!

Edward me regardait, immobile.

—Je déteste être impuissante, parvins-je à dire d'une voix presque normale.

—Tu es une des personnes les moins impuissantes que je connaisse.

Un grand compliment, venant de lui. Mais ça ne me réconfortait pas.

Il s'accroupit, passa son bras droit autour de mes épaules et saisit mon poignet. De l'autre, il m'entoura la taille. Et réussit à me donner l'illusion de marcher jusqu'à mon lit.

Les pingouins en peluche reposaient toujours sur la bergère. Edward ne les avait pas mentionnés. Si je n'en parlais pas, il ne le ferait pas non plus. Qui sait, la Mort dort peut-être avec un nounours?

Les lourds rideaux fermés, la pièce était plongée dans la pénombre.

—Repose-toi. Je monterai la garde et je veillerai à ce qu'aucun croque-mitaine ne t'attaque pendant ton sommeil, promit Edward.

Je le crus.

Il sortit le fauteuil blanc du salon et le plaça contre le mur, à côté de la porte. Il remit son holster d'épaule, puis défit la fermeture Éclair du sac de sport qu'il avait apporté et en sortit ce qui ressemblait à un pistolet mitrailleur.

—C'est quoi, ce truc?

—Un mini-Uzi.

Il enclencha le chargeur et me montra où était le cran de sûreté, comment on tenait le joujou et comment on tirait avec. Un vendeur de voitures récitant la liste des équipements de série sur un modèle de luxe! Enfin, il se laissa tomber dans le fauteuil et posa l'arme sur ses genoux.

Mes yeux se fermaient malgré moi, mais je réussis à demander:

—Ne tire pas sur mes voisins, d'accord?

Je crus le voir sourire.

—J'essaierai.

—C'est toi, le tueur en série de vampires?

—Fais dodo, Anita.

Bon, ça ne coûte rien de demander.

J'étais sur le point de sombrer dans un sommeil bien mérité quand j'entendis sa voix, douce et lointaine.

—Où Nikolaos dort-elle la journée?

Sans rouvrir les yeux, je répondis:

—Je suis crevée, Edward. Pas stupide.

Sur ces fortes paroles, je perdis connaissance.

Chapitre 42

Jean-Claude était assis sur le trône sculpté. Il me sourit et tendit vers moi une longue main fine.

— Viens.

Je portais une robe blanche en dentelle. Bon sang, je ne rêve jamais de moi dans une tenue pareille !

Je levai les yeux vers Jean-Claude. C'était son choix, pas le mien. La peur me serra la gorge.

— C'est mon rêve.

— Viens, répéta-t-il.

J'allai vers lui. L'ourlet de ma robe bruissait en frottant le sol. Ça me portait sur les nerfs, mais je ne pouvais rien y faire.

Soudain, je me retrouvai face à lui. Une mauvaise idée. Malgré moi, je tendis les mains. Il les prit dans les siennes, et je m'agenouillai à ses pieds. Sans me lâcher, il saisit les revers de sa chemise et les écarta.

Sa poitrine était lisse et pâle. Une traînée de poils noirs et bouclés descendait vers son ventre où elle s'épaississait, contrastant avec sa peau blanche. Sa cicatrice semblait déplacée au milieu de cette perfection.

Il me prit le menton et me força à lever la tête vers lui. Son autre main effleura sa poitrine, sous son mamelon gauche. De l'ongle, il ouvrit un sillon écarlate. Du sang brillant coula.

Je tentai de me dégager, mais il me tenait comme dans un étau.

—Non, dis-je.

Je le frappai de ma main libre. Il me saisit le poignet et m'immobilisa, comme un papillon épinglé. Je pouvais encore me débattre, mais pas me libérer. Je pesai de tout mon poids, le forçant à me poser sur le sol s'il ne voulait pas m'étrangler.

Puis je lui flanquai une ruade. Mes deux pieds atteignirent son genou. Les vampires ne sont pas immunisés contre la douleur. Il me lâcha si brutalement que je tombai en arrière. Alors, il me prit par les deux poignets et me souleva sur les genoux, me coinçant entre ses jambes.

Un rire argentin emplit la pièce. Nikolaos nous observait en s'esclaffant de plus en plus fort. Les murs nous renvoyèrent l'écho de son hilarité de démente.

Jean-Claude m'agrippa les deux poignets d'une seule main. L'autre me caressa la joue et glissa sur ma nuque.

—Ne faites pas ça, je vous en prie !

Mais il m'attira la tête vers sa poitrine. J'eus beau me débattre, ses doigts étaient comme soudés à mon crâne.

—Non !

—Gratte la surface et tu verras : dessous, nous sommes tous semblables, réanimatrice, chantonna Nikolaos.

Je hurlai.

—Jean-Claude !

Sa voix s'infiltra dans mon esprit.

—Sang de mon sang, chair de ma chair, que les deux ne fassent plus qu'un. Une seule chair, un seul sang, une seule âme.

L'espace d'un instant éblouissant, je le vis et je le sentis. Une éternité avec Jean-Claude. Ses caresses, ses lèvres, son sang. À jamais.

Je clignai des yeux et m'aperçus que ma bouche était presque collée à la plaie de sa poitrine. Il m'aurait suffi de darder la langue pour lécher son sang.

—Jean-Claude, non! Mon Dieu, aidez-moi!

Les ténèbres. Quelqu'un qui me secouait par les épaules. Je ne réfléchis pas. L'instinct prit le dessus. Avant que je comprenne ce qui se passait, mon flingue était déjà dans ma main.

Une main me tordit le bras dans le dos. Un corps se pressa contre le mien.

—Anita, regarde-moi!

Je levai les yeux vers Edward qui me plaquait contre le matelas. Sa respiration était un peu trop rapide. Je regardai le Browning dans ma main, puis relevai la tête vers lui. Il ne m'avait pas lâchée. Je ne pouvais pas lui en vouloir.

—Tu vas bien?

Je hochai la tête.

—Dis quelque chose, Anita.

—J'ai fait un cauchemar.

—Sans blague.

Il me lâcha et je rangeai le flingue dans son holster, à la tête de mon lit.

—Qui est Jean-Claude? demanda-t-il.

—Pourquoi?

—Tu as crié son nom.

Je passai une main sur mon front. Il était trempé de sueur. Comme le drap et mes vêtements. Ces cauchemars commençaient à me courir sur le haricot.

—Quelle heure est-il?

Il faisait noir comme si le soleil s'était couché. Mon estomac se noua. S'il faisait nuit, Catherine n'avait pas la moindre chance.

— Ne panique pas. Ce ne sont que les nuages. Il te reste quatre heures avant le crépuscule.

J'allai dans la salle de bains m'asperger le visage d'eau froide. Dans le miroir, j'aperçus mon reflet livide. Ce rêve m'avait-il été envoyé par Jean-Claude ou par Nikolaos ? Dans le second cas, me contrôlait-elle déjà ?

Edward s'était rassis dans le fauteuil blanc quand je regagnai la chambre. Il m'étudia comme si j'étais un spécimen intéressant. Un insecte rare qu'il voyait pour la première fois.

Je l'ignorai et appelai le bureau de Catherine.

— Allô, Betty ? Ici Anita Blake. Catherine est là ?

— Bonjour, mademoiselle Blake. Mlle Maison s'est absentée pour affaires. Elle rentrera en ville le 20.

Catherine m'avait parlé de ce déplacement, mais j'avais complètement oublié. Enfin, un coup de chance !

— Merci, Betty. Je rappellerai une autre fois.

— Ravie d'avoir pu vous aider. Mlle Maison a pris rendez-vous pour le premier essayage des robes de demoiselles d'honneur le 23.

Une catastrophe après l'autre !

— Je n'oublierai pas. Au revoir.

Je raccrochai et composai le numéro d'Irving Griswold. Irving est journaliste au *Post Dispatch*, la feuille de chou locale. C'est également un lycanthrope. Je sais : Irving le loup-garou, ça ne sonne pas terrible.

Il décrocha à la troisième sonnerie.

— Anita Blake...

— Salut. Qu'est-ce qui t'arrive ?

Il semblait soupçonneux, comme si je l'appelais seulement quand j'avais besoin de quelque chose.

— Tu connais des rats-garous ?

Silence à l'autre bout de la ligne.

—Irving ?

—Pourquoi veux-tu le savoir ?

—Je ne peux pas te le dire.

—Tu as besoin de mon aide, et tu ne m'offres pas un sujet d'article en échange ?

—C'est à peu près ça, oui.

—Pourquoi accepterais-je ?

—Ne me prends pas la tête, Irving ! Je t'ai déjà fourni un tas d'exclusivités. C'est grâce à moi que tu as fait les gros titres pour la première fois.

—Je te sens un peu grincheuse.

—Tu connais des rats-garous, oui ou non ?

—Oui.

—J'ai besoin de transmettre un message à leur roi.

—C'est tout ? Je pourrais peut-être t'avoir un rendez-vous avec un rat-garou de ma connaissance. Mais avec leur roi, il ne faut pas rêver.

—Je te demande juste de lui transmettre un message. Ça devrait le décider à me rencontrer. Tu as de quoi noter ?

—Toujours.

—Dis-lui que les vampires ne m'ont pas eue, et que je ne leur ai pas donné ce qu'ils voulaient.

—Tu es impliquée dans une affaire avec des vampires et des rats-garous, et je n'ai pas droit à l'exclusivité ?

—Personne n'aura l'exclusivité sur ce coup-là, si ça peut te consoler. Ça va devenir beaucoup trop sale.

—D'accord… Je vais voir ce que je peux faire. Je te rappellerai.

—Merci, Irving.

—Fais gaffe à toi, Anita. Je détesterais perdre ma source de scoops.

— Et moi, donc.

J'avais à peine reposé le combiné quand le téléphone sonna. Je décrochai sans réfléchir, pas encore habituée à laisser le répondeur filtrer mes appels.

— Anita, c'est Bert.

— Salut…, soupirai-je.

— Je sais que tu bosses sur l'affaire des meurtres, mais j'ai quelque chose qui pourrait t'intéresser.

— Bert, je suis complètement submergée.

Il aurait pu me demander comment j'allais. Il paraît que certains patrons se soucient de la santé de leurs employés. Au moins, ils font semblant. Mais pas Bert.

— Thomas Jensen a appelé aujourd'hui.

— Jensen ?

— C'est ce que je viens de dire.

— Il va enfin nous laisser faire ?

— Pas nous : toi. Il a insisté pour que tu t'en charges personnellement. Je lui ai suggéré de prendre quelqu'un d'autre, mais il n'a rien voulu entendre. Et il veut que ça se passe ce soir. Il a peur de changer d'avis.

— Et merde !

— Tu veux que je le rappelle pour annuler, ou que je lui donne rendez-vous de ta part ?

Pourquoi tout me tombe-t-il toujours sur le dos en même temps ? Un des grands mystères de la vie.

— Dis-lui qu'on se verra au cimetière ce soir.

— Brave fille. Je savais que tu ne me laisserais pas tomber.

— Combien paie-t-il ?

— Trente mille dollars. Un coursier vient déjà de m'apporter un premier versement de cinq mille.

— Tu es un être maléfique, Bert.

— Je sais. Mais je gagne bien ma vie.

Il raccrocha sans me dire au revoir. Le tact personnifié. Edward m'observait, un sourcil levé.

— Tu viens d'accepter un boulot de réanimation ?

— Pas pour relever un mort, mais pour en remettre un dans sa tombe.

— Peu importe. Ça te coûtera de l'énergie ?

— Un peu.

— Tu ne peux pas te le permettre, Anita. Pas en ce moment.

— Ça ira, je t'assure. Thomas Jensen a perdu sa fille il y a vingt ans. Il l'a fait relever treize ans plus tard.

— Et alors ?

— Elle s'était suicidée. À l'époque, personne n'avait compris pourquoi. Plus tard, on a découvert qu'il abusait d'elle sexuellement.

— Et il l'a fait relever pour… ?

— Non, non, pas du tout. Il a été pris de remords. Il voulait s'excuser.

— Et… ?

— Elle n'a pas voulu lui pardonner.

— Je ne comprends pas.

— Elle était morte en le haïssant, en le craignant et en le maudissant. Elle n'a rien voulu entendre, et il a refusé de la remettre dans sa tombe. Il l'a gardée près de lui pendant que son esprit et son corps se décomposaient. À titre de punitions.

— Doux Jésus.

— Tu peux le dire…

J'ouvris la penderie et en sortis mon sac de gym. Edward transporte ses armes dans le sien. Le mien contient mon attirail de réanimatrice. Ou de chasseuse de vampires, selon le cas.

La pochette d'allumettes que m'avait donnée Zachary était au fond. Je la fourrai discrètement dans la poche de mon jean. Edward ne vit rien. Sinon, il m'aurait demandé ce que c'était.

—Jensen a accepté qu'on la remette dans sa tombe, mais il veut que ce soit moi. Je ne peux pas refuser. C'est une sorte de légende, dans notre milieu.

—Pourquoi ce soir, si ça a déjà attendu sept ans?

—Il a peur de changer d'avis si je le fais attendre. Et je ne serai peut-être plus de ce monde la semaine prochaine. Il ne laissera personne d'autre le faire!

—Pas ton problème… Ce n'est pas toi qui as relevé ce zombie.

—Non, mais je suis réanimatrice. La chasse aux vampires, c'est un boulot secondaire.

—D'accord, soupira Edward. Ça t'ennuie si je t'accompagne pour m'assurer que personne n'en profitera pour te descendre?

—Tu as déjà assisté à une séance?

—Jamais.

—J'espère que tu n'es pas trop impressionnable.

J'avais dit ça pour rire, mais il me regarda si froidement que son visage se transforma. Il ne restait rien: plus d'expression, plus de sentiments…

Un tigre m'a regardée de la même façon, un jour, à travers les barreaux de sa cage. Avec des pensées et des réactions si étrangères aux miennes que nous aurions pu venir de deux planètes différentes. Une créature qui aurait pu me tuer en un clin d'œil et sans l'ombre d'un remords, parce qu'elle avait été conçue pour ça, parce qu'elle avait faim ou parce que je l'agaçais.

Je ne m'enfuis pas de la pièce en hurlant de terreur, mais je dus prendre sur moi.

— D'accord, d'accord, marmonnai-je. Pas la peine de jouer au grand méchant tueur avec moi.

Ses yeux ne se réchauffèrent pas immédiatement, mais ils s'éclairèrent peu à peu.

J'espérais qu'Edward ne me regarderait jamais de cette façon pour de bon. S'il le faisait, l'un de nous deux mourrait. Et il y avait de grandes chances que ce soit moi.

CHAPITRE 43

L a nuit était noir d'encre. D'épais nuages plombaient le ciel. Le vent qui courait au ras du sol sentait la pluie.

Un ange de marbre lisse et blanc aux ailes tendues et aux bras grands ouverts montait la garde au-dessus de la tombe d'Iris Jensen. À la lumière de ma lampe, je déchiffrai l'inscription : « À ma fille bien-aimée. Tu me manques. »

L'homme qui avait fait sculpter cet ange, celui à qui elle manquait, avait violenté Iris de son vivant. Elle s'était suicidée pour lui échapper, et il l'avait relevée d'entre les morts. C'était pour ça que j'étais plantée dans le noir à les attendre. Pas pour lui, mais pour elle.

Je savais que son esprit avait disparu depuis longtemps, mais je voulais qu'elle regagne sa tombe et trouve enfin le repos. Edward n'aurait pas compris. Logique, je n'avais pas pris la peine de lui expliquer.

Un énorme chêne tendait ses branches au-dessus de la tombe vide. Le vent faisait bruisser les feuilles, un chuchotement sec qui évoquait l'automne plutôt que l'été. L'air était humide, et la chaleur supportable, pour une fois.

J'avais apporté deux poulets qui gloussaient dans leur caisse. Edward était adossé à ma voiture, les bras ballants. Ma machette luisait à l'intérieur de mon sac de gym ouvert.

—Où est-il ? s'impatienta Edward.

Je secouai la tête.

—Je n'en sais rien.

La nuit était tombée depuis près d'une heure. Jensen avait-il changé d'avis au dernier moment?

Edward s'écarta de la voiture pour s'approcher de moi.

—Je n'aime pas ça, Anita.

Je n'étais pas ravie non plus, mais…

—Laissons-lui un quart d'heure. S'il n'est pas arrivé, nous partirons.

Edward promena son regard alentour. Quelques arbres se dressaient sur le terrain nu du cimetière.

—Il n'y a pas beaucoup d'endroits où se mettre à couvert, constata-t-il.

—Je doute que nous ayons à nous soucier de tireurs embusqués.

—Tu m'as bien dit que quelqu'un avait tenté de te tuer?

Il marquait un point.

Des poils se hérissèrent sur mes bras. Le vent fit une trouée dans les nuages, et le clair de lune inonda le cimetière.

—C'est quoi? demanda Edward en désignant un petit bâtiment aux murs de planches.

—Un appentis. Tu crois que l'herbe se coupe toute seule?

—Je n'y ai jamais réfléchi…

Les nuages se refermèrent, nous plongeant de nouveau dans le noir et adoucissant les contours des pierres tombales.

Un crissement de griffes sur du métal.

Je fis volte-face.

Une goule était assise sur le capot de ma voiture. Nue, elle semblait couverte d'une couche de peinture argentée. Ses dents étaient noires, longues et acérées; ses yeux brûlaient d'une lueur écarlate.

Nos deux flingues apparurent en même temps.

—Que fait cette créature ici? demanda Edward.

—Comment veux-tu que je le sache? (J'agitai ma main libre.) File!

Accroupie, l'intruse me dévisageait. Les goules sont des créatures peureuses, qui n'attaquent pas les êtres humains valides. Je fis deux pas dans sa direction en agitant mon Browning.

—Du balai! Ouste!

En principe, il n'est pas difficile de leur faire peur. Mais loin de s'enfuir, elle demeura immobile. Je reculai.

—Edward…

—Oui?

—Je n'ai pas senti de goules à notre arrivée.

—Et alors? Tu as pu la rater.

—Elles se déplacent toujours en meute. Impossible de les manquer! Elles laissent une sorte de puanteur psychique dans leur sillage.

—Par là.

Je suivis son regard. Deux autres créatures venaient d'apparaître derrière nous.

Nous nous plaçâmes dos à dos, flingue braqué.

—J'ai assisté à une attaque de goules au début de la semaine. Un homme s'est fait tuer dans un cimetière où il n'était pas censé y en avoir.

—Ça me dit quelque chose.

—Les balles ne peuvent rien contre elles.

—Je sais. Qu'est-ce qu'elles attendent?

—Elles rassemblent leur courage, je crois.

—Non. C'est moi qu'elles attendent, corrigea une voix masculine.

Zachary sortit de derrière un arbre. Il souriait.

Soudain, je compris. Il ne tuait pas des êtres humains pour alimenter son grigri, mais des vampires. Theresa l'avait tourmenté, et il en avait fait sa victime suivante. Mais il restait encore des questions en suspens.

Des questions importantes !

Edward me jeta un coup d'œil, puis se tourna vers Zachary.

—Qui est-ce ?

—Le tueur de vampires, je présume.

Zachary esquissa une courbette. Une goule se frotta contre sa jambe ; il caressa son crâne presque chauve.

—Quand l'avez-vous deviné ?

—À l'instant. Je suis un peu lente à la détente.

—Je me doutais que vous finiriez par comprendre…

—C'est pour ça que vous avez détruit l'esprit du zombie témoin. Pour vous protéger.

—J'ai eu de la chance que Nikolaos me charge de son interrogatoire.

—Sans blague… Comment avez-vous convaincu Deux-Morsures de me tirer dessus à l'église ?

—Facile : je lui ai dit que l'ordre venait de Nikolaos. Évidemment.

—Comment faites-vous sortir les goules de leur cimetière ? Pourquoi vous obéissent-elles ?

—Vous devez connaître cette théorie : si on enterre un réanimateur dans un cimetière, on donne naissance à des goules.

—Oui.

—Quand je suis sorti de la tombe, elles ont émergé en même temps que moi. Je suis leur maître.

Une vingtaine de créatures nous entouraient. Ça faisait beaucoup, même pour une meute.

— Il n'y a pas assez de réanimateurs dans le monde pour expliquer l'existence de toutes les goules.

— J'y ai beaucoup réfléchi. Plus il y a eu de zombies relevés dans un cimetière, plus grandes sont les chances que des goules se manifestent.

— Vous voulez dire… Un effet cumulatif?

— Exactement. Je mourrais d'envie d'en parler avec un autre réanimateur, mais pas la peine de vous faire un dessin…

— Non. Vous ne pouvez pas discuter boutique sans admettre qui vous êtes et ce que vous avez fait.

Edward tira sans crier gare. La balle atteignit Zachary en pleine poitrine. Il tomba face contre terre et les goules se figèrent.

Lentement, il se redressa sur les coudes. Un de ses serviteurs l'aida à se relever.

— Les sarcasmes me font plus mal que les balles, dit-il.

Edward tira de nouveau, mais Zachary plongea derrière un arbre.

— On ne vise pas la tête! cria-t-il. Je ne sais pas ce qui se passerait si vous m'en logiez une dans le cerveau.

— Nous n'allons pas tarder à le découvrir, grogna Edward.

— Adieu, Anita. Je n'ai pas l'intention de rester pour regarder.

Zachary s'éloigna, entouré par sa meute de goules, à moitié plié en deux pour ne pas risquer de prendre une balle dans la tête.

Deux autres goules contournèrent ma voiture, leurs griffes crissant sur le gravier. L'une était une femme encore vêtue des lambeaux d'une robe.

— Donnons-leur des raisons d'avoir peur, dit Edward.

Il tira deux fois. La goule perchée sur le capot sauta à terre et se cacha. Mais il en restait encore une quinzaine que Zachary avait laissées pour jouer avec nous.

Je tirai sur la plus proche. Elle tomba sur le flanc et roula sur elle-même en poussant le cri aigu et pitoyable d'un lapin blessé.

—L'appentis! criai-je.

—Il est en bois. Il ne les arrêtera pas…

—Non, mais il nous fournira une couverture.

—Un conseil à me donner?

—Ne cours pas jusqu'à ce que nous y soyons presque. Sinon, elles se lanceront à notre poursuite. Elles penseront que nous sommes effrayés.

—Autre chose?

—Tu ne fumes pas?

—Non, pourquoi?

—Les goules ont peur du feu.

—Génial! On va se faire dévorer vivants parce qu'on ne voulait pas choper un cancer des poumons.

Je faillis éclater de rire tant il avait l'air dégoûté. Mais une goule se ramassait sur elle-même pour me bondir dessus, et je dus lui loger une balle entre les deux yeux.

—On y va. Tout doucement.

—J'aimerais qu'on n'ait pas laissé le mini-Uzi dans ta voiture.

—Et moi donc!

Edward tira trois fois. Puis nous nous mîmes en marche vers l'appentis, à trois ou quatre cents mètres de nous. Le chemin allait être long…

Une goule chargea. Je l'abattis. C'était comme tirer sur des cibles en carton : ça faisait des trous, mais il n'y avait pas de sang. Bref, douloureux, mais pas assez.

Je marchais presque à reculons, une main tendue pour ne pas perdre Edward. Elles étaient trop nombreuses. Nous n'arriverions jamais jusqu'à l'appentis.

Un des poulets gloussa, et j'eus une idée. Je tirai dans la caisse. Elle se renversa, les deux volatiles paniquant.

Les goules levèrent le nez pour humer l'air. De la viande toute fraîche, les filles! Elles coururent vers la caisse, se piétinant les unes les autres dans leur hâte de mettre la main sur les friandises qu'elle contenait.

— Accélère un peu. Les poulets ne les retiendront pas longtemps.

Derrière nous, un raclement de griffes, le craquement du bois, des battements d'ailes effrayés, des ululements affamés... Un avant-goût déplaisant de ce qui nous attendait.

Nous étions à mi-chemin de l'appentis quand un hurlement déchira les ténèbres. Je jetai un coup d'œil par-dessus mon épaule. Les goules s'étaient laissées tomber à quatre pattes et fondaient sur nous.

— Cours!

Nous percutâmes la porte de plein fouet. Elle était fermée à clé. Et merde! Edward fit sauter le cadenas, mais nous n'eûmes pas le temps de le ramasser : les goules étaient déjà sur nous.

Nous entrâmes et claquâmes la porte derrière nous. Pour la différence que ça allait faire...

Le clair de lune qui filtrait par une minuscule fenêtre découpait la silhouette de plusieurs tondeuses à gazon appuyées contre le mur du fond. Des sécateurs, un taille-haie, un tuyau d'arrosage, des truelles... L'appentis sentait le gas-oil.

— Il n'y a rien pour bloquer la porte, Anita.

Edward avait raison.

—Essaie avec une tondeuse.

—Ça ne les retiendra pas longtemps.

—Ce sera toujours mieux que rien.

Comme il ne bougeait pas, je m'en chargeai moi-même.

—Je ne mourrai pas dévoré vivant, dit Edward en enclenchant un nouveau chargeur dans son flingue. Je m'occupe de toi en premier, si tu veux. À moins que tu préfères le faire toi-même.

Je me souvins alors des allumettes que m'avait données Zachary. Dans la poche de mon jean…

—Anita, elles arrivent. Tu veux le faire toi-même, oui ou non ?

Je sortis la pochette d'allumettes. Merci, mon Dieu !

—Économise tes munitions, Edward.

Je saisis un jerrican de gas-oil.

—Que mijotes-tu ?

Dehors, les hurlements augmentaient d'intensité. Elles étaient presque là.

—Je vais mettre le feu à cet appentis.

J'arrosai la porte de carburant. L'odeur âcre me prit à la gorge.

—Avec nous à l'intérieur ?

—Oui.

—J'aime mieux me tirer une balle dans la tête, si ça ne te fait rien.

—Je n'ai pas l'intention de mourir ce soir, Edward.

Une patte griffue lacéra la porte. Je craquai une allumette et la jetai sur le battant imbibé de gas-oil. Une flamme bleu-blanc enveloppa la goule. Avec un hurlement affreux, elle tituba en arrière.

Une odeur de chair brûlée se mêla à celle du combustible. Je toussai et me couvris la bouche. Le feu dévorait les parois de l'appentis et gagnait le toit. Nous étions piégés. Je n'avais pas pensé que ça prendrait aussi vite.

Edward avait reculé vers le mur du fond.

—Tu avais un plan pour nous faire sortir, ou je me trompe ?

Une seconde patte griffue traversa les planches près de lui. Il se retourna et logea une balle entre les deux yeux de son agresseur.

J'empoignai un râteau accroché au mur. Des cendres commençaient à pleuvoir autour de nous. Si la fumée ne nous asphyxiait pas avant, nous allions être ensevelis sous les décombres.

—Enlève ta chemise, ordonnai-je.

Il ne me demanda pas pourquoi. D'un geste vif, il se débarrassa de son holster, passa sa chemise par-dessus sa tête et renfila le holster sur sa poitrine nue.

J'enveloppai les dents du râteau avec la chemise et l'imbibai de gas-oil, puis l'enflammai en l'approchant du mur. Plus besoin d'allumettes ! De minuscules braises me piquaient la peau comme autant de guêpes enragées.

Edward avait pigé. Il saisit une hache et attaqua le mur autour du trou percé par la goule. Je m'approchai avec ma torche improvisée et le bidon de gas-oil. Puis je songeai que la chaleur allait le faire exploser si nous tardions trop.

—Magne-toi !

Edward se faufila par l'ouverture. Je le suivis, manquant lui mettre le feu avec ma torche. Il n'y avait plus une goule dans un rayon de cent mètres. Moralité, ces créatures sont plus malignes qu'elles n'en ont l'air.

Nous détalâmes.

La déflagration me frappa dans le dos comme une tornade. Le souffle coupé, je m'étalai dans l'herbe. Des petits morceaux de bois enflammés retombèrent en pluie autour de moi. Je me couvris la tête et priai. Avec ma chance habituelle, je risquais de me faire crucifier par des clous volants.

Le silence revint, à peine troublé par le crépitement des dernières flammes. Je levai la tête. L'appentis avait disparu. Edward gisait sur le sol près de moi. Avais-je l'air aussi surprise que lui d'être toujours vivante ?

Notre torche improvisée enflammait l'herbe sèche. Il se redressa sur les genoux et la récupéra pendant que j'en faisais autant avec le bidon de gas-oil.

Nous nous éloignâmes, torche brandie. Les goules semblaient avoir fui, mais on ne sait jamais. Nous n'eûmes même pas besoin de nous consulter ; la paranoïa est un des rares traits de caractère que nous partageons.

Nous revînmes vers la voiture. L'adrénaline était retombée, et je me sentais encore plus crevée qu'avant. Si je continuais comme ça, je n'allais pas tarder à tomber en panne de batterie.

Des plumes ensanglantées étaient éparpillées autour de la tombe. Évitant de les regarder, je me penchai pour ramasser mon sac de gym. Personne n'y avait touché.

—Anita ! cria Edward dans mon dos.

Je me jetai à terre. Une détonation retentit, suivie par un bruit de chute et un glapissement. Je regardai la goule pendant qu'Edward lui vidait son chargeur dans la poitrine. Quand les battements de mon cœur se furent calmés, je rampai jusqu'au bidon de gas-oil et le débouchai.

Puis je le vidai sur la goule.

—Allume-la.

Edward l'embrasa avec la torche. Le feu dévora la créature, qui poussa un hurlement déchirant. Une odeur de chair et de cheveux brûlés me prit à la gorge. La goule se jeta sur le sol pour tenter d'éteindre les flammes. Sans succès.

— Tu seras le prochain, Zachary, murmurai-je. Tu seras le prochain.

La chemise finissait de se consumer. Edward laissa tomber le râteau, désormais inutile.

— Fichons le camp d'ici !

Je n'aurais pas pu dire mieux.

Je déverrouillai ma voiture, jetai le sac de gym sur la banquette arrière et démarrai. La goule continuait à brûler dans l'herbe, mais elle avait cessé de s'agiter.

Edward était assis sur le siège du passager, son mini-Uzi sur les genoux. Pour la première fois depuis que je le connaissais, il paraissait ébranlé. Voire effrayé.

— Tu comptes dormir avec ton pistolet-mitrailleur ?

— Et toi avec ton Browning ? répliqua-t-il du tac au tac.

Il n'avait pas tort.

Je sortis du cimetière aussi vite que possible. Ma Nova n'était pas conçue pour les manœuvres à grande vitesse, et avoir un accident si près des goules ne semblait pas une bonne idée. La lumière de mes phares se reflétait sur les pierres tombales. Mais rien ne bougeait plus nulle part.

Je pris une inspiration et expirai lentement. La deuxième fois qu'on tentait de me tuer en deux jours. Franchement, j'avais préféré la première.

Chapitre 44

Nous roulâmes en silence un bon moment. Finalement, ce fut Edward qui le rompit.

— Nous ne devrions pas retourner à ton appartement.

— Je suis d'accord.

— Je t'emmène à mon hôtel. À moins que tu aies un autre endroit où dormir ?

Où pouvais-je aller ? Chez Ronnie ? Je refusais de la mettre en danger. Je ne voulais mettre personne en danger. Enfin, personne d'autre qu'Edward, qui était parfaitement capable de se défendre. Sans doute mieux que moi.

Mon bipeur vibra contre ma hanche. Je déteste le mettre en mode silencieux. Il me flanque toujours les jetons quand il se déclenche.

— Qu'est-ce qui se passe ? On dirait que quelque chose t'a mordue.

J'appuyai sur le bouton pour voir qui m'avait appelée. Le numéro s'éclaira brièvement.

— C'est mon bipeur. En mode silencieux…

— Tu ne vas pas appeler ton bureau !

C'était un ordre plus qu'une question.

— Edward, je suis d'une humeur de chien. Ne me cherche pas.

Je l'entendis lâcher un soupir exaspéré, mais que pouvait-il faire ? C'était moi qui conduisais. À moins de sortir son flingue pour détourner ma caisse, il était obligé de suivre.

Je pris la sortie suivante et repérai une cabine téléphonique, devant une épicerie de nuit. Les lampadaires faisaient de moi une cible facile, mais après notre rencontre avec les goules, j'avais besoin de lumière.

Edward me regarda sortir de la voiture sans me suivre pour protéger mes arrières. Tant pis. J'avais un flingue pour me défendre. S'il voulait bouder, grand bien lui fasse.

Je composai le numéro de l'agence. Craig, notre secrétaire de nuit, décrocha immédiatement.

— Réanimateurs Inc. En quoi puis-je vous aider ?

— Salut, Craig. C'est Anita. Que se passe-t-il ?

— Irving Griswold a appelé. Il veut que tu le recontactes tout de suite à propos d'un rendez-vous. Il a dit que tu saurais de quoi il s'agit.

— D'accord. Merci.

— Ça n'a pas l'air d'aller.

— Bonne nuit, Craig.

Je lui raccrochai au nez. Je me sentais fatiguée et engourdie, et ma gorge me faisait mal. J'avais envie de me pelotonner dans un coin sombre et de ne plus bouger pendant une semaine. Mais je rappelai Irving.

— C'est moi.

— Il était temps ! Tu sais le mal que je me suis donné pour fixer ce rendez-vous ? Au début, ils ne voulaient pas en entendre parler. C'est ton message qui les a fait changer d'avis. Et tu as failli le manquer.

— Je peux encore si tu n'arrêtes pas de râler. Dis-moi où et quand.

Il obtempéra. Si je me dépêchais, je pouvais arriver à l'heure.

—D'accord. À tout de suite.

—Je ne serai pas là, dit Irving, dépité. Ils ne veulent pas de flics ni de journalistes.

Je souris. Pauvre Irving! Tout le monde le tenait à l'écart.

Cela dit, il n'avait pas été attaqué par des goules et n'avait pas failli flamber dans un incendie. Je devrais peut-être garder ma pitié pour moi.

—Merci. Je te dois une faveur.

—Tu m'en dois même plusieurs. Sois prudente. Je ne sais pas dans quel guêpier tu t'es fourrée, mais ça pue.

Il cherchait à me soutirer des informations…

—Bonne nuit, Irving.

Je raccrochai avant qu'il puisse poser des questions auxquelles je ne voudrais pas répondre.

Je composai le numéro privé de Dolph. En temps normal, j'aurais attendu le matin. Mais j'avais déjà failli mourir une fois, cette nuit. Si ma rencontre avec les rats-garous tournait mal, quelqu'un devait retrouver Zachary et lui faire payer.

Dolph décrocha à la sixième sonnerie.

—Oui, grogna-t-il d'une voix pâteuse de sommeil.

—Dolph, c'est Anita Blake.

—Qu'est-ce qui ne va pas?

—Je sais qui est le tueur de vampires.

—Raconte.

Il prit des notes et réclama des précisions.

—Tu peux prouver tout ça? demanda-t-il enfin.

—Je peux prouver qu'il porte un grigri. Et témoigner du fait qu'il a essayé de me tuer.

—Ça risque de ne pas suffire pour convaincre un jury.

—Je sais.

— Je vais voir ce que je peux faire. Il faudra que tu passes demain à la brigade pour qu'on prenne ta déposition. À condition que tu sois toujours vivante, bien entendu.

— Je vais faire de mon mieux…

— Bonne chance.

— Merci.

Je regagnai la voiture.

— Nous avons rendez-vous avec les rats-garous dans trois quarts d'heure…

— Ça ne peut pas attendre ? s'étonna Edward.

— Non. Ils peuvent nous introduire dans l'antre de Nikolaos par un passage secret. Si nous nous pointons à l'entrée principale, nous n'arriverons jamais vivants jusqu'à elle.

— Qui d'autre as-tu appelé ?

— La police.

— Quoi ?

Si bizarre que ça puisse paraître, Edward n'affectionne pas les flics.

— Si Zachary réussit à me tuer, je veux que quelqu'un d'autre se charge de lui.

— Parle-moi de Nikolaos.

Je haussai les épaules.

— C'est un monstre sadique vieux de plus de mille ans.

— J'ai hâte de la rencontrer.

— Tu ne devrais pas.

— Nous avons déjà tué des maîtres vampires, Anita.

— Mais pas d'aussi vieux ni d'aussi cinglés. Personne ne m'a jamais fait autant peur.

— J'aime les défis, dit Edward en souriant.

Et merde ! La Mort avait choisi sa cible. La plus gratifiante de toutes.

Il n'y a pas beaucoup d'endroits encore ouverts à une heure et demie du matin. Mais *Denny's* en fait partie. Rencontrer des rats-garous autour d'un café et d'une assiette de beignets me turlupinait. Ce genre de rendez-vous ne devrait-il pas avoir lieu dans une ruelle obscure ? Non que je me plaigne, évidemment. Je trouvais juste ça… déplacé.

Edward entra le premier pour s'assurer qu'il ne s'agissait pas d'un nouveau guet-apens. S'il prenait une table, je devais le rejoindre. S'il ressortait, je n'avais plus qu'à faire demi-tour. Personne ne le connaissait. Tant qu'il n'était pas avec moi, il pouvait se pointer n'importe où sans qu'on essaie de le tuer. Incroyable, non ?

Il s'installa à une table. Ouf.

J'entrai à mon tour. La serveuse avait sous les yeux des cernes noirs qu'elle tentait de dissimuler avec du fond de teint. Mais c'était plutôt loupé. Elle s'approcha de moi. Par-dessus mon épaule, je vis un homme me faire signe en levant la main et en courbant l'index, comme pour convoquer un subalterne.

—Mon ami m'attend, dis-je à la serveuse. Merci quand même.

À cette heure, le restaurant était presque vide. Deux hommes occupaient une table non loin du premier, et un couple bavardait dans le coin du fond. Ils semblaient normaux, mais une sorte d'énergie contenue crépitait dans l'air autour d'eux. J'aurais parié que c'étaient des lycanthropes…

Edward avait choisi une table à une distance prudente, mais à portée d'ouïe. Il avait déjà chassé des lycanthropes ; il savait les repérer.

Alors que je passais près d'eux, un des hommes leva la tête vers moi. Il avait des yeux d'un marron si foncé qu'ils paraissaient presque noirs. Un visage carré, un corps mince mais musclé... Ses biceps formèrent une bosse sous les manches de sa veste quand il croisa les mains sous son menton.

Je passai devant lui et m'approchai du roi des Rats.

Il était grand – au moins un mètre quatre-vingts – avec une peau mate de Mexicain, des cheveux noirs épais coupés très court et des yeux marron. L'expression hautaine, presque arrogante... Pourtant, un charme ténébreux se dégageait de lui.

Je me glissai sur la chaise, en face de lui.

— J'ai eu votre message. Que voulez-vous ? demanda-t-il d'une voix basse mais douce, sans trace d'accent.

— Je voudrais que vous nous emmeniez, moi et un ami, dans le tunnel qui conduit au *Cirque des Damnés*.

Il fronça les sourcils.

— Pourquoi ferais-je une chose pareille ?

— Voulez-vous que votre peuple soit libéré de l'influence du maître de la ville ?

Il hocha la tête sans se départir de son air renfrogné. Je lui faisais un effet bœuf.

— Guidez-nous jusqu'au donjon, et nous vous débarrasserons de Nikolaos.

— Pourquoi vous ferais-je confiance ?

— Je ne suis pas une chasseuse de primes. Et je n'ai jamais fait de mal à un lycanthrope.

— Si vous l'attaquez, nous ne pourrons pas nous joindre à vous. Moi-même, je ne suis pas assez fort pour résister à l'emprise de Nikolaos. Quand elle m'appelle, je ne réponds pas, mais je le sens. Je pourrai empêcher mon peuple de la défendre, mais ça s'arrête là.

—Contentez-vous de nous faire entrer, et nous nous chargerons du reste.

—Vous semblez bien sûre de vous.

—Au point de parier ma vie dessus, dis-je.

Il appuya ses deux index devant ses lèvres. La brûlure en forme de couronne à quatre pointes était visible sur son avant-bras, même sous sa forme humaine.

—D'accord, je vous ferai entrer.

Je souris.

—Merci.

—Vous me remercierez quand vous vous en serez sortie.

—Entendu.

Je lui tendis la main. Après un instant d'hésitation, il la prit et la serra.

—Vous voulez attendre quelques jours? demanda-t-il.

—Non. J'irai demain.

—Vous en êtes sûre?

—Pourquoi? Il y a un problème?

—Vous êtes blessée. Je pensais que vous voudriez attendre d'être remise.

À mon tour de me rembrunir.

—Comment le savez-vous?

—Je sens que la mort vous a effleurée ce soir.

Irving n'étale jamais ses pouvoirs surnaturels devant moi. Ça ne veut pas dire qu'il n'en a pas, mais il se donne beaucoup de mal pour avoir l'air humain. Cet homme-là s'en fichait.

—Ça ne regarde que moi.

—Comme vous voudrez…

—Nous vous appellerons pour vous donner l'heure et le lieu.

Je me levai. Lui non. Il ne restait plus grand-chose à ajouter. Je pris la direction de la sortie.

Dix minutes plus tard, Edward me rejoignit dans la voiture.

—Et maintenant?

—Je voudrais dormir. Tu as parlé d'une chambre d'hôtel...

—Et demain?

—Tu m'apprendras à me servir du fusil à pompe.

—Et ensuite?

—Nous irons faire la peau à Nikolaos.

—Génial!

L'un de nous se réjouissait d'affronter un maître vampire vieux de plus d'un millénaire. C'était déjà ça.

CHAPITRE 45

Le lendemain, j'appris à me servir d'un fusil à pompe. La nuit venue, je partis en expédition souterraine avec des rats-garous.

Je ne voyais que les formes blanches qui dansaient devant mes yeux dans l'obscurité absolue. Je portais un casque de spéléo, mais mes compagnons avaient beaucoup insisté pour que je n'allume pas la torche avant qu'ils aient fini de se transformer.

Autour de moi, des bruits résonnaient dans les ténèbres. Gémissements, craquements, couinements. Ça avait l'air douloureux. Je mourais d'envie de regarder. Ce ne pouvait pas être si horrible. Mais une promesse est une promesse.

—Vous pouvez allumer, annonça enfin Rafael, le roi des Rats.

Je ne me le fis pas dire deux fois.

Les hommes-rats attendaient par petits groupes dans le tunnel. Sept mâles en short de jean, dont deux portaient aussi un tee-shirt. Trois femmes en robe ample qui ressemblait à une tenue de grossesse. Leurs petits yeux noirs brillaient sous la lumière de mon casque. Ils étaient tous couverts de fourrure.

Edward s'approcha de moi et étudia les lycanthropes avec une expression indéchiffrable. Je lui posai une main sur le bras. J'avais dit à Rafael que je n'étais pas une chasseuse de primes, mais lui acceptait parfois ce genre de contrat. J'espérais ne pas avoir mis en danger le peuple de Rafael.

— Vous êtes prêts ? demanda-t-il.

Il avait adopté la forme d'homme-rat noir et mince dont je me souvenais.

— Oui, dis-je.

Edward se contenta de hocher la tête en silence.

Les rats-garous s'éparpillèrent autour de nous et se laissèrent tomber à quatre pattes sur le sol de pierre sèche.

— J'ai toujours cru que les cavernes étaient humides ! lançai-je.

— Les Grottes de Cherokee sont des cavernes mortes, expliqua un petit rat-garou en tee-shirt trop grand pour lui.

— Je ne comprends pas.

— Dans une caverne vivante, il y a de l'eau…

— Nous ne sommes pas là pour jouer les guides touristiques, Louie, coupa Rafael. Taisez-vous, tous les deux !

Louie haussa les épaules et passa devant moi. C'était l'humain aux yeux foncés qui m'avait dévisagée chez *Denny's*.

Une des femelles avait une fourrure presque grise. Elle s'appelait Lilian, était médecin et portait un sac à dos plein de bandages et d'antiseptique. Autrement dit, les rats-garous prévoyaient que nous nous ferions blesser, mais que nous avions des chances d'en sortir vivants. Moi, je commençais à en douter.

Deux heures plus tard, le plafond devint si bas que je ne pus plus me tenir debout. Je compris à quoi servaient les casques de spéléo que Rafael nous avait fournis quand je me cognai la tête pour la énième fois. Sans eux, nous nous serions assommés avant d'atteindre Nikolaos.

Les rats-garous semblaient conçus pour se déplacer dans ce genre d'environnement. Ils s'aplatissaient, glissaient et se tortillaient avec une grâce animale dont Edward et moi étions dépourvus.

Edward jura tout bas. Ça lui apprendra à mesurer douze centimètres de plus que moi ! Mon dos me faisait un mal de chien et ça devait être pire pour lui. À certains endroits, le plafond remontait et nous pouvions nous tenir debout. Je les attendais comme un plongeur qui espère trouver une poche d'air.

Les ténèbres s'éclaircirent un peu. Nous approchions de l'extrémité du tunnel.

— Le donjon est devant, dit Rafael. Nous vous attendrons ici jusqu'à la tombée de la nuit. Si vous n'êtes pas sortis d'ici là, nous partirons. Si vous réussissez à tuer Nikolaos, nous vous aiderons dans la mesure de nos moyens.

J'acquiesçai, le faisceau lumineux de mon casque balayant verticalement la paroi.

— Merci encore.

— Je vous ai conduits sur le seuil de l'antre du diable. Il n'y a pas de quoi me remercier.

Je regardai Edward, aussi distant et impassible que de coutume. S'il avait peur, il le cachait bien.

Nous nous agenouillâmes devant l'ouverture. La lumière des torches nous éblouit après tout ce temps passé dans l'obscurité.

Edward serrait le mini-Uzi qu'il avait passé en bandoulière. Moi, je tenais le fusil à pompe. J'avais également emporté mes pistolets, deux couteaux plus un derringer glissé dans la poche de ma veste. Edward m'en avait fait cadeau.

— Le recul est terrible, mais si tu le colles sous le menton de quelqu'un, tu lui fais éclater la tête.

—Bon à savoir !

Dehors, il faisait encore jour. Les vampires devaient dormir, mais Burchard montait sans doute la garde. S'il nous voyait, Nikolaos le saurait.

Nous rampâmes, prêts à tirer sur tout ce qui bougerait. Mais la salle était vide. L'adrénaline accélérait ma respiration et les battements de mon cœur.

Il ne restait pas trace du sang de Phillip à l'endroit où il avait été enchaîné. Je réprimai une étrange envie de caresser le mur.

—Anita, appela Edward près de la porte.

Je le rejoignis.

—Qu'est-ce qui ne va pas ?

—C'est ici que Nikolaos a fait tuer Phillip.

—Ne te laisse pas distraire. Je ne veux pas mourir parce que tu rêvasses.

Il avait raison.

Edward posa une main sur la poignée de la porte. Elle n'était pas fermée à clé. Inutile, puisqu'il n'y avait pas de prisonniers. Je me plaquai contre le mur, de l'autre côté du battant, et Edward le poussa.

Le couloir était vide.

Mes mains moites glissaient sur la crosse du fusil à pompe. Edward s'engagea dans le couloir, et je le suivis vers l'antre du dragon.

Je ne me sentais pas du tout l'âme d'un vaillant chevalier. Peut-être parce que je ne portais pas d'armure rutilante.

CHAPITRE 46

L e dragon n'émergea pas de son antre pour nous croquer. Tout était calme. Trop calme.

Je m'approchai d'Edward et chuchotai :

— Je ne voudrais surtout pas me plaindre, mais où sont-ils tous ?

— Tu as peut-être tué Winter. Ce qui laisse seulement Burchard. Nikolaos a pu l'envoyer faire une course.

— C'est trop facile…

— Ne t'inquiète pas. Je suis certain que les choses ne tarderont pas à mal tourner.

Il continua à avancer.

Je dus bien faire trois pas avant de comprendre que c'était une plaisanterie.

Le couloir débouchait sur une pièce aussi vaste que la salle du trône de Nikolaos, et occupée par cinq cercueils. Chacun reposait sur une plate-forme, à l'abri des courants d'air qui balayaient le sol. Des bougies brûlaient dans de grands chandeliers en fer forgé : un à la tête et un au pied de chaque cercueil.

La plupart des vampires se donnent beaucoup de mal pour dissimuler leur cercueil. Mais pas Nikolaos.

— Quelle arrogance ! souffla Edward.

— Tu peux le dire.

C'est marrant, on chuchote toujours près du cercueil d'un vampire, comme s'il risquait d'entendre…

Une odeur de renfermé me laissait comme un arrière-goût métallique dans la bouche. Ça sentait le serpent en cage. Rien qu'au nez, on devinait qu'il n'y avait rien de tiède dans cette pièce.

Le premier cercueil était en bois sombre et verni, avec des poignées dorées. Assez large au niveau des épaules, il rétrécissait pour suivre les contours du corps humain. On n'en fabrique plus de pareils…

—On commence par celui-là, dis-je.

Edward ne discuta pas. Il lâcha son mini-Uzi et dégaina son pistolet.

—Je te couvre.

Je posai le fusil à pompe sur le sol, saisis le bord du couvercle, récitai une prière muette et le soulevai.

Valentin! Sans masque, il portait une redingote noire et une chemise rouge à jabot. Une de ses mains était recroquevillée sur sa cuisse. Un geste très humain.

Edward se pencha pour l'observer, flingue pointé vers le plafond.

—C'est celui sur qui tu as jeté de l'eau bénite?

—Oui.

—Beau boulot!

Valentin était immobile. Je ne le voyais pas respirer. J'essuyai mes mains sur mon jean et lui saisis le poignet pour chercher son pouls. Rien. Sa peau était glacée. Il était mort. Quoi qu'en disent les nouvelles lois, je ne considérais pas ça comme un meurtre. On ne peut pas assassiner un cadavre.

La veine pulsa. Je fis un bond en arrière.

—Qu'est-ce qui se passe? demanda Edward.

—Le pouls recommence à battre.

—Ça arrive parfois.

Je le savais. Si on attend assez longtemps, le cœur se remet à battre et le sang à circuler dans les veines, mais si lentement que c'est pénible à voir. Mort. Je commençais à comprendre que je n'avais aucune idée de ce que ça signifiait.

Mais j'étais sûre d'une chose : si nous étions encore là à la tombée de la nuit, nous le serions aussi. Ou nous souhaiterions l'être.

Valentin avait participé au massacre d'une vingtaine de personnes. Il avait déjà failli me tuer, et il finirait le boulot dès que Nikolaos me retirerait sa protection. Comme nous étions venus buter cette charmante enfant, je soupçonnais qu'elle ne tarderait pas à le faire. Autrement dit, c'était Valentin ou moi. Inutile de dire de quel côté allait ma préférence.

D'un haussement d'épaules, je me défis de mon sac à dos.

—Tu cherches quoi ?

—Un pieu et un maillet.

—Tu ne comptes pas utiliser le fusil à pompe ?

—Pourquoi ne pas demander une fanfare, pendant que tu y es ?

—Si tu veux faire ça en silence, il y a un autre moyen, affirma Edward en souriant.

Je tenais déjà le pieu, mais j'étais prête à l'écouter. J'ai embroché la plupart des vampires qui figurent à mon tableau de chasse, mais ça n'a pas été facile. C'est toujours très sale, même si j'ai arrêté de vomir depuis un moment. Je suis une pro, après tout.

Edward sortit de son propre sac à dos une petite trousse contenant des seringues. Il en tira une ampoule de liquide grisâtre.

—Du nitrate d'argent, expliqua-t-il.

L'argent, fléau des morts-vivants. Agréable de voir que les méthodes de travail se modernisent, même dans notre branche.

—Ça marche?

—Ça marche.

Edward remplit une seringue.

—Quel âge a celui-là?

—Un peu plus d'un siècle.

—Deux, ça devrait suffire.

Il enfonça l'aiguille dans la veine du cou de Valentin. Avant qu'il puisse remplir la seringue, le corps frémit. Edward lui injecta la seconde dose. Valentin se convulsa. Sa bouche s'ouvrit et se referma comme s'il cherchait désespérément de l'air.

Edward me tendit une autre seringue pleine. Je la fixai sans la prendre.

—Elle ne va pas te mordre.

Je la saisis entre le pouce et l'index.

—Qu'est-ce qui t'arrive?

—Je ne suis pas fan des piqûres.

—Les aiguilles te font peur?

—Pas exactement…

Valentin s'agitait, martelant les parois de son cercueil. Mais ses yeux restèrent fermés. Il allait dormir pendant sa propre mort.

Un dernier soubresaut, et il retomba mollement comme une poupée de chiffon.

—Il n'a pas l'air très mort. Je serais plus rassurée s'il avait un pieu dans le cœur et la tête tranchée…

Valentin paraissait encore si intact, si humain. J'aurais voulu voir sa chair se décomposer, ses os se transformer en poussière.

—Aucun vampire n'est sorti de son cercueil après avoir reçu deux doses de nitrate d'argent, Anita, dit Edward.

J'acquiesçai, mais je n'étais pas convaincue.

—On passe au suivant! ordonna-t-il.

Je m'éloignai, mais ne pus m'empêcher de regarder Valentin par-dessus mon épaule. Il hantait mes cauchemars depuis des années. Il m'avait presque tuée. Décidément, je ne le trouvais pas assez mort.

J'ouvris le cercueil de droite d'une seule main, la seringue dans l'autre, en faisant attention à ne pas me piquer. Je doute que le nitrate d'argent fasse beaucoup de bien aux humains.

Le cercueil était vide. Le capitonnage de soie blanche conservait l'empreinte d'un corps, mais il n'était pas là. Je pivotai et balayai la pièce du regard. Personne. Le cœur battant, je levai les yeux vers le plafond, priant pour que Nikolaos ne soit pas en train d'y léviter.

Je soupirai de soulagement. Merci, mon Dieu!

Ça devait être le cercueil de Theresa. Je le laissai ouvert et passai au suivant. Un modèle plus récent qui abritait le Noir dont j'ignorais le nom. Je ne le connaîtrais jamais, à présent. Je savais à quoi je m'engageais en venant ici. Tuer des vampires pendant qu'ils gisaient impuissants! Pour ce que j'en savais, celui-là n'avait jamais fait de mal à personne.

Je faillis éclater de rire. Ce mâle était le protégé de Nikolaos. Pouvais-je croire qu'il n'avait jamais bu de sang humain contre la volonté de sa victime? Sûrement pas. Je déglutis et enfonçai l'aiguille dans son cou. Pendant que j'actionnais le piston, je fermai les yeux. J'aurais eu moins de mal à lui plonger un pieu dans le cœur, tout compte fait.

—Anita! appela Edward.

Je fis volte-face. Aubrey était assis dans son cercueil. Il avait saisi Edward par la gorge et le soulevait lentement de terre.

Le fusil à pompe était toujours près du cercueil de Valentin. Je dégainai mon 9 mm et tirai dans le front d'Aubrey. L'impact le fit reculer, mais il se contenta de sourire et de lever Edward un peu plus haut à bout de bras.

Je m'élançai vers le fusil à pompe.

Edward devait se servir de ses deux mains pour ne pas être étranglé par son propre poids. Mais il lâcha prise de la droite et tenta de s'emparer de son mini-Uzi.

Aubrey lui agrippa le poignet.

Je ramassai le fusil à pompe, fis deux pas et tirai à un mètre. La tête d'Aubrey explosa ; du sang et de la cervelle éclaboussèrent le mur. Ses mains reposèrent Edward à terre mais ne le lâchèrent pas. La droite se convulsa sur sa gorge, les doigts sur le larynx.

Je dus contourner Edward pour viser la poitrine d'Aubrey. L'impact emporta le cœur et tout le côté gauche de la cage thoracique. Le bras resta pendu à des lambeaux de chair et de muscles. Puis le vampire retomba en arrière dans son cercueil.

À genoux, Edward se tenait la gorge à deux mains et toussait comme s'il s'étouffait.

— Fais oui avec la tête si tu arrives à respirer.

Qu'aurais-je pu faire s'il avait répondu non. Revenir sur mes pas pour aller chercher Lilian le docteur-garou ?

Edward fit oui de la tête. Son visage était bleu cadavre, mais il respirait.

Mes oreilles bourdonnaient encore à cause de la détonation du fusil à pompe. Autant pour l'effet de surprise. Et pour le nitrate d'argent.

J'engageai une nouvelle cartouche dans le canon et approchai du cercueil de Valentin. Puis je tirai. À présent, il était bien mort.

Edward se releva en titubant.

— Quel âge avait cette créature ? croassa-t-il.

— Plus de cinq siècles.

Il déglutit et fit la grimace.

— Merde alors !

— À ta place, je n'essaierais pas le coup de la seringue sur Nikolaos.

Malgré sa posture pitoyable, il parvint à me foudroyer du regard.

Je me tournai vers le cinquième cercueil. Celui que nous avions gardé pour la fin sans nous concerter. Il était appuyé contre le mur du fond. Blanc et trop petit pour un adulte. La lumière des bougies se reflétait sur son couvercle poli.

Je fus tentée de le faire sauter, mais je devais voir son occupante. Mon cœur battait la chamade. Nikolaos était un maître vampire. Il serait dur de la tuer, même en plein jour. Son regard pouvait me paralyser jusqu'à la tombée de la nuit. Et c'était sans mentionner les pouvoirs de son esprit et de sa voix.

J'avais mon crucifix. Tout irait bien.

Je tentai de soulever le couvercle d'une main, mais il était lourd et pas aussi bien équilibré que ceux des cercueils modernes.

— Tu peux me filer un coup de main, Edward ? À moins que tu sois trop occupé à redécouvrir comment on respire…

Il s'approcha de moi. Son visage avait presque retrouvé sa couleur normale. Je chargeai mon fusil à pompe. Edward banda ses muscles ; le couvercle glissa sur le côté. Il n'avait pas de gonds.

— Et merde !

Le cercueil était vide.

— C'est moi que vous cherchez ? lança une voix chantante sur le seuil de la pièce.

— Ne bougez plus, ordonna Burchard.

Les mains d'Edward étaient tout près de son mini-Uzi, mais pas assez. Il semblait aussi calme que pendant une promenade dominicale. Moi, j'avais tellement la trouille que de la bile envahit ma bouche.

Nous levâmes les mains en l'air.

— Tournez-vous lentement, ordonna Burchard.

Nous obtempérâmes.

Il tenait un fusil semi-automatique. Je ne m'y connais pas aussi bien qu'Edward en armes à feu, et je n'aurais pas pu identifier la marque ni le modèle. Mais je devinais qu'il devait faire de très gros trous. En outre, la garde d'une épée dépassait de l'épaule de Burchard.

Zachary était près de lui, un flingue brandi sur nous. il n'avait pas l'air heureux.

Burchard tenait son fusil comme s'il était né avec.

— Lâchez vos armes, je vous prie, et croisez les doigts sur la tête.

Nous n'avions pas le choix. Edward se débarrassa du mini-Uzi et moi du fusil à pompe. Il nous restait encore d'autres armes.

Nikolaos nous toisa froidement.

— Je suis plus âgée que tout ce que vous avez jamais imaginé. Pensiez-vous me trouver impuissante, même en plein jour ? Au bout d'un millier d'années ?

Elle s'avança en prenant garde à ne pas entrer dans la ligne de tir de Burchard et de Zachary.

— Tu me le paieras, réanimatrice, dit-elle en désignant les cercueils détruits.

Puis elle eut un sourire maléfique.

—Déleste-les de leurs autres armes, Burchard.

—Face au mur, Blake, ordonna son serviteur. Zachary, si le type bouge, tu lui tires dessus.

Il me palpa de la tête aux pieds sans rien omettre. Ce fut à peine s'il ne me demanda pas d'ouvrir la bouche ou de baisser ma culotte. Il trouva toutes les armes, y compris le derringer. Et il fourra ma croix dans sa poche. Je pourrais peut-être m'en tatouer une sur l'avant-bras, si je survivais à cette nuit ? Non, ça ne marcherait sans doute pas.

Burchard m'envoya rejoindre Zachary et entreprit de fouiller Edward.

—Elle est au courant ? demandai-je à Zachary.

—La ferme !

Je souris.

—Elle n'est pas au courant, c'est ça ?

—J'ai dit : la ferme ! beugla-t-il.

L'adrénaline pétillait dans mon sang comme du champagne. Je n'avais pas vraiment peur des flingues braqués sur nous. Seulement de Nikolaos. Qu'allait-elle nous faire ? Si j'avais le choix, je les forcerais à me tirer dessus. Une mort par balle serait toujours mieux que le sort qu'elle me réservait.

—Ça y est, maîtresse, annonça Burchard.

—Parfait. Sais-tu, réanimatrice, ce que nous étions en train de faire pendant que tu détruisais mes serviteurs ?

Doutant qu'elle attende vraiment une réponse, je la fermai.

—Nous nous occupions d'une personne qui t'est chère.

Mon cœur fit un bond dans ma poitrine. Catherine ! Non, elle n'était pas en ville. Ronnie, peut-être ? L'avaient-ils enlevée ? Mon Dieu, faites que non.

L'inquiétude dut se lire sur mon visage, car Nikolaos éclata d'un rire excité.

—Tu es si amusante, Anita. Je vais adorer t'avoir à mon service.

Elle avait commencé sa phrase sur une tonalité aiguë, et fini si bas qu'un frisson me courut le long de l'échine.

—Viens, appela-t-elle.

J'entendis un bruit de pas dans le couloir. Puis Phillip entra. L'horrible plaie de son cou était devenue une masse de tissu cicatriciel blanc. Il promena un regard hébété autour de lui.

—Seigneur, soufflai-je.

Ils l'avaient relevé.

Chapitre 47

Nikolaos dansa autour de lui, les bras tendus, faisant tournoyer la jupe de sa robe rose et soulevant le nœud de satin assorti qu'elle portait dans les cheveux. Ses petites jambes minces étaient moulées par un collant blanc, et elle portait des ballerines de la même couleur.

Elle s'immobilisa, rieuse et à bout de souffle. Les yeux pétillants, les joues roses. Comment faisait-elle ?

— Il a l'air très vivant, tu ne trouves pas ? dit-elle en lui posant une main sur le bras.

Phillip eut un mouvement de recul. Ses grands yeux effrayés ne la quittaient pas. Il se souvenait d'elle. Que Dieu lui vienne en aide. Il se souvenait d'elle !

— Tu veux le voir faire son numéro ? demanda Nikolaos.

J'espérai avoir mal compris et luttai pour garder mon calme. Je dus réussir car elle s'approcha de moi, les poings sur les hanches.

— Alors ? Tu veux voir ton amant faire son numéro ?

Je déglutis avec peine. Je n'aurais peut-être pas dû. Lui gerber dessus aurait été mieux. Ça lui apprendrait.

— Avec vous ?

Elle croisa les mains dans son dos et leva le nez vers moi.

— Ou avec toi. Comme tu voudras.

Son visage touchait presque le mien. Ses yeux étaient si innocents que ça semblait un sacrilège.

—Ça ne me fait pas très envie.

—Dommage.

Elle revint vers Phillip d'un pas sautillant. Il était nu, son corps bronzé toujours aussi séduisant malgré les cicatrices. Quelques-unes de plus ou de moins…

—Vous ignoriez que j'allais venir, alors pourquoi avoir relevé Phillip ? demandai-je.

—Pour qu'il puisse essayer de tuer Aubrey. Les zombies assassinés sont si amusants quand ils tentent de se venger ! Nous pensions lui laisser une chance pendant qu'Aubrey dormait. Il peut bouger si on le dérange dans son sommeil. (Elle se tourna vers Edward.) Mais vous vous en êtes déjà aperçus, je crois.

—Vous auriez laissé Aubrey le tuer une seconde fois ?

—Oui.

—Espèce de garce !

Burchard me flanqua un coup de crosse dans le ventre. Je tombai à genoux, haletante.

Edward regardait Zachary, dont le flingue était braqué sur sa poitrine. À cette distance, pas besoin d'être un bon tireur pour abattre sa cible.

—Je peux te faire faire ce qu'il me plaira, dit Nikolaos.

Un flot d'adrénaline se déversa dans mes veines. C'en était trop. Je vomis dans un coin de la pièce. Voilà ce qui arrive quand on est sur les dents et qu'on reçoit un coup dans l'estomac.

—Tss, tss, fit Nikolaos. Je t'effraie donc à ce point ?

Je parvins à me relever.

—Oui.

Pourquoi le nier ?

Elle battit des mains.

—Fantastique !

Son visage se transforma. La petite fille disparut, et je sus que toutes les robes roses du monde ne parviendraient pas à la faire revenir.

—Entends-moi, Anita Blake. Sens mon pouvoir t'envahir.

Les yeux baissés, je frissonnai et attendis que quelque chose prenne le contrôle de mon esprit. Mais rien ne se produisit.

—Je t'ai mordue, réanimatrice! Tu devrais ramper devant moi. Qu'as-tu fait?

—Je me suis purifiée avec de l'eau bénite.

—Cette fois, nous te garderons prisonnière jusqu'à ce que tu aies reçu la troisième marque. Tu prendras la place de Theresa. Alors, tu seras peut-être un peu plus impatiente d'identifier le tueur de vampires.

Je luttai pour ne pas regarder Zachary. Pas parce que je refusais de le trahir, mais parce que je voulais attendre le meilleur moment. De plus, c'était de loin la personne la moins dangereuse dans la pièce.

—Plutôt mourir! dis-je avec conviction.

Nikolaos écarta les bras.

—Mais je veux que tu meures, Anita.

—J'en ai autant à votre service.

Elle gloussa. La petite fille était de retour. Ce son me fit grincer des dents. Si elle voulait me torturer, elle n'avait qu'à m'enfermer dans une pièce et continuer à rire. Un véritable enfer!

—Venez. Allons jouer dans le donjon.

Nikolaos ouvrit la voie. Burchard nous fit signe de la suivre. Zachary et lui fermèrent la marche.

Debout au milieu de la pièce, Phillip nous observait, l'air hésitant.

—Dis-lui de venir avec nous, Zachary, ordonna Nikolaos.

—Viens, Phillip.

Il nous emboîta le pas, le regard toujours un peu flou.

S'ils essayaient de m'enchaîner au mur du donjon, je leur sauterais dessus et je les forcerais à me tuer. Mieux valait choisir Zachary : Burchard se contenterait sans doute de me blesser ou de m'assommer, et ça ne ferait pas du tout mon affaire.

Nikolaos descendit l'escalier et se retourna pour nous attendre. Quelle étrange procession nous faisions !

Le regard de Phillip se posa sur l'endroit où Aubrey l'avait tué. Il tendit une main vers le mur, le frottant comme s'il sentait quelque chose. Puis il se palpa le cou et découvrit la cicatrice.

Son hurlement se répercuta sur les parois de pierre.

—Phillip ! m'écriai-je.

Burchard me brandit le canon de son arme sous le nez pour m'empêcher de le rejoindre.

Phillip s'accroupit dans un coin du donjon, le visage dans les mains. Il se balança sur ses talons en gémissant.

Nikolaos éclata de rire.

—Arrêtez ! m'écriai-je.

Je fis un pas vers Phillip. De nouveau, Burchard me colla le canon de son arme dans la poitrine.

—Tirez-moi dessus si ça vous chante ! Tout plutôt que ça !

—Ça suffit ! cria Nikolaos.

Elle marcha vers moi, et je reculai jusqu'à me retrouver dos au mur.

—Je ne veux pas qu'il te tue, Anita, mais qu'il te fasse mal. Tu as abattu Winter avec ton poignard. Voyons si tu es vraiment bonne.

Elle fit un signe de tête à Burchard.

— Rends-lui ses couteaux.

L'homme ne demanda pas pourquoi. Il se contenta d'obéir et de me tendre les couteaux, manche en premier. Moi non plus, je ne posai pas de questions, me bornant à les prendre.

Soudain, Nikolaos apparut à côté d'Edward. Il fit mine de s'écarter d'elle.

— Si tu bouges encore, Zachary te tuera, gronda-t-elle. À genoux.

Edward ne broncha pas. Nikolaos lui décocha dans le pli du genou un coup de pied assez violent pour lui arracher un grognement. Elle lui empoigna le bras droit et le lui tordit derrière le dos. De sa main libre, elle le saisit à la gorge.

— Si tu esquisses un seul mouvement, je t'arrache la tête. C'est bien clair ? (Elle éclata de rire.) Maintenant, Burchard, montre à notre petite réanimatrice comment les vrais pros se servent d'un couteau.

Son serviteur alla se placer au bas de l'escalier. Il posa son fusil à terre, défit le harnais de son épée et la posa près du fusil. Puis il dégaina un long couteau à la lame presque triangulaire et fit quelques étirements.

Je sais utiliser un couteau et même le lancer, car je m'entraîne beaucoup. La plupart des gens ont peur des armes blanches. Si on menace de les découper, ils ne résistent pas longtemps.

Burchard adopta une position de combat, les genoux légèrement pliés, couteau fermement tenu dans sa main droite.

— Bats-toi contre lui, réanimatrice, ou ton ami mourra ! menaça Nikolaos.

Elle tordit le bras d'Edward un peu plus fort, mais il ne cria pas. Elle pourrait lui déboîter l'épaule sans qu'il lâche un son.

Je rangeai un de mes couteaux dans son fourreau, le long de mon avant-bras droit. Je ne suis pas vraiment ambidextre, et Burchard aussi n'en avait qu'un.

— C'est un combat à mort? demandai-je avant de commencer.

— Tu ne réussiras pas à tuer Burchard, Anita. Ne sois pas bête. Quant à lui, il ne fera que te couper un peu. Rien de très sérieux. Je ne veux pas que tu perdes trop de sang. Je désire juste voir sa couleur.

Génial!

Burchard tourna autour de moi, cherchant une ouverture. Je restai dos au mur. Puis il se rua vers moi. J'esquivai sa lame et contre-attaquai, mais mon arme ne rencontra que du vide. Après tout, il avait presque six siècles de pratique. Impossible de rivaliser avec ça.

Il sourit. Je lui fis un signe de tête, et il me le rendit. Une marque de respect entre deux guerriers? Peut-être. À moins qu'il soit en train de jouer avec moi.

Sa lame brilla en s'abattant sur mon bras. Je portai un coup de gauche à droite et l'atteignis au ventre. Au lieu de reculer, il se jeta sur moi. Je fis un bond sur le côté, ce qui me força à m'écarter du mur. Il était bon. Et il avait une allonge supérieure à la mienne.

La douleur, dans mon bras, fut aiguë et immédiate. Mais je distinguai la ligne écarlate qui lui barrait l'estomac. Je souris. Il cligna des yeux. Commençait-il à me craindre? Je l'espérais.

Cette scène était ridicule. Nous allions nous entre-tuer pour le bon plaisir de Nikolaos.

Tentant le tout pour le tout, je bondis sur Burchard. Surpris, il fit un pas en arrière. Les genoux fléchis, nous commençâmes à tourner l'un autour de l'autre.

Alors, je déclarai :

—Je sais qui est le tueur de vampires.

Burchard fronça les sourcils.

—Qui ? demanda Nikolaos. Qui est-ce ? Dis-le-moi, ou je tue cet humain.

—Non ! cria Zachary.

Il se retourna pour me tirer dessus. La balle siffla au-dessus de ma tête. Burchard et moi nous jetâmes sur le sol.

Edward cria. Je tournai la tête vers lui. Son bras faisait un angle bizarre avec son épaule, mais il était vivant.

Zachary tira encore deux fois avant que Nikolaos lui arrache son flingue et le jette à terre. Elle le ceintura et le força à se plier en deux, puis inclina la tête vers lui.

Un hurlement épouvantable résonna dans tout le donjon.

À genoux, Burchard observait le spectacle. Je lui plongeai mon couteau dans le dos jusqu'à la garde. Il se raidit et passa une main derrière lui pour tenter d'arracher l'arme. Sans attendre de voir s'il réussirait, je dégainai mon deuxième couteau et lui tranchai la gorge. Du sang ruissela sur ma main. Quand je la retirai, Burchard s'affaissa lentement en avant.

Nikolaos lâcha Zachary et se tourna vers nous, le visage et sa robe rose maculés de sang. Zachary avait la gorge déchiquetée. Mais il remuait encore.

Nikolaos baissa les yeux vers le cadavre de Burchard et poussa un hurlement de banshee. Elle se jeta sur moi, les doigts pliés comme des serres.

Je voulus la frapper avec mon couteau. D'un revers de main, elle me désarma et me plaqua à terre sans cesser de

374

hurler. Elle n'était pas très lourde, mais elle avait une poigne d'acier. Je ne pouvais pas bouger.

Elle me força à tourner la tête pour découvrir mon cou. Pas de tours de passe-passe mentaux, rien que de la force brute.

—Non! criai-je.

Il y eut une détonation. Nikolaos sursauta. Elle se releva lentement.

Une bourrasque s'engouffra dans le donjon, prémices d'un ouragan.

Adossé au mur, Edward brandissait le flingue de Zachary. Nikolaos bondit sur lui. Il lui vida son chargeur dans le corps sans parvenir à la ralentir. Quand il lui jeta le flingue vide à la tête, elle l'écarta du bras et bondit.

L'épée gisait sur le sol. Presque aussi haute que moi et fichtrement lourde. Je la tirai de son fourreau, la brandis à deux mains au-dessus de ma tête et courus vers Nikolaos.

—Tu seras à moi, mortel! cria-t-elle de sa voix chantante. À moi!

Edward hurla. Je ne voyais pas bien pourquoi…

Je laissai retomber l'épée. Emportée par son poids, elle mordit le cou de Nikolaos. Quand elle toucha l'os, je la retirai. La pointe heurta bruyamment le sol.

Nikolaos se tourna vers moi et fit mine de se relever. De nouveau, je brandis l'épée et frappai.

Un craquement d'os. Entraînée par mon élan, je tombai à genoux en même temps que Nikolaos. Sa tête était toujours rattachée à son corps par des lambeaux de peau et de chair. Elle cligna des yeux.

Avec un grognement, je bandai mes muscles et levai l'épée. La lame s'enfonça dans sa poitrine. J'appuyai de tout mon poids, clouant Nikolaos au mur.

Du sang coula à gros bouillons de la plaie. Elle s'écroula.

Morte.

Je n'en croyais pas mes yeux.

Je tournai la tête vers Edward.

—Elle m'a mordue, gémit-il.

J'avais du mal à respirer, mais je jubilais. J'étais vivante, et pas Nikolaos !

—Ne t'inquiète pas, Edward. Je t'aiderai. Il me reste plein de bouteilles d'eau bénite.

Il me foudroya du regard, puis éclata de rire.

Alors, les rats-garous émergèrent du tunnel. Rafael contempla le carnage d'un regard incrédule.

—Elle est morte.

—Ding, dong, la méchante sorcière est morte, chantonnai-je, me souvenant du *Magicien d'Oz*.

—La méchante vieille sorcière, rectifia Edward en gloussant.

Lilian, le docteur à fourrure, s'occupa de panser nos blessures.

Zachary gisait toujours sur le sol. Sa plaie à la gorge commençait à se refermer. Il vivrait, si c'était le mot adapté à son cas…

Je ramassai mon couteau et m'approchai de lui en titubant. Les rats-garous me suivirent du regard sans intervenir. Je me laissai tomber à genoux près de lui et déchirai la manche de sa chemise, dévoilant le grigri vaudou. Il ne pouvait pas encore parler, mais ses yeux s'écarquillèrent.

—Quand j'ai voulu lui donner mon sang, tu m'en as empêchée. Tu semblais avoir peur, et sur le coup, je n'ai pas compris pourquoi. Tous les grigris exigent une chose et en refusent une autre pour continuer à fonctionner. Le tien réclame du sang de vampire. Que faut-il faire pour voir sa magie s'évaporer ?

Je levai mon bras dégoulinant au-dessus du sien.

— Je parie que c'est lui fournir du sang humain.

— Non, gargouilla Zachary.

Quelques gouttes coulèrent jusqu'à mon coude et restèrent en suspens l'espace d'une seconde. Puis elles s'en détachèrent.

Zachary lâcha un cri étranglé. Ses mains griffèrent le sol. Sa poitrine se contracta comme s'il ne pouvait plus respirer. Un soupir s'échappa de sa bouche et il s'immobilisa.

Je cherchai son pouls. Rien. Je tranchai le grigri avec mon couteau et le fourrai dans ma poche.

Lilian s'approcha pour me bander le bras.

— C'est temporaire. Il faudra des points de suture, me prévint-elle.

Je me relevai.

— Où vas-tu ? demanda Edward.

— Chercher le reste de nos armes.

Et surtout, délivrer Jean-Claude. Mais je préférais ne pas le lui dire, craignant qu'il ne comprenne pas.

Deux rats-garous m'accompagnèrent. Ça ne me gênait pas, tant qu'ils ne s'interposeraient pas.

Phillip était toujours recroquevillé dans un coin du donjon. Je le laissai là.

J'avais encore du mal à croire que je venais de tuer un maître vampire vieux de plus d'un millénaire.

La salle des punitions abritait six cercueils. Chacun était bardé de chaînes en argent, le couvercle orné d'un crucifix. Le troisième contenait Willie, si profondément endormi qu'il semblait ne jamais vouloir se réveiller. Je le laissai là. Qu'il s'éveille à la tombée de la nuit ! Ce n'était pas un mauvais bougre. Et pour un vampire, carrément un saint !

Le quatrième et le cinquième cercueil étaient vides. Je m'approchai du dernier, défis les chaînes et soulevai le couvercle.

Jean-Claude leva la tête vers moi. Ses yeux étaient un feu ardent, son sourire doux comme de la soie. Je repensai à mon rêve du cercueil rempli de sang et à sa main tendue.

Je reculai pendant qu'il s'asseyait.

Les rats-garous sifflèrent.

—Tout va bien, assurai-je. Il est plus ou moins de notre côté.

Jean-Claude sortit du cercueil comme s'il venait de faire une bonne sieste.

—Je savais que tu réussirais, ma petite, dit-il en souriant.

—Espèce de fils de pute arrogant ! crachai-je en lui flanquant un coup de crosse de fusil à pompe dans l'estomac.

Il se plia en deux, et je le frappai à la mâchoire.

—Sortez de ma tête !

Il se frotta la joue et regarda sa main couverte de sang.

—Les marques sont permanentes, Anita. Je ne peux pas les effacer.

Je serrai le fusil à pompe jusqu'à ce que mes mains me fassent mal. Du sang imbiba mon bandage.

Un instant, je songeai à défoncer sa jolie petite gueule. Mais je l'aurais probablement regretté par la suite…

—Pouvez-vous vous tenir à l'écart de mes rêves ?

—Oui. Je suis désolé, ma petite.

—Cessez de m'appeler comme ça.

Il haussa les épaules. À la lumière des torches, ses cheveux semblaient presque rouges.

— Et arrêtez de manipuler mon esprit.

— Que veux-tu dire ?

— Je sais que le coup de la beauté surnaturelle n'est qu'une illusion.

— Ce n'est pas moi qui fais ça…

— Qu'est-ce que ça veut dire ?

— Quand tu auras la réponse, reviens me voir, et nous en parlerons.

J'étais trop fatiguée pour jouer aux devinettes.

— Pour quoi vous prenez-vous ? Utiliser les gens…

— Je suis le nouveau maître de la ville.

Soudain, il apparut près de moi, et ses doigts caressèrent ma joue.

— Et c'est toi qui m'as mis sur le trône.

Je reculai en frémissant.

— Ne vous approchez pas de moi pendant un moment, ou je vous jure que…

— Tu me tueras ?

Il secoua la tête, souriant.

Je ne lui tirai pas dessus.

Et certaines personnes affirment que je n'ai aucun sens de l'humour !

En fouillant les lieux, je découvris une pièce au sol en terre battue où béaient plusieurs tombes peu profondes.

Phillip me laissa l'y conduire. Il regarda la terre fraîchement retournée et fronça les sourcils.

— Anita ?

— Chut…

— Anita, que se passe-t-il ?

Il commençait à se souvenir. Dans quelques heures,

il redeviendrait le vrai Phillip, ou presque. Et il le resterait pendant un jour ou deux.

—Anita? insista-t-il.

Un petit garçon qui a peur du noir.

Il me saisit le bras. Ses mains étaient bien réelles. Ses yeux toujours chauds et parfaits.

—Que se passe-t-il? répéta-t-il.

Je me dressai sur la pointe des pieds et posai un baiser sur sa joue.

—Il faut que tu te reposes, Phillip. Tu es fatigué.

—Fatigué, oui…

Je l'aidai à entrer dans la tombe et à s'y allonger. Il se redressa brusquement, les yeux écarquillés.

—Aubrey! Il…

—Aubrey est mort. Il ne peut plus te faire de mal…

—Mort? (Il scruta son corps comme s'il le voyait pour la première fois.) Aubrey m'a tué!

—Oui, Phillip.

—J'ai peur.

Je le serrai contre moi et lui caressai le dos. Il s'accrocha à moi comme s'il ne voulait plus me lâcher.

—Anita!

—Chut. Tout ira bien.

—Tu vas me rendormir, n'est-ce pas?

—Oui.

—Je ne veux pas mourir.

—Tu es déjà mort.

Il baissa les yeux vers ses mains et fléchit les doigts.

—Mort? chuchota-t-il. Mort?

Il se rallongea dans la terre humide.

—Rendors-moi!

J'obéis.

Ses yeux se fermèrent et ses traits se détendirent. Il s'enfonça dans sa sépulture et disparut.

Je me laissai tomber à genoux et versai toutes les larmes de mon corps.

CHAPITRE 48

E dward avait une épaule déboîtée, un bras cassé et une morsure de vampire. J'eus droit à quatorze points de suture. Mais nous guérîmes tous les deux.

Le corps de Phillip fut transporté dans un cimetière du coin. Chaque fois que je bosse dans le secteur, je passe lui dire bonsoir. Même si je sais qu'il est mort et qu'il ne s'en soucie plus. Les tombes sont pour les vivants, pas pour les défunts. Elles nous permettent de nous recueillir plutôt que de penser crûment que nos parents et nos amis pourrissent sous terre.

Les morts se fichent pas mal des jolies fleurs et des statues de marbre.

Jean-Claude m'envoya une douzaine de roses blanches accompagnées d'une carte : « Si tu as su répondre à la question en toute honnêteté, viens danser avec moi. »

J'écrivis « non » au dos et la glissai sous la porte du *Plaisirs coupables* pendant la journée.

J'ai été attirée par Jean-Claude. Qui sait, peut-être le suis-je toujours. Et alors ? Il croit que ça change quelque chose, mais il se trompe. Il suffit de rendre visite à Phillip au cimetière pour m'en souvenir. Non. En réalité, je n'ai même pas besoin d'aller si loin.

Je sais qui je suis. L'Exécutrice. Je ne suis pas avec les vampires : je les tue.

Achevé d'imprimer en février 2009
Par CPI Brodard & Taupin - La Flèche (France)
N° d'impression : 50499
Dépôt légal : mars 2009
Imprimé en France
81120092-1